BAND 4 MOSEL

Ein schöner Tag

Die 111 besten Tipps für Touren
links und rechts der Mosel

· · ·

AUF DEN SPUREN DES SCHIEFERS

· · ·

PRÄSENTIERT VON

idee.media
NEUWIED/RHEIN

EDITION RATHSCHECK

IMPRESSUM

HERAUSGEBER: EWALD A. HOPPEN

KONZEPTION: UWE SCHÖLLKOPF
EWALD A. HOPPEN

PROJEKTLEITUNG: UWE SCHÖLLKOPF

REDAKTION: BARBARA SCHÖLLKOPF, UWE SCHÖLLKOPF

VERLAG: **idee** media, KARBACHSTR. 22, 56567 NEUWIED
TELEFON 02631/9996-0 TELEFAX 02631/9996-55
E-MAIL: INFO@IDEE-MEDIA.DE
INTERNET: WWW.SCHOENER-TAG.DE

AUTOREN: URSULA AUGUSTIN, PETER BURGER, MICHAEL DEFRANCESCO, SANDRA FISCHER, OLAF
GOEBEL, FRANZ ERPELDINGER, ANNETTE HERRMANN, THOMAS HERRMANN, ALEXANDER
P. HOPPEN, EWALD A. HOPPEN, DIETER JUNKER, CHRISTOF KRIEGER, JANINA
KROENER, WOLFGANG KROENER, BRIGITTE MEIER, BIRGIT PIELEN, SABINE REMPE,
EVA-MARIA REUTHER, DINAH SCHMIDT, BARBARA SCHÖLLKOPF, UWE SCHÖLLKOPF,
DR. WOLFGANG WAGNER

REDAKTIONELLE MITARBEIT:
CHRISTIAN KOCH, UTE LEUKEL, BEATE PETRY, RUDOLF SCHWARZ

GESTALTUNG/DTP: AKATO/IDEEMEDIA

ALLE ANGABEN WURDEN NACH BESTEM WISSEN RECHERCHIERT UND SORGFÄLTIG ÜBERPRÜFT. SOLLTEN SICH
DENNOCH FEHLER EINGESCHLICHEN HABEN, BITTEN WIR UM ENTSCHULDIGUNG UND BENACHRICHTIGUNG.
FÜR FEHLER ÜBERNIMMT DER VERLAG KEINE HAFTUNG. AKTUALISIERUNGEN UND ERGÄNZUNGEN FINDEN SIE
IM INTERNET UNTER WWW.SCHOENER-TAG.DE

AUSGABE 2002/03 © DIE IDEE, BÜRO FÜR KOMMUNIKATION, NEUWIED,
IM AUFTRAG VON EDITION RATHSCHECK

DIE DEUTSCHE BIBLIOTHEK - CIP- EINHEITSAUFNAHME:
HOPPEN, EWALD A.: EIN SCHÖNER TAG: 111 FREIZEIT-TIPPS AUF DEN SPUREN DES SCHIEFERS
ISBN 3-934342-01-9. IN DER SERIE »EIN SCHÖNER TAG« SIND WEITERHIN ERSCHIENEN: EIFEL (BAND 1).
RHEINTAL (BAND 2), WESTERWALD (BAND 3), HUNSRÜCK (BAND 5). ZU JEDEM BUCH GIBT ES EINE SEPARATE
FREIZEITKARTE. INFOS IM INTERNET UNTER WWW.SCHOENER-TAG.DE

KURZ ERKLÄRT

Die Zeichen im Buch

In den farbig
unterlegten
Kästen
KURZ ERKLÄRT
und
AUF EINEN BLICK
finden Sie im Buch
Zusatzinformationen,
Geschichtliches und
Hintergründe.

Ⓢ   Telefon

Ⓢ   Telefax

@   Internet/E-Mail

▶   Verweis

◇ A5   Planquadrat in der
seperaten Freizeitkarte

Herzlich willkommen . . .

…*auf unseren neuen Entdeckungstouren links und rechts von 545 malerischen Kilometern. Von der Quelle am Col du Bussang bis zur Mündung schlängelt sich die Mosel durch drei Länder, vorbei an 80 Millionen Rebstöcken und durch Muschelkalk, Buntsandstein und Devonschiefer. Klimatisch gehört das Tal zu den mildesten Regionen Deutschlands, und im schönsten Stück zwischen Saarmündung und Deutschem Eck windet sich der Fluss über 190 Kilometer durch den Schieferfels, obwohl die Luftlinie eigentlich nur 100 Kilometer beträgt. Die Mosel – sie zählt zweifellos zu den reizvollsten Kulturlandschaften Deutschlands. Schon die Römer wussten, wo es schön ist – und sie zogen bereits 58 vor Christus durch das Moseltal bis zum Rhein. Bis heute sind die Spuren überall sichtbar – ob im 16 vor Christus gegründeten Trier oder im um 8 vor Christus gegründeten „Apud Confluentes", dem heutigen Koblenz. Das „steinreiche" Schiefertal wussten die Eroberer früh zu nutzen: Bereits im 1. Jahrhundert nach Christus begannen sie mit dem Weinbau, weil die schiefrigen Böden als Wärmespeicher die Trauben bestens reifen ließen. Und die Römer entdeckten auch den Schiefer als Baumaterial. Weil der Stein leicht spaltbar ist, eignet er sich hervorragend für Dacheindeckungen. Bis heute schimmern die Fachwerkdörfer entlang der Mosel im seidigen Glanz der historischen Altdeutschen Dachlandschaften. Gefunden wurden die Zeugnisse der römischen Dachkultur übrigens am Mayener Katzenberg – dort, wo Rathscheck Schiefer als Weltmarktführer heute noch den bekannten „Moselschiefer", mit modernster Technik aus den Tiefen des Berges holt und für eine Renaissance des Schiefers nicht nur*

an Prachtbauten, sondern auch für das normale Einfamilien-Wohnhaus gesorgt hat. Mit Band 4 unserer Edition laden Sie unsere Autoren wieder zu neuen Entdeckungsreisen in eine alte Heimat ein. Von der Moselquelle bis zur Mündung finden Sie 111 Vorschläge für erlebnisreiche Stunden und schöne Tage – keinen Gesamtüberblick, sondern eine gezielte Auswahl von bekannten und unbekannten Kostbarkeiten nicht nur entlang des Flusses, sondern auch in Seitentälern und auf den Moselhöhen. Nach den drei ersten erfolgreichen Bänden unserer Serie haben uns viele Anregungen erreicht, die wir gerne umgesetzt haben. Erstmals gibt es zu diesem Buch als Ergänzung eine Freizeit- und Straßenkarte, mit der Sie noch schneller zum Ziel kommen: Auf jedem Seitenfuß finden Sie jetzt die Angabe des Planquadrates, wo sich der im Tipp beschriebene Ausgangsort in der Karte wiederfindet. In der praktischen Faltkarte gibt es darüber hinaus einen Schnellfinder, der Ihnen auf einen Blick verrät, was es in der Nähe Ihres gewählten Ausflugszieles sonst noch Interessantes gibt - und das wiederum mit Querverweisen zu den Hintergrundgeschichten im Buch. Wir möchten, dass Ihr schöner Tag so komfortabel wie möglich beginnt.

Ihr

Ewald A. Hoppen
Herausgeber

Trips & Touren

Rollen & Radeln

Baden & Bummeln

Einblick & Erlebnis

Wandern & Wundern 65

Top Tipp 79

Mythen & Museen 85

Burgen & Bauten 99

halt

Kunst & Kultur

Küche & Keller

Feste & Feiern

Trips

Touren

Alte Liebe,

»Hineingerüttelt in jeden Spalt, den der Schieferfels des steilen Hanges bietet, angeschmiegt und aufgestützt auf jeden kleinsten Fleck, der Steinen und Balken Halt gibt, liegen die Häuser von Cochem über- und untereinander.« So malerisch beschreibt der Dichter Rudolf G. Binding die Stadt Cochem in seiner berühmten „Moselfahrt aus Liebeskummer". Und so romantisch wie damals präsentiert sich die Stadt an der Mosel auch heute noch Ihren zwei Millionen Gästen pro Jahr - auch wenn nicht alle ganz so tief in die Stadtgeschichte eintauchen.

Verwinkelte Gassen, malerische Fachwerkfassaden, steile Stiegen, hineingemeißelt in den Schieferfels, auf dessen Terrassen berühmte Trauben reifen – so kennt die Welt die Romantikstädte Cochem und Beilstein. Doch abseits von Rebenhängen, Reichsburg und Schwarzer Madonna bieten die Zentren der Moselromantik auch viele, weniger bekannte Kostbarkeiten. Dazu gehört beispielsweise das „Riesling-Register".

Dabei macht es Carlfritz Nikolay den Besuchern leicht, auf einen Blick die bis in die Kelten- und Römerzeit zurückreichende Geschichte zu erfassen: Seine Historienwand auf dem Platz, der seinen Namen trägt, ist ein idealer Ausgangspunkt für einen Bummel. Von hier aus fällt der Blick auf das Enderttor, eines der ehemals mächtigen Stadttore - heute Hotel und Restaurant. Schmale, enge Gassen führen weiter zur guten Stube Cochems, die wie schon zu Zeiten Bindings vom St. Martin-Brunnen beherrscht wird. Liebevoll restaurierte Fachwerkhäuser umsäumen den Marktplatz, zu den beliebtesten Fotomotiven gehört natürlich das historische Rathaus aus dem Jahre 1737. Unweit des Platzes liegt die katholische Pfarrkirche St. Martin, 1951 von Dominikus Böhm wieder erbaut und mit Plastiken des 15. bis 18. Jahrhunderts reich geschmückt. Ein kleines, aber besonderes Geheimnis verbirgt sich in der Oberlinger-Orgel. Nach gelungenen Konzerten zieht die Kantorin regelmäßig ein besonderes Register – das so genannte „Riesling-2-fach-Register". Dahinter verstecken sich allerdings keine Töne, sondern zwei Flaschen eines besonders guten Tropfens, bestens dazu geeignet, den Musikgenuss mit einem Gaumengenuss zu krönen.

Am Rathaus vorbei gelangt man zum Kapuzinerkloster hoch über der Stadt. Das ehemalige Kloster, das heute als Kulturzentrum genutzt wird, bietet nicht nur wunderschöne Blicke auf Cochem und die Reichsburg, sondern auch auf das Moseltal. Auf dem Weg zurück geht es durch das Balduinstor, ebenfalls eins der früheren Stadttore, an der ehemaligen Befestigung entlang zur evangelischen Pfarrkirche. Dahinter beginnt der Aufstieg zur Reichsburg – und der Einblick in eine interessante wie wechselvolle Burgengeschichte. Die Reichsburg wurde um 1000 von den Pfalzgrafen erbaut und von den Truppen Ludwigs XIV. zerstört. 1886 kaufte der Berliner Eisenfabrikant Louis Ravéne die Ruine und ließ sich vom Staatsarchitekten Julius Raschdorff und seinem Schwiegersohn Ende mit dem Wiederaufbau der Burg seinen Traum von „einem eigenen Neuschwanstein" erfüllen. Dabei richtete er die Burg mit einer beeindruckenden Sammlung von Kunstwerken der Renaissance und der Jahrhundertwende ein. Heute gehört

neue Eindrücke

die Reichsburg der Stadt Cochem. Führungen durch die Burg zählen zu den schönsten Augenblicken für Groß und Klein (▸ *SEITE 108*). Der Abstieg vom Burgberg mit seinem unvergesslichen Blick ins Moseltal, führt über die Kapelle St. Rochus und über das dritte, noch erhaltene Stadttor, von dem aus zu früheren Zeiten der Wegezoll eingezogen wurde, das Martinstor oder „Mäusjes-Porz", wie es die Cochemer liebevoll bezeichnen: Hatte man die Maut bezahlt, zog man von der Burg die Kette hoch, die den Schiffen den Weg versperrte.

Die „Moselfahrt aus Liebeskummer" führte Binding von Cochem nach Beilstein (▸ *SEITE 112*). Und auch heute noch gehört für viele Besucher eine Fahrt zum „Dornröschen der Mosel" zum Muss-Programm. Zum Erlebnis wird sie auf einem der zahlreichen Passagierschiffe, die während der knapp 30-minütigen Fahrt auch erste Einblicke ins Schleusen (▸ *SEITE 36*) vermitteln. Kurz nach der Fahrt durch die Schleuse bei Fankel gerät schon Beilstein ins Blickfeld. Nach Binding ein „Dörfchen mit den engsten Gässchen, deren natürliches Pflaster die Schieferstufen des Gebirges sind". Auch heute noch geht ein besonderer Charme von diesem Ort aus, der auf eine große Geschichte zurückblicken kann: Geschmiegt in ein Seitental der Mosel, beherrscht von der mächtigen Klosterkirche und der Ruine des ehemaligen Schlosses Metternich.

Beilstein: Das „Dornröschen" der Mosel.

Der Rundgang durch die engen Gassen von Beilstein entpuppt sich als Spaziergang durch die „guten alten" Zeiten. Manch einer fühlt sich als Akteur in einem Filmstudio. Denn irgendwie kommt vielen Besuchern die Kulisse aus Fachwerkfassaden und Altdeutschen Dächern bekannt vor. Stimmt. Beilstein war oft Schauplatz großer Filme. „Der fröhliche Weinberg", „Das Verlegenheitskind", „Wenn wir alle Engel wären" und natürlich auch die Verfilmung der „Moselfahrt aus Liebeskummer" wurden hier gedreht. Heinz Rühmann spielte unter den Schiefergiebeln, und Staatsmänner wie der italienische Ministerpräsident De Gasperi und Bundeskanzler Konrad Adenauer machten hier Politik. Weltberühmtheit erlangte auch die Klostertreppe, über die man zum Karmeliter-Kloster und zur Kirche mit einer der schönsten Barock-Ausstattungen entlang der Mosel gelangt. Heute noch steht der imposante Hochaltar aus Nussbaumholz, dessen mit Intarsien geschmückte Koncha eine Statue des heiligen Josef mit Jesuskind birgt. Das Bildnis der Schwarzen Madonna von Beilstein ist sicher das wertvollste Stück in der beeindruckenden Klosterkirche.

Die Mosel zwischen Cochem und Beilstein - sie gehört sicher zu den schönsten Landschaften Deutschlands. Viele Besucher lassen sich Jahr für Jahr von ihr gefangen nehmen und begeistern - wie schon Rudolf Binding: „Die Mosel ist ehrlicher. Ihr Zauber, ihre Schönheit sind größer und tiefer, sind wirklich die Verbindung der Natur mit menschlichem Leben."

Wein-Orgel: Kuriosum in
der Kirche St. Martin.

INFORMATIONEN

AUSKUNFT
Verkehrsamt Ferienland Cochem
Endertplatz, 56812 Cochem
☏ 02671/60040 ▣ 8410
@ www.cochem.de

ANFAHRT
A 48 Abfahrt Kaisersesch über die
L 98 nach Cochem oder A 48 Abfahrt
Ulmen über die B 259 nach Cochem. In
Cochem gibt es ein Parkleitsystem.

TOUR-TIPP
Wanderungen durch das Tal der
wilden Endert zur Ruine Winneburg.
(▸ BAND 1).

EINKEHR-TIPP
Gasthaus „Zom Stüffje"
Oberbachstr. 14, 56812 Cochem
☏ 02671/7260 ▣ 4633
@ ZomStüffje@t-online.de
Geöffnet 1. Februar bis 31. Dezember.
Ruhetag Dienstag.
Restaurant Alte Stadtmauer
Moselstraße, 56814 Beilstein
☏ 02673/1850 ▣ 1287
@ www.hotel-lipmann.de
Kein Ruhetag.

Vom Rinnsal in den Rhein: Die Mosel.

Am Anfang hält sie sich zurück

Natürlich kennt man die Mündung der Mosel in Koblenz. Zu Füßen von Wilhelm I. vereint sie sich behäbig als breiter Strom mit dem Rhein. Aber wer weiß von Bussang? Kurz hinter dem kleinen Vogesenort entspringt hier die Mosel ganz unspektakulär in einem ziemlich versteckten Winkel: Ein kleines Rinnsal erst, das noch sehr zurückhaltend plätschert.

Die Moselquelle liegt unterhalb des Col de Bussang, einem Vogesenpass. Das erste Moselwasser tritt aus einem Abhang des mächtigen Petit-Drumont, einem sagenumwobenen Druidenberg, der sich über der Quelle erhebt. Der Zulauf wurde gefasst und quillt jetzt aus einer grauen Granitplatte zuerst in einen kleinen Brunnen, bevor es dann wirklich losgeht mit der Reise nach Koblenz.

Aus dem Bach wird sehr schnell ein ansehnlicher Fluss, der sich bei Epinal schon richtig breit macht. Epinal ist eine beschwingte Stadt, die zum Bummeln einlädt mit ihren blumengeschmückten Promenaden, den kleinen Geschäftsstraßen, versteckten Plätzen und ursprünglichen Brasserien, in die man gerne hineinschaut auf einen Petit Rouge oder ein Glas lothringisches Bier. Die Mosel umarmt hier eine Innenstadt-Insel, auf deren südlicher Spitze das außergewöhnliche Musée Departemental d'Art liegt. Neben bedeutenden Werken von Rembrandt bis Picasso sind hier auch die berühmten Bilderbogen von Epinal ausgestellt: Die bunten Blätter wurden in Comic-Manier bedruckt und brachten seit dem 17. Jahrhundert Neuigkeiten unters Volk. Besonders begehrt waren die sehr anschaulichen Blätter mit blutrünstigen Details von grauslichen Mordtaten und schrecklichen Katastrophen.

Von Epinal aus folgt die N 57 dem Lauf der Mosel, ab Charmes ist allerdings die D 570 noch näher am Fluss und obendrein reizvoller. Die Stadt Nancy ist ein guter Grund für einen Seitensprung von der Mosel an die Meurthe. Wer Nancy besucht, landet irgendwann unweigerlich auf dem Place Stanislas. Er ist das Zentrum dieser eleganten Stadt und gilt als einer der schönsten Plätze in Europa. Verantwortlich für das harmonische Ensemble zeichnet der entthronte polnische König Stanislas Leszczynski. Er bekam Lothringen zum Trost für den verlorenen polnischen Thron und richtete sich in seiner neuen Heimat erst einmal geschmackvoll ein. Dafür zog Stanislas viele bedeutende Künstler an seinen Hof; als er 1766 starb, war Nancy ein Gesamtkunstwerk. Von seinem hohen Sockel in der Mitte des Platzes blickt der kluge Ex-König Stanislas in Bronze noch immer sehr zufrieden auf sein Werk. Besucher nehmen sich daran am besten ein Beispiel, setzen sich ihm gegenüber in eines der Straßencafés und schauen sich bei einem cremigen Café au lait in aller Ruhe die vielen Details der prachtvollen Fassaden ringsum an.

INFORMATIONEN

AUSKUNFT

L'Office du Tourisme d'Epinal
6 Place Saint-Groery
88000 Epinal
☎ 0033/329825332
@ www.ville-epinal.fr
Das Musée departemental d'art ist
in Epinal, 1, Place Lagarde,
☎ 0033/329822033, Ruhetag Mi.
Tourist-Info Nancy: Place Stanislas
BP 810, 54011 Nancy Cedex
☎ 033/38335/2241
@ www.ot-nancy.fr

ANFAHRT

Aus Richtung Koblenz nach Bussang:
A 61 Ludwigshafen, A 5 über Karlsruhe
bis A 36 Mulhouse (F), N 66 Thann
und weiter (Richtung Epinal) bis
Bussang. Von dort nach Epinal.

TOUR-TIPP

Liverdun (Nancy nördlich auf der
A 33/E 23 verlassen bis Ausfahrt
22 Frouard, von dort D 90 nach
Liverdun): Der alte Teil der kleinen
Stadt liegt auf einer Anhöhe über
einer malerischen Moselschleife.

EINKEHR-TIPP

Im 5-Tische-Restaurant „Le Petit
Robinson" kocht Francois Aubertin.
24, Rue Raymond Poincaré
8800 Epinal, ☎ 0033/32934/2351
Ruhetag Samstag und Sonntag.

Im Land der edlen Lichtbrecher

INFORMATIONEN

AUSKUNFT

Office de tourisme du Pays de Bitche
4 Rue du glacis du château
F-57232 Bitche Cedex
☎ 0033/38706/1616 ☎ -1617
@ www.ville-bitche.fr
In Nancy, im „Musée de Beaux Arts"
am Place Stanislas 3, ist neben Malerei
von Rubens, Delacroix, Manet und
Picasso auch Glaskunst des
berühmten Jugendstilmeisters
Antonin Daum zu sehen (geöffnet
täglich außer dienstags 10 bis 18 Uhr,
☎ 0033/38335/3072). Nicht weit von
Nancy entfernt, liegt Baccarat mit
seinem Kristallmuseum in der Rue des
Cristalleries ☎ 0033/38376/6137

ANFAHRT

Nach Nancy über die Autobahnen
A 4 und A 5 aus den Richtungen
Saarbrücken, Frankfurt und
Strasbourg.

TOUR-TIPP

Nancy präsentiert sich als ehemalige
Hauptstadt des Herzogtums
Lothringen voller Pracht. Als einer der
schönsten Plätze Europas gilt der Platz
Stanislas, der zum
Weltkulturerbe der UNESCO gehört.
Hier bieten Restaurants und Cafés zu
jeder Jahreszeit Stühle im Freien an.

EINKEHR-TIPP

Die Brasserie Excelsior, 50 Rue Henri,
ganz in der Nähe des Bahnhofs, ist
ein wahrhafter Tempel des Jugendstils,
große Meister dieser Kunstepoche
haben bei der Ausgestaltung des
Restaurants mitgewirkt.
☎ 0033/38335/2457. Kein Ruhetag.

Nancy: Das Tor zur Kristallstraße.

Queen Elizabeth II. hat sie, das Ritz und auch die Tafel des Königs von Marokko ziert ihr edler Schimmer: Kristallgläser – zauberhafte Kinder rot glühenden Feuers, gewonnen aus feinem, weißen Sand und Blei, aus dem französischen „Pays du Verre et du Cristal", zu Deutsch „Land des Glases und des Kristalls". Zu finden ist dieses Gebiet mit seinen märchenhaften Lichtbrechern in Lothringen. Es umfasst die Départements Meurthe-et-Moselle, Moselle und die Vogesen. Die von Touristikunternehmen so genannte „Route du Cristal" ist dabei keine ausgeschilderte Strecke für Autofahrer oder Radfahrer. Gemeint ist vielmehr das ganze Gebiet von St. Louis-les-Bitches über Nancy bis Portieux. Überall in den Städten, Dörfchen und Wäldern Lothringens finden sich hier rechts der Mosel Kristallwarenfabriken und kleine Ateliers, die zum Teil besichtigt werden können. Bekannte Namen sind darunter, so klingend wie die anmutigen Produkte der Unternehmen – zum Beispiel St. Louis-les-Bitches, die älteste Kristallerie Frankreichs, Baccarat oder Meisenthal. Fertig Funkelndes und Schillerndes, aber auch der Herstellungsprozess, das ewige, bis ins kleinste Detail einstudierte Ballett zwischen glühenden Öfen vom Blasen und Schleifen bis zum Gravieren und Verzieren, kann gut in der „Cristallerie de Hartzviller" besichtigt werden. Glänzende Eindrucke vermitteln die über eintausend Grad heißen Feuer, in denen das Kristall zusammenschmilzt. Beeindruckend auch die Kunstfertigkeit, mit der die Glasbläser, Graveure und Schleifer aus der flüssigen Masse fragile Formen und Farben zaubern. Ein Kristallmuseum findet sich unter anderem in Baccarat. Tag und Nacht ist hier das ununterbrochene Rauschen der Öfen gegenüber zu hören. Das große Anwesen war früher Sitz der Verwaltung. Heute wird es als Ausstellungsort genutzt. Vom kostbaren Briefbeschwerer mit traumhaft schönen floralen Dekoreinschlüssen über exklusive Vasen bis zur Kollektion von Wappengläsern, die zum Service von Isabella II. von Spanien gehört, ist vieles zu sehen. Zum Hauch von Luxus eine passende Augenweide: Auch in der Parfümherstellung des 20. Jahrhunderts wusste sich Baccarat einen bedeutenden Platz zu sichern. Die „Route du Cristal" - ein Tourtipp mit Schliff.

Metz: Kopfsteinpflaster und
Kathedrale St. Etienne.

„Grauli" vergrault niemanden mehr

Es muss wild hergegangen sein in Gallien, als Sankt Clemens erster Bischof von Metz war: Schreckliche Schlangen soll er damals bekämpft und eigenhändig einen fürchterlichen Drachen erledigt haben. Damit nur ja niemand vergisst, wie grässlich diese Bestie aussah, baumelt ihr Abbild noch immer in der Krypta der Kathedrale von der Decke und erschreckt ahnungslose Besucher. Die Menschen in Metz haben sich an ihr Untier gewöhnt und nennen es liebevoll „Grauli".

Die Kathedrale St. Etienne in Metz gehört zu den größten und erstaunlichsten ihrer Art in ganz Europa. Filigran und feingliedrig sieht sie aus der Ferne aus, trotz ihres gewaltigen Formats. Auf den ersten Blick wirkt sie allerdings merkwürdig unfertig – ihre Proportionen sind anders als die vieler anderer gotischer Gotteshäuser, vor allem fehlen ihr die himmelstürmenden Türme.

Faszinierendes, farbiges Licht beleuchtet den Innenraum der Kathedrale. Ihre einzigartigen Fenster sind Kostbarkeiten, die ältesten entstanden im 14. Jahrhundert. Marc Chagall setzte mit seinen glühenden Leuchtfarben im 20. Jahrhundert prachtvolle neue Fenster-Akzente.

INFORMATIONEN

AUSKUNFT

Office de Tourisme de Metz
Place d'Armes
☏ 0033/3875/55376
@ tourisme.mairie-metz.fr

ANFAHRT

Aus Richtung Koblenz die A 48 bis
Luxemburg, von dort über die A 31
nach Metz.

TOUR-TIPP

In Ars-sur-Moselle (an der D 6) und in
Jouy-aux-Arches (an der N 57) südlich
von Metz ist ein gut erhaltener Teil der
römischen Wasserleitung zu sehen, die
Metz einst versorgte. Die Bögen sind
mehr als 18 Meter hoch. Oder ein
Besuch des Factory-Outlets in Talange.
Dort finden sich Marken-Artikel zu
günstigen Preisen. A 31 - Ausfahrt 35
Maizière-lès-Metz.

EINKEHR-TIPP

Restaurant „Pont Saint-Marcel"
1, Rue du Pont Saint-Marcel
☏ 0033/38730/1229
@ www.port-saint-marcel.com
Kein Ruhetag.

Metz, die Hauptstadt Lothringens am Zusammenfluss der Seille mit der Mosel, ist eine sonnige Stadt – dank des wunderbaren Goldtones des Jaumont Steines, mit dem viele Häuser gebaut wurden. Diesem honigfarbenen Sandstein verdankt Metz bei Tag sein sommerlich südliches Flair. Nachts tauchen Scheinwerfer die Fassaden in ein märchenhaftes Licht und lassen die graublauen Schieferdächer schimmern wie im Sonnenuntergang. Und zu jeder Tageszeit wird der Besucher zum Bummeln verführt. Rund um die Kathedrale liegt die weitläufige Fußgängerzone mit vielen eleganten, typischen und originellen Läden. Ein Glück, dass es jede Menge kleiner Cafés und Bistros gibt, die einladen, französische Lebensart auf entspannte Art und Weise zu studieren, wenn irgendwann die Füße vom vielen Laufen schmerzen. Ein beliebter Treffpunkt ist der Place St.Jacques in der Nähe der Kathedrale. Hier liegt ein Straßencafé neben dem anderen.

Auf 3 000 Jahre Geschichte blickt Metz zurück. Die Kelten waren da, die Römer bauten ein gewaltiges Amphitheater für 25 000 Besucher (die Überreste verschwanden unter den Gleisanlagen des Güterbahnhofs – in der Zeit, als Metz deutsch war.). Auch Karl der Große hatte ein Faible für Metz, später kamen Ludwig der Deutsche und Karl der Kahle und machten hier Pläne, wie sie das Reich ihres Bruders Lothar unter sich aufteilen könnten. Jeder hinterließ seine – sehenswerten – Spuren. Auch die Deutschen, die zwischen 1870 und 1918 in Metz waren. Aus dieser Zeit stammt der Bahnhof und tatsächlich ist sogar der, samt seinen Außenanlagen, die von Leuchten des Designers Philippe Starck erhellt werden, außergewöhnlich.

Dinner im Museum.

Kultur zu Tisch

Die deutsche EXPO ist Geschichte. Doch sie wirkt nach. Der „Living Planet Square" des WWF, ein Wahrzeichen der Ausstellung, erwacht in Mettlach zum zweiten Leben. André Heller hat die Kunstfigur des Erdgeistes geschaffen, der den funkelnden Kubus des WWF-Pavillons umfasst. Die dazu gehörende „Weltkarte des Lebens" aus über 137 000 Steinchen haben der renommierte Künstler Stefan Szczesny und die Spezialisten von Villeroy & Boch hergestellt – das größte Keramik-Puzzle der Welt. Es kehrte an seinen Entstehungsort zurück; der Kreis schließt sich.

Malerisch im Erholungsgebiet Saarschleife gelegen, bietet das traditionsreiche Unternehmen mit Weltgeltung dem Besucher ein großes Angebot an Attraktionen, an Erlebniswelten voller Stimmung und Gefühl, dass sich Liebhaber der Keramik-Kultur im Paradies wähnen. Im Besucher-Zentrum in Mettlach geben sich Vergangenheit, Gegenwart und Zukunft die Hand. Bis 1748 reichen die Wurzeln des damals Lothringer Unternehmens zurück. Seither haben acht Generationen der Familien Boch und Villeroy im Geiste der Innovation technischen und künstlerischen Fortschritt praktiziert. Das Ergebnis kann sich sehen, besser, erleben lassen. In der Alten Benediktiner-Abtei, die Jean-Francois Boch 1809 erworben hatte, befinden sich heute Hauptverwaltung, ein Teil der Fabrikation, Service und Information.

Der Höhepunkt unter den Sehenswürdigkeiten im House of Villeroy & Boch Zentrum ist die Keravision, eine Art „kleine Weltausstellung". Zur Einstimmung kann sich der Besucher im Barocksaal einen knapp halbstündigen Film in Englisch, Deutsch oder Französisch ansehen, in dem Sir Peter Ustinov die Meilensteine der über 250-jährigen Firmengeschichte vergnüglich Revue passieren lässt. Die Ausstellung zeigt keramische Produkte aus dem Barock (Geschirr „Alt Luxemburg", 1770), Jugendstil, den dreißiger und vierziger Jahren (einfaches Geschirr der Nachkriegszeit). Amerikanische Design-Studenten tobten sich zu Beginn der bemannten Raumfahrt aus und schufen Tischgeschirr im Raketenlook. Eine Revolution war in den siebziger Jahren die Badezimmer-Kollektion von Luigi Colani, die das Bad endgültig in den Rang eines Lebensraums erhob. Weiter geht's nach der Keravision mit dem Info-Zentrum Tischkultur. Vogelgezwitscher über einem gepflasterten Marktplatz, klassische Musik in einem kleinen Straßencafé und ein Raum, der sich alle 15 Minuten verdunkelt und einen romantischen Sternenhimmel preisgibt. Derart beeindruckt durch diese Stimmungswelten, erlebt man das Info-Zentrum Fliesen/Sanitär und Bad anfangs als kühl und sachlich. Dann erst erschließt sich die Eleganz der Küchen- und Badezimmer-Arrangements. Wanne, Becken, Waschtisch, Möbel, Wand- und Bodenfliesen – alles ist perfekt aufeinander abgestimmt. Das Interieur aus einer Hand. Wer nach diesem Rausch der Sinne frische Luft braucht, ist im weitläufigen Park der Abtei bestens aufgehoben. Hier befindet sich – von 1991 bis 98 restauriert – das älteste sakrale Gebäude des Saarlandes: Der über 1 000-jährige Alte Turm.

Schließlich und endlich möchte der Keramikfreund natürlich einkaufen. Hier gibt es einige Möglichkeiten in der Fußgängerzone, die zu Fuß in maximal fünf Minuten zu erreichen sind.

INFORMATIONEN

AUSKUNFT

Erlebniszentrum
„The House of Villeroy & Boch"
Saaruferstraße, 66693 Mettlach
06864/811020 812305
www.villeroy-boch.de
Öffnungszeiten: Mo. - Fr. 9 bis 18 Uhr,
Sa. 9.30 - 16 Uhr. Ruhetag Sonntag.

ANFAHRT

Aus Richtung Koblenz A 1/A 48 bis Trier,
dann weiter auf B 51 Richtung Saarlouis
bis Mettlach, aus Richtung Saarbrücken
von A 620 auf A 8 bis Abfahrt Merzig,
dann auf B 51.

TOUR-TIPP

Keramik Museum Mettlach
Mosaikfabrik, 06864/811284
1478 www.villeroy-boch.de
Villeroy & Boch, Saarstraße 20
D-66787 Wadgassen
06834/400240 46143
Outlet Villeroy & Boch, 330 Rue de
Rollingergrund, L-1018 Luxembourg
Besucherorganisation
00352/46821 343 229376
Ruhetag Sonntag.

EINKEHR-TIPP

Mettlacher Abtei-Bräu Erlebnisbrauerei
0684/93232
www.abtei-brauerei.de
Rustikale Küche, lokale Spezialitäten.
Ruhetag Montag.
Gasthaus Friedrich in Mettlach,
saarländische Spezialitäten,
06864/7296. Ruhetag Dienstag.
Restaurant Schloss Ziegelberg direkt
am Museum, 06864/1400
www.restaurant-schloss-
ziegelberg.de, Ruhetag Montag.
Hotel Linslerhof in 66802 Überherrn
06836/8070 www.linslerhof.de
Kein Ruhetag.

Schengen schrieb Euro-Geschichte.

Gärten blühen ohne Grenzen

Über Europa wird viel gesprochen, im Dreiländereck an der Mosel kann man ganz ungezwungen erleben, wie Europa im Alltag funktioniert. Denn hier, wo Luxemburg, Frankreich und Deutschland aneinander stoßen, verstehen sich die Menschen über Grenzen hinweg, und das nicht erst seit dem „Schengener Abkommen". Es war kein Zufall, dass diese Vereinbarung über den Abbau der Grenzkontrollen ausgerechnet hier unterzeichnet wurde (1985 und 1990). Im Schengener Eck ist die Idee des vereinten Europa tatsächlich spürbar, davon sprechen auch die vielen gemeinsamen Projekte, die natürlich Ausflüge und Urlaube in dieser Region für Besucher noch reizvoller machen. Ein besonders schöner Plan steht jetzt schon in voller Blüte: die „Gärten ohne Grenzen". Große und kleine, französische, luxemburgische und deutsche, alte Gärten und futuristische warten auf Gäste, die sich bezaubern lassen von der Vielfalt und der ständigen Veränderung, die diese Anlagen versprechen. In Nennig gibt es zum Beispiel den Renaissancegarten am Schloss Berg, für dessen strenge geometrische Muster alte Stickereien als Vorbild dienten. Im Mittelpunkt des typischen Barockgartens in Perl (Biringer Straße) liegt ein großes Wasserbecken, aus dem im Sommer eine hohe Fontäne sprudelt.

Ganz neu ist der „Garten des Friedens" im französischen Bitche, zwischen der Stadt und der Zitadelle. Auf der anderen Moselseite, im luxemburgischen Schengen, ist ein weiterer zauberhafter Barockgarten angelegt worden; hier gibt es außerdem einen neuen Kräutergarten. Auch etwas ganz Besonderes sind die römischen Gärten in der Villenanlage in Perl-Borg. Diese rekonstruierte römische Villa ist ohnehin einen Besuch wert. Allein das wieder aufgebaute Badegebäude macht neidisch: die reinste Bade-Oper! Ausgesprochen raffiniert war die Lust am Luxus (noch dazu), die trickreiche Anlage des „Hypokaustums" – der antiken Heizung – ist sehenswert. Der Tatsache, dass Bauer Peter Reuter im Herbst 1852 eine Rübengrube ausheben wollte, verdankt die Region eine weitere hochkarätige Sehenswürdigkeit: das römische Mosaik von Nennig. Tausende von kleinen Steinchen formen sich zu Mustern und Bildern, die ein unglaublich realistisches Bild der ebenso beliebten wie blutigen Gladiatorenkämpfe geben. Mit Dolch und Dreizack bewaffnet, versucht ein muskelbepackter Mann seinen Gegner zu besiegen. Zwei Männer gehen mit Peitschen und Stöcken aufeinander los. Ein Bär attackiert einen Fechter. Und dazu spielt die Musik – ein Orgelspieler und ein Tubabläser sind neben den kraftstrotzenden Kämpfern im Mosaik dargestellt. Ganz so, wie es der Römer von Welt einst im Amphitheater gern sah und hörte.

INFORMATIONEN

AUSKUNFT

„Gärten ohne Grenze": CEB
Industriestr. 6-8
66663 Merzig-Hilbringen
☎ 06861/93080 📠 930825
@ www.ceb-merzig.de
Touristinformation Nennig
66706 Perl, ☎ 06866/1439.
Touristinformation Schengener Eck
Gemeinde Perl, Trierer Straße 28
66706 Perl, ☎ 06867/660 📠 66100
@ www.perl-mosel.de
Das römische Mosaik in Nennig ist
von Februar bis November täglich
außer montags geöffnet.
Die römische Villa in Borg ist täglich
außer montags geöffnet.
☎ 06865/1008 📠 1015

ANFAHRT

Über die N 10 die „Waistross" auf der
luxemburgischen Seite oder über die
B 419 auf der deutschen Seite an der
Mosel entlang nach Schengen/Perl.

TOUR-TIPP

Im Schloss Berg in Nennig
gibt es ein Spiel-Casino.

EINKEHR-TIPP

Victors Landgasthaus „Die Scheune"
Schlosshof, 66706 Nennig/Mosel
☎ 06866/79180 📠 79100
@ www.victors.de. Ruhetag Montag.

Gibraltar des Nordens

Wer sich an warmen Sommertagen unter den Bäumen der Place d`Armes niederlässt, die einheimische Luxemburger den „Salon der Stadt" nennen, muss sich nicht wundern, wenn die Runde am Tisch nebenan munter im Mix aus

Luxemburg: Romantik im Nachtlicht.

Deutsch, Englisch und Französisch parliert. Kaum 50 Kilometer hinter der deutschen Grenze ist man nämlich mittendrin in Europa. Dem Autoreisenden aus Richtung Trier signalisiert gleich oben am Kirchberg die Monumental Plastik des Amerikaners Richard Serra: Luxemburg ist nicht nur ein internationaler Bankplatz, Sitz europäischer Behörden und 1 000-jährige Hauptstadt des zugehörigen Großherzogtums. In Luxemburg wird das gemeinsame Haus Europa gebaut mit Brückenköpfen in die ganze Welt. Vorbei am imposanten Bankviertel des Kirchbergs, an dem berühmte Architekten wie Richard Meier und Gottfried Böhm gebaut haben, und den Gebäuden der europäischen Institutionen führt die Fahrt über den prächtigen Boulevard Royal ins Stadtinnere. Im Zentrum selbst empfiehlt es sich, ein Parkhaus anzusteuern, da alle Parkplätze meist chronisch überfüllt sind. Ein guter Ausgangspunkt für Stadtbesichtigungen ist der „Parking" unter dem Heiliggeist-Plateau. Von hier aus sind die romantische Altstadt mit ihren ockerfarbenen Festungsmauern (heute Bestandteil des Weltkulturerbes der UNESCO), das großherzoglichen Schloss und die Kathedrale mit ihrem mächtigen Schieferdach nur ein paar Schritte entfernt. Gleich nebenan befindet sich überdies das Museum für Stadtgeschichte mit seinem mondänen gläsernen Vorhang. Selbst wen Geschichte kalt lässt, sollte nicht auf die Fahrt mit dem gläsernen Panorama-Lift ins oberste Stockwerk verzichten. Der Blick von dort auf das „Gibraltar des Nordens" mit seinen brückenüberspannten Schluchten und der malerischen Unterstadt „Grund" ist mit das Schönste, was Luxemburg zu bieten hat. Etwas weiter im Nationalmuseum am Fischmarkt gibt es in 120 Räumen Landesgeschichte satt. Freunde spannender zeitgenössischer Kunst kommen im ehemaligen „Casino" ein paar Straßen weiter auf ihre Kosten. Schöne alte Meister des 17.-19. Jahrhunderts bietet die Villa Vauban. Wer es gruselig liebt, den locken die unterirdischen Wehrgänge der Kasematten. Besucher mit Kindern steigen am besten gleich zu Fuß oder per Fahrstuhl in die Unterstadt am Ufer der Alzette. Im ehemaligen Hospiz St. Johann ist das Nationalmuseum für Naturgeschichte untergebracht. Dort kreucht und fleucht es wie auf dem Bauernhof. Daneben gehören Johanneskirche und die Abtei Neumünster ebenso zum „Grund" wie die vielen gemütlichen Kneipen. Ganz anders geht es auf der Stadtseite jenseits der Adolphe-Brücke (einst die größte Steinbogenbrücke der Welt) im Bahnhofsviertel „Gare" zu. Zwischen eleganten Läden, Fin-de-siècle-Bauten, Lokalen jedweder nationaler Küche, schummrigen Bars und unfrommen Absteigen erfährt der Reisende hautnah, was es mit der multikulturellen Geburtsstadt von Europa-Vater Robert Schuman (dessen Geburtshaus übrigens erhalten ist), auf sich hat. Sehenswert ist hier auch das Stammhaus der Luxemburger Staatsbank mit Bankenmuseum.

INFORMATIONEN

AUSKUNFT

Luxembourg City Tourist Office
Place d`Armes, L-2011 Luxembourg
☎ 00352/222809 @ www.lcto.lu

ANFAHRT

A 1 Richtung Trier, Abfahrt
Ehrang/Luxemburg

TOUR-TIPP

Das Luxemburger Verkehrsamt bietet
mehrstündige Rundwege an.
Pläne: City Tourist Office.
Museum für Stadtgeschichte
14 Rue du Saint-Esprit
☎ 00352/229050-1. Di, Mi, Fr, Sa, So
10-18, Do 10-20 Uhr. Mo geschlossen.
Nationalmuseum für Geschichte
und Kunst
3, Rue Sigefroi, ☎ 003/52479330
Sa bis So von 10 bis 17 Uhr
Casino Luxembourg
41, Rue Notre-Dame
☎ 00352/225045. Tägl. 11-18,
Do 11-20 Uhr, Di geschlossen.
Kasematten: Bock-Kasematten,
März - Oktober 10 bis 17 Uhr,
Petruskasematten: Ostern, Pfingsten,
Juli - September 11 bis 16 Uhr.

EINKEHR-TIPP

Brasserie Guillaume, 12-14 Place
Guillaume II., L-1648 Luxembourg
☎ 00352/26202020 @ 26201918
Kein Ruhetag.

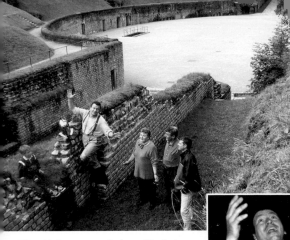

Trier: Unterwegs mit dem Gladiator.

Auf Leben und Tod

In abgerissenen Klamotten und Gummistiefeln stapft der Mann durch die unterirdischen Gänge. In der Hand hält er eine Fackel. Seine Stimme ist brüchig, sein Blick der eines gehetzten Tieres. „Sie glauben mir nicht? Aber ich war doch dabei, ich hab' es erlebt, ich war Gladiator hier ...!", ruft er der Menschenmenge zu und springt durch die in Schiefer gehauenen Katakomben des Trierer Amphitheaters. „Hier, das war der Raum, wo die Tiere angekettet waren. Exotische Tiere, manchmal tagelang ausgehungert. Und hier" – er läuft weiter, „saßen die Doktoren und haben ihre Salben und Pasten für die Verletzten angerührt". Valerius hält inne, schaut mit starrem Blick in die Gesichter der fremden Menschen und erzählt seine Geschichte. Die Geschichte eines Gladiators, der hier, im Amphitheater von Treverorum, lebte und kämpfte – um sein Leben. Heute so spannend wie vor knapp 2000 Jahren. Zu erleben an jedem Wochenende im Sommer. Wer mit Valerius Schritt halten will, muss sich beeilen. Behände springt er die Stufen in die Kampfarena hoch, dann auf die Wiese, dort, wo früher Abertausende von Menschen saßen, das blutige Spektakel beklatschten und über Leben und Tod der Kämpfer entschieden. Brot und Spiele, die grausame Volksbelustigung der Römerzeit wird mit Valerius lebendig. Der Ex-Gladiator schreit, fleht, lacht und weint, als er seine Erinnerungen mit dem Publikum teilt. Wortgewaltig und mit ausdrucksstarken Gesten lässt er die brutale Kampfmaschinerie der Gladiatorenschule vor dem inneren Auge der Zuhörer entstehen. Valerius reißt die Menschen von heute mit dem Schicksal der Menschen von damals mit - und das nicht nur einmal rund um die Arena. Eindringlich beschreibt er die blutigen Details des vermeintlichen Heldentums – die traurige Kehrseite der Medaille. Imposanter Höhepunkt der Zeitreise ist Valerius´ Kampf mit seinem Freund Metellus. Aus dem geplanten Schaukampf zu Ehren des Gottes Apollon wird bitterer Ernst, ein Kampf um Leben und Tod, einer muss sterben ... Nach 60 Minuten, in denen wir fast ein ganzes Menschenleben verfolgt haben, verschwindet Valerius wieder dorthin, woher er gekommen ist – in das feuchte Dunkel der unterirdischen Gänge, dort, wo er vor mehr als 1820 Jahren unter einer gewaltigen Hebebühne auf seinen Auftritt gewartet hat. Wir schauen ihm atemlos nach, bis seine Fackel in der Ferne erloschen ist. Der Weg zurück aus den Katakomben durch die Arena fühlt sich seltsam an. Die Welt scheint sich verändert zu haben. Die Ruinen, die wir vorher fast teilnahmslos betrachtet haben, haben ein Eigenleben entwickelt. Valerius hat sie für uns lebendig gemacht – für einen kurzen Augenblick waren wir ganz nah dabei ...

INFORMATIONEN

AUSKUNFT

Die fiktive Geschichte des Gladiators Valerius nach einem Buch von Dominique Caillat kann man vom 1. Juni bis 1. Oktober jeden Samstag und Sonntag um 18 Uhr im Amphitheater Trier erleben. Infos im Amphitheater unter ☎ 0651/73010.

ANFAHRT

Von Koblenz über die A 48 Richtung Trier, im Verteilerkreis Richtung Saarbrücken, dann Richtung Alleenring, Schildern Amphitheater folgen.

TOUR-TIPP

Hinter dem Parkplatz des Amphitheaters geht es links hoch zum Petrisberg (dem „Gegenstück" des Markusbergs) mit einer wunderbaren Aussicht. In zehn Minuten kann man bis zum „Gipfel" wandern.

EINKEHR-TIPP

Restaurant Bagatelle
Am Zurlaubener Ufer 78, 54292 Trier
☎ 0651/29722
@ www.bagatelle-trier.de
Kein Ruhetag.

Schönes Schmuckstück

INFORMATIONEN

AUSKUNFT
Touristinformation
Treis-Karden, ☎ 02672/6137 ☎ 2780
Wochenend-Pauschalangebote für
Wanderfreunde und Genießer,
Moselkerner Gästeservice
☎ 02672/1299 ☎ 8949
@ www.Interfirma.de

ANFAHRT
Per Bahn über Koblenz oder Trier
stündlich; per Auto über A 48, Abfahrt
Kaisersesch, Richtung Cochem, B 49
Richtung Koblenz.

TOUR-TIPP
Wanderung zur Burg Eltz;
Planwagenfahrt mit Weinprobe,
Anmeldung bei Weingut Peter Sturm
☎ 02672/910269

EINKEHR-TIPP
Ringelsteiner Mühle, am Burg-Eltz-
Parkplatz, ☎ 02672/910200 ☎ 910201
@ www.ringelsteiner-muehle.de
Kein Ruhetag. Von April bis November
von 10 bis 20 Uhr.
Historischer Bahnhof
„Moselstübchen", Im Bahnhof,
Moselkernt ☎ 02672/1299
Kein Ruhetag. Täglich ab 15 Uhr.

Seit die Menschen zum Vergnügen reisen und aus Spaß zu Fuß gehen, starten viele Wanderer von Moselkern aus zur weltberühmten Burg Eltz. Doch wer sich die Zeit für einen Rundgang durch das historische Winzerdorf nimmt, erkennt schnell, dass Moselkern selbst einen Besuch wert ist. Ein Bummel durch Moselromantik pur. Hier gefiel es schon den Germanen, Römern und Kelten, wie archäologische Funde beweisen. Unter anderem soll sich eine Römervilla mit Gutshof zwischen der Pfarrkirche und dem Bahnhof ausgebreitet haben. Ein berühmtes Zeugnis dafür, dass in Moselkern bereits im 7. Jahrhundert eine Kirche war, ist das „Merowingerkreuz" oder die „Stele von Moselkern". Es gilt als eines der wenigen fränkischen Steindenkmäler mit figürlicher Darstellung. Der wuchtige Bruchsteinturm der Kirche blickt seit rund 800 Jahren auf Moselkern herab. Das romanische Kirchenschiff wurde 1789 abgerissen und aus Schieferbruchsteinen neu gebaut. Eines der schönsten Stücke im Inneren der Kirche ist die 500 Jahre alte Statue des Schutzpatrons, des heiligen Valerius. Ins Auge fällt das mächtige Kreuz am Hochaltar, das 1937 errichtet wurde. Kirchenhistoriker deuten die ungewöhnlichen Darstellung des Gekreuzigten, der mit einer Hand eine einladende Geste macht, als stummen Protest gegen die damaligen Machthaber. Zwischen 1950 und 1954 gestaltete der bekannte Künstler Anton Wendling die Kirchenfenster. Leider wurden die üppigen Wandmalereien von 1869 später weiß übertüncht. Heute überlegt die Kirchengemeinde, sie wieder freizulegen. Von den vielen, liebevoll restaurierten Holzgiebelbauten im typischen Moselfachwerkstil ist das historische Rathaus aus dem Jahr 1535 das wertvollste Schmuckstück. Es gilt als das älteste Rathaus an der Mosel und wird heute, nachdem die Gemeinde 1997 das Gebäude gekauft und renoviert hat, vielfältig genutzt: Wer eine Familienfeier plant, kann den Rats- oder Rittersaal mieten, Konferenzen oder Tagungen werden dort zugleich zu einem kulturellen Erlebnis. Eine kleine Kapelle aus dem Jahr 1907 lädt zur Meditation ein. Jeden Dienstag ab 19 Uhr können sich Moselgäste vom Bürgermeister persönlich durch das historische Rathaus führen lassen und anschließend dort zwischen nostalgischer Fachwerk- und Schieferromantik eine Weinprobe genießen. Der Fremdenverkehr spielte in Moselkern schon früh eine bedeutende Rolle, was sicher mit der nahen Burg Eltz zu tun hatte. Um den „Sommerfrischlern" ihre Zwischenstation im Dorf so angenehm wie möglich zu machen, entstanden bereits Mitte des 19. Jahrhunderts Gasthäuser und Hotels. So war das Haus „Im Anker", das heute noch in der Moselstraße zu finden ist, ein beliebter Treffpunkt für Künstler. Ein Geheimtipp für wohlhabende Städter war das komfortable „Hotel Burg Eltz", das seit 1859 im Familienbesitz ist und seine Blütezeit vor und nach dem Ersten Weltkrieg, insbesondere in den zwanziger Jahren hatte. Bereits 1898 machte das Hotel auf einer Postkarte Werbung für Urlaub in Moselkern.

Moselkern: Fachwerk- und Schieferromantik.

Brodenbach: Picknick für Ross und Reiter.

REITEN AUF DEN
MOSELHÖHEN

Aufs richtige
Pferd gesetzt

INFORMATIONEN

AUSKUNFT

„Reit- und Wanderstube
Brandengrabenmühle" in
56332 Brodenbach
☏ 02605/960904 ☏ 847692
@ www.wanderritt-online.de
Die Brandengrabenmühle ist eine
von über 30 Wanderreitstationen,
die sich zum Netz „Hunsrück zu
Pferd" zusammengeschlossen haben.
Broschüre „Hunsrück zu Pferd" (auch
Angebote von Kutsch- und
Planwagenfahrten, Reitstationen mit
Verleihpferden u.a. in Wintrich,
Saarburg, Sohren, Holzbach oder
Womrath) erhältlich bei:
Mosellandtouristik, 54463 Bernkastel-
Kues, ☏ 06531/2091, oder Hunsrück-
Touristik in 54411 Deuselbach,
☏ 06504/950431
@ www.hunsruecktouristik.de

ANFAHRT

Nach Brodenbach/ Mosel über die
B 49. Hier abbiegen ins Ehrenburger-
tal bzw. Campingplatz Vogelsang.
Am Campingplatz vorbei fahren, ein
Schild weist in die Ehrbachklamm.

TOUR-TIPP

Familien mit Kindern können sich
von der Reitstation ein Pony für
die Kleinen ausleihen und zur
Ehrenburg, der mittelalterlichen
Erlebnisburg, wandern. Auch schön:
eine Mühlentour durch die
Ehrbachklamm.

EINKEHR-TIPP

Die Brandengrabenmühle ist
von April bis November
ab 10 Uhr geöffnet.
Ruhetag Dienstag.

Ein kleiner Hauch von Abenteuer weht uns bereits entgegen, als wir den Weg in Richtung Reitstation Brandengrabenmühle einschlagen, einem idyllischen Geheimtipp für Wanderer, Radfahrer, Reiter, Motorradfahrer, Freunde der Countrymusic und überhaupt alle, die handfeste Lagerfeuerromantik, Natur und Tiere lieben.

Über eine Spielstraße kurven wir durch den Brodenbacher Ortsteil Ehrenburgertal, passieren windschiefe Fachwerkhäuschen. Dann geht es über eine schmale asphaltierte Strasse „jottwede" ins Grüne. Links duftet Nadelwald, rechts plätschert der Ehrbach. Imposante, dicht bewachsene Hänge werfen ihre Schatten. Gleich über uns ragt die Ehrenburg in den Himmel. Nach einigen Minuten lichtet sich das Grün, und wir können gewiss sein, uns doch nicht verfahren zu haben: Auf einer Wiese weiden schneeweiße Pferde, mitten darunter ein pfiffiges braunes Pony, nicht viel größer als ein Schäferhund. Das trabt gleich heran, um neugierig ins Autofenster zu lugen. Gibt's da vielleicht was Leckeres …?

„Das Pony ist ein Zwergshetty und heißt Amadeus", erfahren wir wenig später von Carmen Dingler, Inhaberin der „Reit- und Wanderstube" Brandengrabenmühle in der berühmten Ehrbachklamm. Amadeus besitzt das Privileg, frei herumlaufen zu dürfen auf den Ländereien der Mühle. Niedlich und gemütlich ist es hier. Ein Fachwerkhäuschen gehört dazu mit zwei rustikalen Vierbettzimmern, ein weiteres Haus mit uriger, auch für Feiern zu mietender „Reit- und Wanderstube", in der gegessen und getrunken werden kann, ein romantischer Grill- und Lagerfeuerplatz, Boxen, Offenställe, Wiesen und – in der Saison von April bis November – ein kleiner Spielplatz samt Streichelzoo mit Meerschweinchen, Hasen, Hängebauchschwein, Hunden und Katzen. Vielerlei Möglichkeiten hat die Mühle zu bieten. Wanderreiter mit eigenem Pferd können hier Station machen. Wer über die Moselhöhen reiten möchte, aber kein Pferd besitzt, kann eines der Verleihtiere („Lady Di" oder „Gildo") bekommen. Geritten wird in kleinen Gruppen von vier bis fünf Personen. Ein ausgebildeter Berittführer steht bereit, Sonderwünsche wie Picknick im Wald werden gerne erfüllt. Anfänger allerdings bekommen zunächst auf dem Reitplatz erste Instruktionen, bevor ein Ausritt in Frage kommt. Familien mit Kindern sind immer willkommen. Auch weniger Reiterfahrene können sich ein Pony ausleihen und zum Beispiel zur Ehrenburg oder durch die Ehrbachklamm von Mühle zu Mühle wandern. Die Eltern führen das Tier, der Nachwuchs kann derweil „hoch" zu Ross den Ausblick genießen. Einen Imbiss für müde Wanderer, Reiter oder Radler gibt es immer in der Mühlenstube, ein größeres Essen nach Voranmeldung. Zudem lockt Lagerfeuerromantik an jedem ersten Samstag im Monat innerhalb der Saison. Einmal im Jahr, jeweils am zweiten Wochenende im Juli, gibt es ein großes Treffen für alle Reiter und Nichtreiter, die etwas für Wildwest-Atmosphäre, Countrymusic und Pferde übrig haben. Dann heißt es: Entspannen bei Westerngrill und Trail Parcours mit Slalomreiten, Wippe, Toröffnen und vielen weiteren „Cowboy"-Raffinessen mehr.

„Brodelnde" Geschichte

Stillgelegte Steinbrüche: Erinnerungen an die goldene Steinzeit auf den Moselhöhen.

Sie sind unter uns – und brodeln immer noch fast genauso wie beim letzten Inferno vor 13 000 Jahren vor sich hin. Wann und ob die Eifelvulkane nochmals aktiv werden, das weiß keiner so genau. Täglich können Besucher im neuen „Vulkanpark Osteifel" aber auf eine spannende und informative Reise zum Innern der Erde gehen, herrliche Ausblicke genießen und neue Einblicke gewinnen. 200 000 Jahre im Zeitraffer: Das Infozentrum Rauschermühle in Plaidt-Saffig demonstriert in einer Ausstellung eindrucksvoll die Entstehungsgeschichte der Osteifel. Steinzeit und Computeranimation liegen eng beisammen, ansprechendes Filmmaterial liefert die ideale Einstimmung auf insgesamt vier ausgeschilderten Routen mit zwanzig Projekten durch den Vulkanpark. Unmittelbar hinter dem mit Schiefer bedeckten Haus erschließt sich dem Besucher der Rauscherpark. Dort fließt malerisch die Nette durch einen erkalteten Lavastrom, aus dem die Römer ihre monströsen Basalt-Säulen brachen. Schon vor 2000 Jahren wussten die Menschen den „Steinreichtum" , den die Naturgewalten auf den Moselhöhen geschaffen hatten, zu schätzen. Die Route „Grün" startet an einem schiefergeschichtlichen Ort, unmittelbar am heutigen Betriebsgelände eines der weltgrößten Dachschieferproduzenten – Rathscheck am Mayener Katzenberg. Dort befinden sich Ausgrabungen der größten spätrömischen Höhenbefestigung von Eifel und Hunsrück. Sie dienten - so lehrt die Geschichte – der Mayener Bevölkerung zum Schutz vor germanischen Übergriffen.

Mit der Teilrekonstruktion der spätrömischen Befestigung wurde gleichzeitig eine in Europa einzigartige Dokumentation römischer Dachgeschichte realisiert - denn seit den Funden steht fest: Schon die Römer spalteten Schiefer, um damit dauerhaft ihre Dächer zu decken. Station zwei der grünen Route ist das Eifelmuseum Mayen in der Genovevaburg. Anschaulich wird dort demonstriert, wie die Römer Steine abgebaut und was sie daraus gemacht haben: Kraft- und Handmühlen, Mörser, Säulen und Sarkophage. Wer Glück hat, erlebt eine funktionsfähige, nachgebaute römische Getreidemühle aus dem 2. Jahrhundert nach Christus in voller und lautstarker Aktion. Weiter führt uns die Reise durch die „Steingeschichte" zum Silbersee und dem Mayener Grubenfeld (▶ BAND 1, SEITE 29). Dort kann der Besucher die Geschichte der ältesten Gewinnungsstätten von Basaltlava in Mitteleuropa erleben - und tiefe Einblicke ins Innere der Erde gewinnen. Über die Ettringer Lay, in der die über 40 Meter hohen Basaltlava-Wände des Bellerberg-Lavastroms bewundert werden können, geht es zur Bellerberg Vulkangruppe. Von hier genießt man einen einmaligen Blick in den Krater eines Vulkangebäudes. Und mit ein wenig Fantasie kann man vor dem geistigen Auge die drei gewaltigen Lavaströme erkennen, die hier vor 200 000 Jahren flossen. Die Reste des mächtigsten der drei Lavaströme des Bellerberg-Vulkans sind noch in der idyllischen Grubenlandschaft bei Kottenheim zu bestaunen. Die tiefsten Einblicke gewinnen Besucher des Vulkanparks bei einer Führung. Touren in Begleitung orts- und geschichtskundiger Experten (auch über die blaue, rote und orange Route) vermittelt das Infozentrum Rauschermühle.

INFORMATIONEN

AUSKUNFT

Infozentrum Rauschermühle 56648 Saffig, ✆ 01801/885526 @www.vulkanpark.de.Öffnungszeiten: Mo - Fr von 9 bis 18 Uhr. Am Wochenende und Feiertags von 11 bis 17 Uhr. Der Besuch aller Landschaftsdenkmäler ist jederzeit kostenlos möglich. Es empfiehlt sich jedoch die Teilnahme an einer angebotenen Führung.

ANFAHRT

A 61 Richtung Koblenz. Ausfahrt Plaidt. Dann der Beschilderung folgen.

TOUR-TIPP

Besuch der Abtei Maria-Laach. Bootsfahrt auf dem See (▶ BAND 1, SEITE 60F.). Eine Erlebnisführung im European Geopark ✆ 06551/96560 oder @ www.europeangeoparks. maestrazgo.org

EINKEHR-TIPP

Vulkan-Brauhaus in Mendig ✆ 02652/3909 @ www.vulkan-brauhaus.de Geöffnet täglich von 11 bis 23 Uhr (im Sommer schöner Biergarten). Kein Ruhetag (▶ BAND 1).

Schwungvolle Schleifen

DAS HEUTE SO IMPOSANTE MOSELTAL IST, GEOLOGISCH GESEHEN, SCHON URALT. BEREITS VOR 30 MILLIONEN JAHREN GAB ES DIE „URMOSEL", DIE DIREKT IN EIN MEER FLOSS, DAS DEN HEUTIGEN MITTELGEBIRGSRAUM TEILWEISE ÜBERFLUTET HATTE. DIE EIGENTLICHE TALBILDUNG BEGANN AN DER MOSEL ABER ERST IN VIEL JÜNGERER ZEIT, GENAU VOR DREI MILLIONEN JAHREN: DAS KLIMA HATTE SICH VERSCHLECHTERT, ES GAB EISZEITEN UND DAS SCHIEFERGEBIRGE BEGANN, SICH ZU HEBEN. DIESE HEBUNG FAND NICHT KONSTANT STATT, SONDERN ERFOLGTE IN SCHÜBEN. JE NACH KLIMA, OB NUN EINE EISZEIT VORHERRSCHTE ODER EINE WARMZEIT, HATTE DAS NATÜRLICH AUCH AUSWIRKUNGEN AUF DEN FLUSS. IN DER KALTZEIT FÜHRTE ER VERMEHRT SCHOTTER, WÄHREND ER IN DER WARMZEIT EHER SEIN BETT EINTIEFTE. SO ENTSTANDEN VERSCHIEDENE TERRASSEN. FACHLEUTE SPRECHEN VON DER HAUPTTERRASSE, DER MITTELTERRASSE UND DER NIEDERTERRASSE, AN DER MEIST DIE HOCHWASSERSICHEREN ORTE LIEGEN. DIE HEBUNG DES GEBIRGES WURDE GLEICHZEITIG VOM VULKANISMUS BEGLEITET. DIE MOSEL GRUB SICH IN DAS SCHIEFERGEBIRGE UND BILDETE MÄANDER (GESCHLÄNGELTE FLUSSLÄUFE) MIT DEN TYPISCHEN PRALL- UND GLEITHÄNGEN. DIE ZUM TEIL SEHR ENGEN MÄANDER HABEN DAS MOSELTAL AUCH UNTER FACHLEUTEN ÜBER DIE GRENZEN HINWEG BERÜHMT GEMACHT. SO KONNTE BIS HEUTE NICHT EINDEUTIG GEKLÄRT WERDEN, WARUM SICH DER FLUSS DURCH DAS ENGE TAL IM MITTELGEBIRGE ZWÄNGT, WO ES DOCH IN NÄHERER NACHBARSCHAFT EIN WESENTLICH BEQUEMERES TAL – WIE BEISPIELSWEISE BEI DER WITTLICHER SENKE – GIBT. WIE DEM AUCH SEI: GERADE AN DEN ENGEN SCHIEFRIGEN STEILHÄNGEN DER SÜDLAGEN WACHSEN HEUTE NOCH HERVORRAGENDE TRAUBENSORTEN.

Rollen
Radeln

Schön schlingern

Diese Mosel ist schon ein arger Schlingel: Mal zieht sie einen Bogen nach rechts, dann schlägt sie einen Haken Richtung links. Und bildet riesige Schleifen. Wir Radfahrer wissen das zu schätzen, denn da kommt Bewegung auf – und die Perspektiven gestalten sich ungemein reich. So schlingern wir also gerne mit. Und wechseln Rad und Auto, weil's denn ein Familienausflug mit Kind und Kegel und nicht allzu großen Anstrengungen sein soll.

Piesport empfängt uns mit Tröpfchen in Gold – der Wein ist hier allzeit präsent. Genauso wie die Römer: Die hatten halt ein gutes Gespür für beste warme Lagen, Wohnplätze. An der einen Moselseite wurden direkt unterhalb der Weinberge Trauben gepresst, an der anderen errichtete man Villen - so zu finden in Piesport mit seiner originalgetreu restaurierten römischen Kelteranlage aus dem vierten Jahrhundert (▸ *SEITE 147*). Dichter Ausonius drückte seine Piesport-Liebe so aus: „Des Weinbergs Gespränge ... mit des Bacchus köstlicher Gabe. Wie ein natürliches Amphitheater baut es sich auf ..." Vorm Pedalo-Antritt ein kurzer Auto-Blick auf Neumagen-Dhrons berühmtes, von einem unbekannten römischen Steinmetz geschaffenes Schiff – ein mit Fässern beladenes Ruderboot, das für die Weinbau-Kultur in der gesamten Region steht. Weitere Relief- und Inschriftsteine aus dem 2. bis 4. Jahrhundert nach Christus spiegeln antike Rebenzucht, Handel und Alltagsleben an der Mosel. Und so gilt Neumagen-Dhron als „ältester Weinort Deutschlands".

Von hier aus ist ein Trip auf die Zummethöhe fast schon obligatorisch. Dort unten wirft die Mosel ihre vielleicht prächtigste Schlinge – Leiwen und Trittenheim liegen uns zu Füßen. Ein Panorama wie im Bilderbuch. Von Detzem – zehnter Meilenstein an der Römerstraße Trier-Mainz geht's nach Schweich und zurück. Unsere Tages-Tour (zünftige Mittagspause inbegriffen) entlang der „Römischen Weinstraße" kann beginnen. 26 Kilometer auf die locker-leichte Art – eine für Familien besonders taugliche Route. Drüben die Eifelberge, hier der Hunsrück. Weinfelder, die nach oben hin von Wäldern abgelöst werden. Steillagen, die Wege durchfurchen. Riesige, in Felder unterteilte Tafelbilder bieten sich dem Auge – die Farbe Grün erscheint in allen Schattierungen und Nuancen. Und ist reich an Schraffuren. Mittendrin, tief in den Fels, in den Schiefer eingegraben, die Mosel und ihre idyllischen Örtchen. Spiegelbilder tauchen im Fluss auf. Eine wahre Prachtlandschaft voller jahrtausendealter Kultur und vielfältiger Natur. Fast wie in einer Ausstellung: Alle paar hundert Meter erfolgt ein Bilderwechsel. Aus der Enge geht's in die Weite, vom Panoramablick zum Ausschnitt en miniature. Bauerngärten am Rande des Radwegs verleiten immer wieder zu Kurzstopps. Rosen, Kräuter, Beeren, dazwischen Salat und Gemüse – das duftet, schießt im wahrsten Sinne des Wortes kräftig ins Kraut. Und das macht das Gesamt-Gemälde erst so richtig bunt. Die Kelten waren hier, die Wikinger flitzten mit ihren legendären Schnellbooten über den Fluss. Und, na klar: Die Römer haben die meisten steinernen Spuren hinterlassen. Zum Beispiel auch in Mehring mit seiner „Villa rustica" aus dem drit-

Freizeitspaß an den Moselmaaren.

an den Schleifen

So macht die Radtour Spaß: Zahlreiche Einkehrmöglichkeiten unterwegs.

INFORMATIONEN

AUSKUNFT
Mosellandtouristik, Postfach 1310
54463 Bernkastel-Kues
☎ 06531/2091 ☎ 2093
@ www.moselland-touristik.de
Karte: Moselland-Radwanderführer.

ANFAHRT
A 48 Koblenz-Trier, Abfahrt Salmtal/
Piesport, B 53 nach Detzem. Oder
Moselstrecke B 49/B 53.

TOUR-TIPP
Besuch des Stefan-Andres-
Geburtshauses im Dhrontal (von
Leiwen zur Zummethöhe, Dhrönchen,
dort „Breitwiese 1").
Besuch der Andres-Gedenkstätte in
Schweich. Wandern an der
Dhrontalsperre (Nähe Dhrönchen).
Trier-Trip mit Besuch im Rheinischen
Landesmuseum (▸ SEITE 90). Geöffnet
Di-Fr 9.30-17, Sa/So 10.30-17 Uhr. Infos:
☎ 0651/97740 ☎ 9774222

EINKEHR-TIPP
Restaurant Zummethof
Panoramablick über die Mosel
☎ 06507/93550 ☎ 935544
@ www.hotel-zummethof.de
Kein Ruhetag.

ten Jahrhundert und einer gigantischen Weinpresse, die noch unter der Erde schlummert. Die wird selbstverständlich besichtigt. Am alten Bahnhof der Winzergemeinde fährt übrigens längst kein Zug mehr ab, das Gebäude wird heute gastronomisch genutzt. Zurück aufs Rad, auf die Super-Easy-Route Richtung Schweich. Legen wir eine Pause ein beim trinkenden Satyr, einem Relief aus dem zweiten Jahrhundert. Dort gibt's einen Brunnen mit willkommen-erfrischendem Gebirgswasser. Wer in heißen sommerlichen Zeiten schattige Plätze sucht, wird reich bedacht. Die Bank mit Tisch unterm Walnussbaum – keine Seltenheit. In Schweich angekommen, wird wieder ein wenig Kultur getankt.

Dort ist Autor Stefan Andres („Der Knabe im Brunnen") immer noch vielfach präsent (▸ *SEITE 118*) – so in einem Dokumentations-Zentrum zum Leben und Wirken, an einem Bronze-Brunnen. Dort sollte der Tages-Tourist die Synagoge besichtigen. Oder sich im nahe gelegenen Mühlen-Museum an die so genannte „gute alte Zeit" erinnern, als die Räder noch ihre mahlende Arbeit verrichteten (▸ *SEITE 55*). Veni, vidi, vinum. Kommen, sehen, Wein trinken: An den vielen Straußwirtschaften (▸ *SEITE 137*) auf der Strecke kommt niemand vorbei. Das ist eben typisch Mosel - der Fluss von selner spritzigen, süffigen Riesling-Art.

RADTOUR DURCH DREI LÄNDER

Auf den Spuren von Eisen, Kohle und Wein

Reben-Radeln entlang der Mosel.

INFORMATIONEN

AUSKUNFT

Landesverkehrsamt Luxemburg
Postfach 1001, L-1010 Luxemburg
☎ 00352/42828-220 ☎ -238
@ www.ont.lu
Mosellandtouristik GmbH
Postfach 1310, 54463 Bernkastel-Kues
☎ 06531/2091 ☎ 2093

ANFAHRT

A 64 (E 44) nach Luxemburg, dann
Richtung Metz auf die A 31 (E 25) bis
Thionville Ausfahrt Nr. 39.

TOUR-TIPP

Bei Remich über die Mosel nach
Nennig: Römische Villa mit dem
größten Mosaikfußboden nördlich der
Alpen. Ab Wasserbillig Abstecher
entlang der Sauer Richtung
Echternach.

EINKEHR-TIPP

Hotel-Restaurant „Igeler Säule"
Trierer Straße 41, ☎ 06501/92610
@ www.igeler-saeule.de
Ruhetag Montag.
Hotel Kugel, Kirchenstraße 17
☎ 0651/827730 @ www.hotel-kugel.de
Kein Ruhetag.

Da die Mosel wenig Gefälle hat, eignet sie sich besonders für leichte Radtouren. Wir steigen ein in Thionville, der früheren Hochburg des Eisenhüttenwesens. Am Ufer beginnt der „Moselweg", der früher als Treidelpfad diente für Frachtkähne mit Wein und Kohle. Wir radeln durch Lothringen, vorbei an Manom, in einem weiten Rechtsbogen auf Cattenom zu. Der Blick fällt unweigerlich auf das Kernkraftwerk. An der Schleuse Koenigsmacker, wo sich die Mosel kurzzeitig zweiteilt, wechseln wir auf ihre rechte Seite, in Malling wieder auf die linke Richtung Contz-les-Bains. Das Tal wird immer enger. Weinland. Im Musée du Vin (Weinmuseum) dann der erste Stopp der Tour. Leben und Arbeit der Winzer werden hier anschaulich dargestellt. Die Weinprobe darf natürlich nicht zu heftig ausfallen, denn es liegen noch 55 Kilometer vor uns. Schräg gegenüber beeindruckt das 400 m hohe Sandsteinmassiv von Sierck-les-Bains mit der Festung „Château Fort". Wir verlassen Lothringen. Auf der verkehrsarmen D 64 kommen wir in Höhe der Staustufe Apach nach „Letzeburg" auf die „Waistroos". Erste Station ist der Winzerort Schengen (▶ SEITE 14), bekannt durch das 1985 unterzeichnete Abkommen. Auf der Uferpromenade geht's weiter nach Remerschen mit seiner großen Weinkellerei. Optische Abwechslung bieten die zahlreichen Kiesgrubenseen. Zurück zum Thema Wein kommen wir in Schwebsange. Das alljährliche Weinfest ist ein Muss für jeden Touristen. Vorbei an Bech-Kleinmacher fahren wir bei Kilometer 34 in die kleine Stadt Remig. Sektkellereien mit Felsengalerien oder die malerische Altstadt laden zum Verweilen ein. Auf der „Route du Vin" gelangen wir über Stadtbredimus nach Ehnen, wo in einem weiteren Weinbaumuseum alle gängigen Rebsorten in einem Musterwingert besichtigt werden können. Im Weindorf Wormeldange entsteht der superbe „Crémant"-Sekt. Vom „Köpfchen" hat man einen sagenhaften Panoramablick.

Über Ahn und Machtum fahren wir nach Grevenmacher. Neben großen Wein- und Sektkellereien lockt eine 600 qm große Schmetterlingsfarm mit Hunderten bunter Exemplare. Doch die Zeit drängt. 6 km noch bis Wasserbillig, wo die Sauer in die Mosel mündet. Das kleine Grenzstädtchen ist ein beliebtes Einkaufsziel nicht nur für deutsche „Tank-Touristen". Wir tanken nichts und radeln weiter nach Igel. Die Igeler

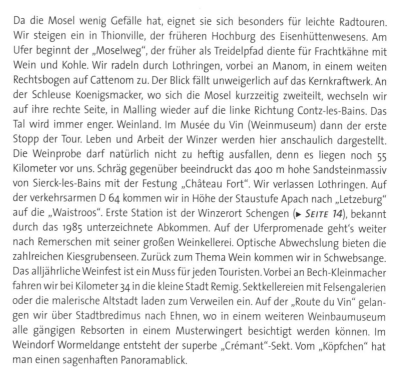

Säule, ein im 3. Jahrhundert errichtetes römisches Grabmal, ist die Attraktion des Winzerdorfes. Wir fliegen daran vorbei. Ein letzter langer Spurt. Dann am Stadtrand von Trier der Blick auf das Schloss Monaise. Über Römerbrücke und Südallee gelangen wir ins Zentrum. Vorbei an Kaiserthermen, Palastgarten und Dom geht's Richtung Hauptbahnhof. Ein kurzer Abstecher noch zur Porta Nigra, dem Wahrzeichen von Trier. Über 80 Kilometer liegen nun hinter uns. 190 km durchs Rheinische Schiefergebirge sind es noch bis Koblenz. Doch uns reicht's für heute. Wir fahren mit dem Zug zurück. Ermattet doch glücklich kuscheln wir uns in die Sitze. Anderthalb Stunden später sind wir wieder in Thionville.

Wer hat an der Uhr gedreht?

Historische Zeitzeichen: Die Sonnenuhren.

INFORMATIONEN

AUSKUNFT
Mittelmoseltouristik und
-werbung GmbH, Gestade 18a
54470 Bernkastel-Kues
✆ 06531/3075 und 3076 📠 3077
@ www.bernkastel-kues.de

ANFAHRT
Von der A1/A48 Ausfahrt Wittlich, auf
der B50 ins Moseltal, dann je nach
Start der Tour nach Filzen oder Ürzig.
Von der A 61 Ausfahrt Rheinböllen
Richtung Traben-Trarbach oder
Bernkastel-Kues.

TOUR-TIPP
Wanderung in die wildromantische
Hirzlei-Schlucht bei Brauneberg.
„Happy-Mosel „ immer am Sonntag
nach Pfingsten: autofreier Erlebnistag
von Schweich bis Cochem
(▶ SEITE 142F).

EINKEHR-TIPP
Landidyll-Hotel „Brauneberger Hof"
Moselweinstraße 136
54472 Braneberg
✆ 06534/1400 📠 1401
@ brauneberger-hof@t-online.de
Gehobenes Niveau.
Ruhetag Donnerstag.
Straußwirtschaft Stefan Haubs
Weingartenstraße 110, 54492
Zeltingen, ✆ 06532/2745. Kein
Ruhetag. Geöffnet Juli bis November.

Schon die alten Ägypter und Mesopotamier teilten sich mit ihr den Tag ein – und seit dem 16. Jahrhundert zeigen Sonnenuhren an der Mosel durch den Schatten eines Stabes, der parallel zur Erdachse ausgerichtet ist, die Zeit. Wer sich mit dem Rad von Ürzig nach Filzen aufmacht, der geht auf eine wahre Zeitreise – entlang von neun prachtvollen Sonnenuhren, die zu den berühmtesten Europas gehören. Die Zeitermittlung in Europa hatten die Gemeinden früher gerne Klöstern und Kirchen überlassen. Nach Sonnenstand (oder nach Gefühl) riefen die Glocken zum Morgen, zum Mittag und zum Abend. Erst im 16. Jahrhundert wurden die ersten „Süduhren" eingesetzt – und viele thronen mit ihren mehrere Meter hohen Zifferblättern heute noch weithin sichtbar in den felsigen Schieferlagen der Mittelmoselweinberge. So steht die wahrscheinlich älteste Sonnenuhr Europas in Ürzig, dem romantischen Ausgangspunkt einer 20 Kilometer langen Radtour von „Sonnenuhr zu Sonnenuhr". Nur der Wachturm mit dem gewaltigen Ziffernblatt ist am Osteingang von der ehemaligen Burg zu Layen am schroffen Urlauy-Felsen übrig geblieben. Die Vorabendserie „Moselbrück" machte den idyllischen Ort ähnlich bekannt wie Top-Weine aus dem „Ürziger Würzgarten". Reben säumen den Weg vorbei am Kloster Machern, und in Zeltingen geht's über den Fluss. Die nächste Sonnenuhr wartet am Ortsausgang. Mitten im „rebenumgrenzten Amphitheater" (Ausonius) wird alljährlich die Operette „Zeltinger Himmelreich" (▶ SEITE 126) aufgeführt. Nach einem Kilometer fliegen wir an der Wehlener Süduhr vorbei, die übrigens eine Stunde weniger anzeigt als die Zeltinger. Wir passieren Graach und kommen nach Bernkastel-Kues, Geburtsort (1401) des Theologen Nikolaus Cusanus (▶ SEITE 86F). Der wunderschöne Marktplatz gefällt durch seinen mittelalterlichen Charme.

Über die Moselbrücke gelangen wir zum St. Nikolaus-Hospital mit der komplexesten Sonnenuhr der Tour. Der eiserne Polstab wirft seinen Schatten auf ein Gewirr von Stundenlinien. Diese Uhr zeigt nicht mehr die Ortszeit, sondern die seit dem 1. April 1993 in Deutschland eingeführte „Zonenzeit" an. Nach kurzer Rast fahren wir durch Lieser zur Sonnenuhr von Maring-Noviand (1936). Nach einem duftenden und aufmöbelnden „Käffchen" im Café Klostermühle radeln wir über die Lieser an Spiel- und Sportplatz vorbei über die Bahnhofs- zur Brunnenstraße. Ihr folgen wir bis zur L 47. Auf dem Radweg Richtung Mülheim biegen wir vor der Moselbrücke rechts ab und erblicken mitten im lang gestreckten Brauneberg die renovierte „Juffer Sonnenuhr", die einzige Monumentaluhr, die von Winter- auf Sommerzeit umgestellt werden kann. Wie? Durch ein zweites Zifferblatt, das vor das eigentliche platziert wird. Auf zum Endspurt! Über die Moselbrücke geht's nach Mülheim, dann fahren wir in den wärmsten Ort Deutschlands: Brauneberg (11.8.1998: 41,2 Grad Celsius). Das Franziskaner-Kloster im Ortsteil Filzen beherbergt drei weitere Sonnenuhren, die letzten auf unserer Reise. Die älteste (1721) der drei, über dem Kreuzgang, ist leider nur noch bruchstückhaft erhalten. Spätestens jetzt ist eines klar: Die Zeit auf der Tour durch die malerischen Moselorte verflog viel zu schnell ...

Vom Berg bequem auf einer Bahntrasse ins Tal.

VON DEN MAAREN ZUR MOSEL

Mit Volldampf ins Vergnügen

Wiesen, Wälder, Viadukte, 55 Kilometer Strampelspaß von den Maaren bis zur Mosel: Mehr als neun Jahrzehnte, nachdem die erste Dampflok vom Moseltal bei Lieser auf die Eifelhöhen in Daun schnaufte, rollen heute Radler auf der alten Bahntrasse viel leichter rauf und runter, als es der Blick auf die Topografie vermuten lässt. Bei knapp 2,5 Prozent Steigung kommen selbst Familien mit jüngerem Nachwuchs auf kinderleichte Touren – zumal ein regelmäßiger Radelbus die Ausgangs- und Endpunkte verbindet. Freie Fahrt für Radler und Roller heißt es zwischen Daun und Bernkastel-Kues seit dem Sommer 2000. Fast zehn Jahre dauerte es von der Idee bis zur Fertigstellung – und entstanden ist nicht nur der längste Radweg in Rheinland-Pfalz, sondern auch einer der landschaftlich schönsten. Auf den Spuren der alten Dampflok starten wir in Daun die Bequemvariante von den Eifelmaaren zu den Moselmäandern. Vorbei am Gemündener und am Weinfelder Maar lockt hinter dem „Großen Schlitzohr" (ein erfrischend kühler Tunnel) der erste von insgesamt 12 ausgeschilderten Abstechern zu Sehenswürdigkeiten am Rande des Weges. Schon nach wenigen Kilometern merkt selbst der verwöhnteste Radwanderer: Der Mosel-Maare-Radweg ist mehr als einen Sonntagsausflug wert. Also: Bei der ersten Tour geht´s stramm geradeaus, schließlich wollen erst einmal berauschende Viadukte erobert und bis zu 600 Meter lange Tunnels mit geheimnisvollen Fledermauskolonien erforscht werden. Romantik pur auf unserer Zeitreise durch die Welt der Dampflokomotiven und entlang blühender Felder und duftender Wälder. Besonders im Hochsommer sind die Tunnels eine willkommene Abwechslung. Sonnenbrille ab und rein ins angenehme Kühl, aber ungewisse Dunkel. „Hallo-Haaloo" wirft das Echo zurück, als wir den Tunnel bei Plein verlassen und von der grellen Sonne kurz geblendet werden. Einziger Wermutstropfen bei dieser Dunkelfahrt: Die Fledermäuse sind anscheinend ausgeflogen... Wir haben jedenfalls keine einzige erspähen können. Gleich drei Schleifen („Wallfahrt", „Tabak" und „Mühlen") locken bei Wittlich zu einem Abstecher, doch nach einem kurzen Eisdielen-Stopp in der romantischen Innenstadt und einem Blick aufs Meistermann Museum geht´s stramm weiter talwärts. Denn der Radelbus, der uns am späten Nachmittag wieder zurück nach Daun bringen soll, wartet wohl nicht ... So bleibt bei der Ersttour auch ein Abstecher zur römischen Kelteranlage bei Maring auf der Strecke, und das Schloss Lieser schauen wir uns beim nächsten Mal an. Schnurstracks geht es jetzt an den auf fruchtbaren Schieferlagen wachsenden Weinreben vorbei zur Mosel und weiter nach Kues. „Wo bleibt Ihr denn?". Was an diesem Sonntagmorgen beim Anblick der Eifelhügel wie ein Albtraum für den Filius begann, endet mit zufriedenem und überlegenem Gesichtsausdruck ob der souverän überstandenen Höhenmeter zwischen Moseltal und Vulkaneifel. Eigentlich könnten wir ja jetzt auch zurückradeln ...

INFORMATIONEN

AUSKUNFT

Mittelmoseltouristik, Gestade 18a
54470 Bernkastel-Kues
☎ *06531/3075* 📠 *3077*
@ *www.bernkastel-kues.de*
@ *www.maare-moselradweg.de*
Verbindungen zum Kylltal- und
Vulkanradweg bestehen. Zwischen
Daun und Bernkastel-Kues wird in
den Sommermonaten ein „Radelbus"
streckenbegleitend eingesetzt.
Fahrplan: ☎ *06571/7141*

ANFAHRT

Von Koblenz A 48 Richtung Trier.
Abfahrt Daun Richtung Bernkastel-
Kues. Der Einstieg in den Radweg
ist überall möglich.

TOUR-TIPP

Fahrt zum Kloster
Springiersbach bei Bengel.
Bei Sonnenuntergang hat man vom
Moselufer in Kues aus einen sehr
schönen Blick auf den aus
Metall-Weinbergspfählen geschaffe-
nen „Engel der Winzer" auf der
gegenüberliegenden Bernkasteler
Seite (▶ AUCH SEITE 119).

EINKEHR-TIPP

In den Ortschaften entlang des
Radweges gibt es viele nette Lokale.
In Plein romantisch gelegenes,
schiefergedecktes Hotel-Restaurant
„Waldschlösschen"
☎ *06571/8706* 📠 *2371*
@ *www.waldschloesschen-plein.de*
Netter Gartenbereich.
Ruhetag Mittwoch.

MIT DEM FAHRRAD
ÜBER ALLE GRENZEN

Radeltouren
für Genießer

Moselradweg: Bequem am Fluss entlang.

Wie sieht der ideale Ausflug für Genießer und Individualisten aus? Neue Einblicke gewinnen – das klingt reizvoll. Fit werden und in Schwung kommen wäre auch schön. Und dazu eine einzigartige Landschaft kennen lernen und hin und wieder richtig gemütlich einkehren! Wer jetzt ein paar Mal genickt hat, der ist reif für eine Radtour an der Mosel. Erfahrene Radwanderer wissen es längst: Vom Sattel eines Fahrrades sieht die Welt ganz anders aus. Der Stress verabschiedet sich, und der Kopf wird frei für neue Erfahrungen. In den vergangenen Jahren wurde viel unternommen, um Velo-Touristen die Mosellandschaft zu erschließen. So entsteht Schritt für Schritt der Moselradweg mit einer einheitlichen Beschilderung. Dazu kommen Rast- und Halteplätze, Informationstafeln und Radverleihstellen. Vielerorts wurden parallel zu den Autostraßen separate Fahrradwege gebaut. So wird ein problemloses und ungefährliches Erkunden der einzigartigen Flusslandschaft möglich. Der Radwanderweg beginnt bereits an der Mosel-Quelle im französischen Bussang und führt über Epinal, Toul, Nancy und Metz zum deutschen Teil des Stromes. Alle Tourenabschnitte haben Themen-Schwerpunkte: So ist zum Beispiel der französische Part mit „Kanäle und Kathedralen" überschrieben. In Luxemburg gibt es die „Route de Vin", während um Trier die römische Vergangenheit im Mittelpunkt steht. An der Mittelmosel dreht sich dann alles um „Fachwerk und Jugendstil". Mittlerweile gibt es zahlreiche Radwanderführer und Karten, die dem Radler an der Mosel den Weg weisen. Die Verkehrsämter haben eigene Pauschalangebote für Radwanderer herausgegeben. Spezielle Prospekte der französischen, luxemburgischen und deutschen Tourismus-Verbände informieren außerdem ausführlich. Wer fleißig geradelt ist und viele neue Eindrücke gesammelt hat, braucht natürlich eine Stärkung. Zahlreiche Weinstuben und Straußwirtschaften laden entlang der Strecke ein und bieten Genuss pur. Die regionale Küche offeriert ein verlockendes Angebot, und natürlich gehört dazu auch ein Glas Mosel-Riesling. Wer sich nach der Rast wieder fit fühlt, der hat vielleicht Lust auf einen Ausflug aus dem Moseltal in die benachbarten

Tolle Tour: Von der Quelle zur Mündung.

Regionen von Eifel und Hunsrück. Davor steht zwar zuerst einmal die „Bergprüfung", doch der nicht ganz einfache Aufstieg durch die Weinberge wird mit einmaligen Ausblicken belohnt. Und zurück ins Tal rollt es sich später ja fast von selbst …

INFORMATIONEN

AUSKUNFT
Comité Départmental du
Tourisme, 48, Rue Sergent
Blandan, BP 65, F- 54062 Nancy
Moselland-Touristik, Gestade
12-14, 54470 Bernkastel-Kues
© 06531/2091 © 06531/2093
@ Info@mosellandtouristik.de

ANFAHRT
Der Moselradweg ist durchgehend
und einheitlich beschildert.

TOUR-TIPP
„Happy Mosel" heißt es immer im
Juni. Die „Moselweinstraße" zwischen
Schweich und Cochem ist dann von
9 bis 19 Uhr autofrei:
@ www.happy-mosel.com
(▶ SEITE 142F).
Zwei weitere wichtige Radler-Termine:
„Suur Pedul": immer am dritten
Sonntag im Mai. Von 10 bis 20
Uhr gehört die Straße zwischen Konz
und Merzig den Radfahrern. „Ruwertal
Aktiv": Stets am dritten Sonntag im
August ist die Strecke von Trier-Ruwer
bis Waldrach von 10 bis 20 Uhr
autofrei.

EINKEHR-TIPP
Hotel Ostermann, Lutzbach
56253 Treis-Karden
© 02672/1238 © 02672/7789
Kein Ruhetag.

INFORMATIONEN

AUSKUNFT
Deutsches Jugendherbergswerk
Landesverband Rheinland-
Pfalz/Saarland, In der Meielache 1
55122 Mainz
✆ 06131/37446-0 📠 37446-22
@ www.djh-info.de
Verkehrsamt Traben-Trarbach
Bahnstraße 22, 56841 Traben-Trarbach
✆ 06541/8398-0 📠 839839
@ www.traben-trarbach.de
Hier werden zum Beispiel geführte
Touren durch die Überreste der
Festung Mont Royal vermittelt.
Tourist-Information Trier
An der Porta Nigra, 54290 Trier
✆ 0651/978080 📠 44 759
@ www.trier.de
Fahrradverleih: in Traben-Trarbach z.B.
bei „Zweirad Wagner"
Brückenstraße 42
✆ 06541/1649

ANFAHRT
Nach Traben-Trarbach kommt man
über die A 48 (Abfahrt Wittlich, von
dort Richtung Traben-Trarbach) oder
über die Hunsrückhöhenstraße B 327
oder über die B53 an der Mosel
entlang. Die Jugendherberge liegt in
Traben, in der Nähe des
Schulzentrums.
Trier erreicht man über die A 48 (aus
Richtung Koblenz) oder über die
A 1 (von Saarbrücken). Die
Jugendherberge in Trier liegt im
Norden der Stadt an der Mosel (neben
der Seilbahn). Zufahrt über die
Stadtautobahn A 602.

TOUR-TIPP
Sehr empfehlenswert: in Traben-
Trarbach das Thermalbad „Mosel-
Therme", Wildsteiner Weg
✆ 06541/83030. Offen: montags bis
freitags von 9 bis 21 Uhr, Sonn- und
feiertags von 9 bis 18 Uhr.

EINKEHR-TIPP
In der Fußgängerzone von
Traben-Trarbach, Brückenstraße 4, gibt
es die historische Kellerschänke
„Storcke Stütz"
✆ 06541/6818

Fröhliche Ferien

Blick auf Bernkastel.

Kaffeeduft zieht durchs Haus. Untrügliches Indiz dafür, dass im Speiseraum das Frühstücksbüffet aufgebaut ist. Kein Grund zur Hektik, erst einmal geht es in aller Ruhe unter die Dusche. Die Kinder sind schon längst aus den Betten, wahrscheinlich tragen sie das nächste Tischtennis-Turnier aus oder toben mit ihren neuen Freunden über den Spielplatz ... Das klingt nach Urlaub in einer exklusiven Ferienanlage. Was auch nicht ganz falsch ist. So entspannt kann nämlich ein Tag in einer der vielen Jugendherbergen längs der Mosel beginnen, die sich auf Familienferien eingestellt haben – mit und ohne Rad. Die Mayers aus München waren ein bisschen skeptisch, als sie sich für einen Urlaub in Jugendherbergen an der Mosel entschieden. Jetzt schwärmt die ganze Familie von Traben-Trarbach. Die Eltern genießen es, dass Max (8) und Tina (6) ungezwungen herumtollen können. Ihr geräumiges Familienzimmer mit den beiden gemütlichen Stockbetten aus Holz hat nicht nur ein eigenes Bad, sondern auch eine Postkarten-Aussicht ins Moseltal. Evelin Mayer gesteht: „Ich habe nicht gewusst, dass Jugendherbergen heute so komfortabel sind." Besonders gut gefällt ihr der Kontakt zu den anderen Familien, der sich hier schnell ergibt. Deshalb sind die vier Mayers jetzt auch schon startklar, beim Frühstück haben sie sich spontan mit ihren neuen Bekannten verabredet, vor der Weiterfahrt die ehemalige Festung Mont Royal zu erforschen. Max hat die Taschenlampe eingepackt. Sein Vater hat ihm verraten, dass die Überreste der französischen Burg, die auf festem schiefrigem Untergrund errichtet wurde, auf Abenteurer wie ihn nur warten. Auch die altdeutsch gedeckten Schiefer-Dachhauben der Jugendstilhäuser in der Stadt Traben-Trarbach selbst zeugen von deren mehr als 200 Jahre währendem Reichtum und sind ein Besuch wert. In ihrem zweiten Quartier, der schiefergedeckten Jugendherberge in Bernkastel-Kues, genießen die Mayers die herrliche Ruhe und erneut den wunderbaren Ausblick auf die Mosel. Vom Keller bis unters Dach auf Familien eingestellt ist auch die Jugendherberge auf der dritten und vorläufig letzten Etappe der Mayers in Trier. Das Haus liegt direkt an der Mosel, nicht weit vom Zentrum der Römer-Metropole entfernt, und ist auch ein beliebter Stützpunkt für Radler. Spinnennetzartig ziehen sich die Fahrradwege von hier zu allen Ausflugszielen in und um Trier. Den Einstieg in tolle Extra-Touren findet man allerdings auch gleich vor der Haustüre der Herberge: Kindern macht zum Beispiel eine Fahrt mit der Kabinenbahn auf die andere Moselseite Spaß, die Talstation liegt direkt neben dem Gästehaus. Auch in der Jugendherberge kommt garantiert keine Langeweile auf. Familien- und Spielzimmer sind ein beliebter Treffpunkt. Außerdem stehen Flipper, Kicker, Billard und Tischtennis-Platten bereit. Und wenn der Nachwuchs glücklich damit beschäftigt ist, kleine Bälle hin und her zu jagen, haben die Eltern Zeit für einen Abendspaziergang am „Zurlaubener Ufer" mit seinen vielen gemütlichen Lokalen.

Romantisch radeln

Wild-romantisch: Die Wildburg bei Treis.

Zauberhaftes Moselfachwerk, malerische Gassen, historische Bauten, ein Spaziergang in die Keltenzeit, Burgenromantik und unberührte Landschaft. Und das alles in unmittelbarer Nachbarschaft: eine Tour von Bruttig-Fankel nach Treis-Karden ist Romantik-Radeln für die Seele. Bruttig-Fankel, der Ausgangspunkt dieser Entdeckungsreise, hat seine mittelalterliche Bauweise weitgehend bewahrt und bietet zahlreiche kunsthistorische und architektonische Sehens-würdigkeiten. Es gibt wohl kaum einen Ort an der Mosel mit mehr Schwebegiebel-Häusern als diese Doppelgemeinde. Sehenswert allein schon das Schunksche Haus, sicher einer der stattlichsten und beeindruckendsten Bauten der Spätrenaissance an der Mosel, aus dem Jahre 1659 mit einer reichen Ausstattung und einer wunderschönen Architektur. Nicht weniger interessant das ehemalige Rathaus von Bruttig aus dem 17. Jahrhundert. Ebenso wie Bruttig weist auch der Ortsteil Fankel imponierende bauliche Ensemble auf, vor allem im Umfeld des Rathauses. Aber auch die Pfarrkirche lohnt einen Besuch.

Am Ortsausgang von Bruttig beginnt die Straße nach Treis. Es ist die alte Verbindung über den Cochemer Krampen. Sie führt durch ein kulturhistorisch interessantes Gebiet. Die Höhenzüge sind eine von altersher von Menschen besiedelte und genutzte Kulturlandschaft. Zeugen davon finden sich im Gemeindewald von Bruttig-Fankel. Mehrere Grabhügel aus der Zeit der „Hunsrück-Eifel-Kultur" sind erhalten geblieben. Auf der Trasse des ehemaligen Römerwegs wurde ein „Archäologischer Wanderweg" angelegt (▶ SEITE 71).

Vom Moselfachwerk über die Keltenzeit zur Burgenromantik. Sie ist in Treis zu finden. Zwischen Flaumbach- und Dünnbachtal liegen die Wildburg und die Burg Treis in unmittelbarer Nachbarschaft. Die Wildburg wurde vor einigen Jahren von einem Privatmann erworben und als Wohnburg ausgebaut, sie ist für die Öffentlichkeit nicht zugänglich. Wohl aber die Ruine der Burg Treis mit ihrem mächtigen Burgfried, der allerdings nicht bestiegen werden darf. Hier heißt es: absitzen! Ein Fußweg aus dem Flaumbachtal führt hinauf zur Burg, die wunderschönen Ausblicke in das Tal bietet. Von den beiden Burgen sind es nur noch wenige Minuten nach Treis. Der Chorraum der ehemaligen Pfarrkirche St. Katharina, an den das heutige Rathaus angebaut wurde, ist immer einen Besuch wert. Aber auch die heutige Pfarrkirche St. Johann Baptist, 1831 geweiht, lohnt eine Visite. Sie wurde von dem bekannten Baumeister Johann Claudius Lassaulx erbaut. Und wer einen wunderschönen Blick ins Tal der Mosel genießen möchte, der sollte entlang eines Stationswegs hinauf zur Zilleskapelle steigen, bevor dann in Treis bei einem Schoppen Moselwein ein interessanter Radeltag Revue passiert.

INFORMATIONEN

AUSKUNFT

Gemeindeverwaltung Bruttig-Fankel
Klosterstraße 12, 56814 Bruttig-Fankel
☎ *02671/915297* ☏ *7655*
Tourist-Information Treis-Karden
Postfach 1134, 56251 Treis-Karden
☎ *02672/6137* ☏ *2780*
@ *www.treis-karden.de*

ANFAHRT

Nach Bruttig-Fankel über Cochem.
B 49 bis Moselbrücke. Die Straße führt
direkt nach Treis-Karden.
Wanderparkplätze mit
Hinweisschildern und Informationen
zum Archäologischen Wanderpfad
sind ausgeschildert.

TOUR-TIPP

Wanderung auf den Valwiger Berg.
Von dort gibt es herrliche Ausblicke ins
Moseltal. Sehenswert dort auch eine
Wallfahrtskapelle.

EINKEHR-TIPP

Gutsschanke Wingertsbrünnche
Kirchberger Str. 39, 56253 Treis-Karden
☎ *02672/1666* ☏ *912015*
@ *castorwein@meco.de, ganzjährig,*
von Donnerstag bis Sonntag geöffnet.
1. bis 28. Februar geschlossen.

Schiefer- und Fachwerkidylle begleiten die Radler auf den Moselhöhen.

Sommer-Tour

Es gibt nicht mehr viele Gegenden in Deutschland, wo sich die Natur noch so ursprünglich und unverfälscht zeigt. Die Osteifel ist eines dieser wertvollen Fleckchen Erde, das unter Wandertouristen als Geheimtipp gilt. Auch Radler können bei ihrer Sommer-Tour auf dem „Eifel-Schiefer-Radweg" Natur pur in vollen Zügen genießen: Grüne Laub- und Nadelholzwälder, gelbe Rapsfelder und bunte Blumenwiesen, munteres Vogelgezwitscher und der selten gewordene Ruf des Kuckucks, sanfte Kühe auf der Weide, murmelnde, natürlich sich kringelnde Bäche, von den Höhen wunderschöne Panoramablicke über die Eifel, das Maifeld und bis in den Hunsrück, und das alles unter dem typischen blau-weißen Eifelhimmel. Mehrere Abstecher zu lohnenden Zielen bietet der insgesamt 22,2 Kilometer lange Rundkurs zwischen dem Eifelstädtchen Kaisersesch und Monreal bei Mayen. Für durchtrainierte Fahrradsportler ist dieser Radweg wegen einiger Steigungen eine echte Herausforderung, wenn sie die Strecke Kaisersesch, Urmersbach, Bermel, Kalenborn, Hauroth, Masburg, Kaisersesch wählen. Weniger Geübte und Familien mit kleinen Kindern sollten in der umgekehrten Richtung fahren. Bequem kann man auch entlang der Eisenbahnstrecke Kaisersesch – Monreal ins romantische Elzbachtal rollen. Kaisersesch liegt am Rand des ehemals größten Schieferabbaugebietes links des Rheins. Zeugen der Schieferbergbau-Geschichte sind imposante Halden im Kaulenbachtal, das als Naturschutzgebiet und Denkmalzone ausgewiesen ist. Hier wurde von 1695 bis 1959 Schieferbergbau betrieben, der die Orte Müllenbach, Laubach und Leienkaul sowie ihre Bewohner in besonderer Weise prägte. Die Alte Schule in Müllenbach beherbergt eine Dokumentation der Schieferbergbaugeschichte, die nach Absprache besichtigt werden kann. Hautnah kann auf den Spuren des Eifelschiefers wandeln, wer sich zum rund dreistündigen Fußmarsch auf dem mit Info-Tafeln ausgestatteten Schiefergruben-Wanderweg entschließt. Heute wird Qualitätsschiefer unter der Qualitätsbezeichnung Moselschiefer nur noch in Mayen abgebaut, wo mit den Gewinnungsstätten Katzenberg und Margareta die modernsten Schieferbergwerke Europas liegen. Schiefergedeckten, alten Häuschen begegnet der Radfahrer in allen Dörfern am Wege. Die typischen Schieferfassaden, die hier Wind und Wetter trotzen, erhalten fröhliche Farbtupfer durch blühende, duftende Bauerngärten. Es sind keine auf „Touristenhochglanz" hergerichteten Orte, sondern ländliche Wohngemeinden mit mehr oder weniger ansehnlichen Neubaugebieten, aber auch mit liebenswerten, ursprünglich erhaltenen Ecken in den Dorfkernen. Die alte Schule von Masburg beispielsweise ist ein Musterbeispiel der Architekturkunst von Lassaulx, in Hauroth lädt ein Künstler zum Besuch seines Ateliers ein: Das Wahrzeichen von Kalenborn ist die denkmalgeschützte „Dicke Eiche", Bermel hat ein gut bestücktes Heimatmuseum zu bieten und im Tal von Urmersbach schließlich versteckt sich die über 500-jährigen, von einem Künstlerpaar restaurierte Obermühle. Wer die gesamte Strecke bis Monreal schafft, kann die müden Waden im flachen Elzbach kühlen und entspannt auf der Mauer der historischen Brücke sitzend hoch zur Burgruine schauen und die liebevoll restaurierten Eifeler Fachwerkhäuser bestaunen. Auch die um 1460 erbaute Pfarrkirche - ein Kleinod gotischer Baukunst - lädt zum Besuch ein.

INFORMATIONEN

AUSKUNFT

Tourist-Information Schieferland Kaisersesch, Bahnhofstr. 47
☎ 02653/999615 📠 9996918
📧 www.kaisersesch.de und
VG Vordereifel, Kelberger Str. 26
☎ 02651/800959
📧 www.vordereifel.de

ANFAHRT

Über die A 48 Koblenz-Trier, Abfahrt Kaisersesch oder Mayen über die L 98 nach Monreal.

TOUR-TIPP

Ab Kaisersesch: Geführte Wanderung mit dem Verein für Schieferbergbaugeschichte, ☎ 02653/6002. Anmeldung zur Besichtigung der Schiefer-Dokumentation beim Ortsbürgermeister von Müllenbach, ☎ 02653/6918 Ab Bermel Ausflug zu den Eifelmaaren, ab Monreal zur Augstmühle.

EINKEHR-TIPP

Masburg: gutbürgerliches Essen in der Gaststätte „Kringelwies", Brunnenstr. 2, ☎ 02653/6131, Ruhetag Dienstag. Monreal: Weinschänke „Stellwerk" im alten Bahnhof von Monreal, nur mit Anmeldung, ☎ 02651/77767, Ruhetag Montag. Nostalgisches „Café Plüsch", ☎ 02651/5851, Ruhetag Mittwoch.

Kurven für Kenner

Die Höhen rauf, die Mosel runter: tolle Tour.

Ganz Verwegene tun es das ganze Jahr über. Die anderen kommen mit den ersten wärmenden Sonnenstrahlen und bleiben dabei, bis das Saisonkennzeichen dem Vergnügen bis zum nächsten Frühling ein Ende macht – Motorrad fahren an der Mosel ist längst kein Geheimtipp mehr für Eingeweihte. Biker, die sich für eine Mosel-Tour entscheiden, gehören zu den Genießern auf zwei Rädern. Sie schätzen abwechslungsreiche Strecken, eine unvergleichliche Landschaft und können sich auf ausgezeichneten Service verlassen, denn an der Mosel hat man sich schon lange auf Motorradfahrer und ihre Wünsche eingestellt. Anders als in anderen Touren-Gebieten gibt es hier nicht die Strecke, die man einfach gefahren haben muss. Das Schöne an der Mosel ist, dass man tatsächlich Entdeckungen machen kann und Routen fährt, die sich noch nicht überall herumgesprochen haben. Ungezählte Seitentäler warten und Serpentinen, die man eigentlich nur in den Alpen erwarten dürfte. Eine Strecke, die einen prima Überblick gibt über das, was einen an und um die Mosel herum erwartet, beginnt zum Beispiel in Koblenz. Auf der B 49 geht es bis zum Abzweig Kondertal, von hier der Straße folgen bis nach Waldesch. Auf der Hunsrückhöhenstraße (B 327) weiter bis Pfaffenheck, dann die Straße nach Alken an der Mosel nehmen. Ab Alken wieder auf die B 49 bis Brodenbach, am Ortsende links abbiegen und (die Ehrenburg liegt an dieser Strecke und lohnt einen Abstecher) nach Buchholz kurven. Eine Straße mit wunderschönen engen Kehren, die für Busse gesperrt ist. Harley-Fahrer würden sich vielleicht über einen Rückwärts-Gang freuen ...

Im Hunsrück ist jetzt wieder die B 327 dran und zwar bis zum Abzweig rechter Hand hinter Reifenthal: über Thörlingen, Bickenbach, Frankweiler, Beltheim, Korweiler und Lieg führt die Route nach Treis-Karden an die Mosel zurück. Von Treis-Karden empfiehlt sich die Straße durch das schöne Flaumbachtal nach Mittelstrimmig, über Liesennich nach Senheim an der Mosel, dort geht es über die Brücke weiter auf der B 49 bis Eller und von dort über Ellerberg nach Cochem. Spätestens jetzt sollte man eine Pause einplanen, vielleicht in einem der Straßencafés. Wer noch nicht genug in der Kurve gelegen hat, fährt von Cochem über Landkern nach Kaisersesch, dann entlang der A 48 Richtung Gamlen bis zum Abzweig nach Dünfus, weiter über Binningen nach Treis-Karden und von dort entlang der Mosel auf der B 416 bis Moselkern. Hier geht es über Lasserg nach Münstermaifeld, im Ortsteil Münstermaifeld-Metternich den Abzweig (links) nach Hatzenport nehmen und über eine besonders schöne kleine Straße nach Hatzenport fahren. Von hier führt die B 416 zurück nach Koblenz. Gute Fahrt!

INFORMATIONEN

AUSKUNFT

Koblenz-Touristik
☎ 0261/303880
@ www.koblenz.de
Verkehrsamt Treis-Karden
☎ 02672/6137
@ www.treis-karden.de

ANFAHRT

A 61 Ausfahrt Koblenz

TOUR-TIPP

Ein Stop in Münstermaifeld empfiehlt sich: Der gotische „Maifelderdom", eines der wichtigsten mittelalterlichen Baudenkmäler in der gesamten Region, ist unbedingt einen Besuch wert.

EINKEHR-TIPP

Zwei mit besonderem Biker-Service (zum Beispiel Touren-Vorschläge und Spezial-Arrangements): Hotel, Gasthaus und Restaurant zur Post Familie Berens, Bahnhofstraße 24 56818 Klotten/Mosel
☎ 2671/7116 📠 1311
@ www.hotelzurpost-klotten.de
Ruhetag Donnerstag und
Moselromantik-Hotel Thul
Brauselaystraße 27, 56812 Cochem
☎ 02671/914150 📠 91415144
@ www.hotel-thul.de
Kein Ruhetag.

Der Wasserturm in Münstermaifeld.

Tolle Trasse

Das Maifeld, eine flache Hochebene oberhalb der Mosel. Eine farbenprächtige Landschaft, die die schönsten Ausblicke auf die Mosel, aber auch auf den benachbarten Hunsrück erlaubt. Nur wenige Minuten von der Mosel entfernt, für viele ein unvergesslicher Ausflug. In den vergangenen Jahren wurden zahlreiche Wanderwege geschaffen,die zu einer Tour per pedes oder Rad einladen. Ein besonderes Erlebnis sind sicherlich die ehemaligen Bahnstrecken Polch – Münstermaifeld, Polch – Ochtendung und Polch – Mayen, die zum „Radwanderweg Maifeld" bzw. zum „Moselschiefer-Radweg" ausgebaut wurden. Ausgangspunkt ist jeweils der ehemalige Bahnhof in Polch. So führt beispielsweise die Trasse Richtung Mayen über ein 40 Meter hohes Natursteinviadukt. Sehenswert ist aber auch die Strecke von Polch aus nach Münstermaifeld. Dort ist in den vergangenen Jahren fast unbemerkt ein Skulpturenweg entstanden. Kultur zum Anfassen quasi im Vorbeifahren machen das Radwandern zu einem besonderen Erlebnis. Eine Art Open-Air-Museum der besonderen Art durch die zahlreichen Kunstwerke entlang der Trasse, die einen Einblick in die Gestaltungsmöglichkeiten moderner Kunst geben.

INFORMATIONEN

AUSKUNFT
*Verbandsgemeindeverwaltung
Maifeld, Rathaus, 56751 Polch
℡ 02654/94020 ℡ 94048
@ www.maifeld.de*
ANFAHRT
*A 48 Abfahrt Polch, in Polch ist der
ehemalige Bahnhof
ausgeschildert.*
TOUR-TIPP
*Fahrt nach Mayen zur historischen
Stadtbefestigung, der Genovevaburg
und Schloss Bürresheim im Nettetal,
Touristinformation der Stadt Mayen
Altes Rathaus, 56727 Mayen
℡ 02651/903004 ℡ 903009*
EINKEHR-TIPP
*Ehli's Schlemmercafé
Am Marktplatz 15, 56751 Polch
℡ 02654/6911 ℡ 962053
@ www.ehlis-schlemmercafe.de
Ruhetag Montag.*

Schnell ist man von Polch in Münstermaifeld. Auf eine große Geschichte kann die kleine Stadt zurückblicken. Zahlreiche ehemalige Stiftshäuser und die Straßen in der Altstadt geben Zeugnis davon. Der Sage nach soll der römische Kaiser Caligula hier geboren worden sein, und die Römer errichteten in der Nähe ein Kastell am Schnittpunkt strategisch wichtiger Straßen. Mittelpunkt und Blickfang der Stadt ist das schiefergedeckte Münster, ein im romanischen Stil erbautes Gotteshaus mit einem beeindruckenden Westwerk. Mit der Übertragung der Severus-Reliquie 956 durch Erzbischof Ruotbert wurde die Kirche zu einem Ziel von Wallfahrern. Im 10. Jahrhundert entstand das Augustiner-Stift, einer der Stiftspröpste war der Gelehrte und Theologe Nikolaus von Cues, auch bekannt unter dem Namen Cusanus. Vom Stift heute noch erhalten ist das Kapitelhaus auf der Nordseite. Die anderen Gebäude fielen der Säkularisation zum Opfer (▶ SEITE 86F). Dennoch lässt sich in Münstermaifeld viel von der großen Vergangenheit erahnen, und ein Rundgang lohnt sich. Viele historische Fachwerk- und Bürgerhäuser sind zu sehen, so beispielsweise das ehemalige Spital oder die ehemalige Synagoge. Auch von der historischen Stadtmauer und dem Wallgraben blieb viel erhalten. In Münstermaifeld endet die ehemalige Bahntrasse, die 1983 stillgelegt wurde. Von hier aus sind es nur noch wenige Kilometer bis zur Mosel nach Hatzenport, die ebenfalls durch eine reizvolle Landschaft führen. Der kleine Moselort war früher ein wichtiges Eingangstor zum fruchtbaren Maifeld. Überragt wird Hatzenport von der aus dem 13. Jahrhundert stammenden Johanni-Kirche, die inmitten der Weinberge steht. Und nach dem Spaziergang laden zahlreiche Gaststätten zum Verweilen ein.

DREI-FLÜSSE-RADTOUR

Berg und Tal total normal

Stadt, Land, Fluss, sanfte Talfahrten, steile Bergfahrt, traumhafte Abfahrt – und das alles ohne groß zu strampeln und heftig zu schnaufen? Geht nicht gibt´´ s nicht. Das Geheimnis heißt: Drei-Flüsse-Tour mit Rad und Zug. Start und Ziel: Das Deutsche Eck. Am malerischen Zusammenfluss von Rhein und Mosel geht´s zu Füssen des Kaiserdenkmals los. Buntes Treiben entlang der Schiffsanlegestellen lässt auf dem ersten Kilometer der Langsamkeit freien Lauf. Wäre auch viel zu schade, hier schon heftig in die Pedale zu treten: Auf der Linken thront die mächtige Festung Ehrenbreitstein, zur Rechten herrscht in den Freiluftrestaurants babylonisches Sprachgewirr, und auf der Flaniermeile längs des Stromes trifft sich die Jugend der Welt. Mit jedem Meter Richtung Rheinaue aber wird es ruhiger. Jahrhundertealte Bäume spenden Schatten in den Kaiserin-Augusta-Anlagen, in der Rheinaue lockt eine riesige Liegewiese mit Kinderspielplatz zum Picknicken und Spielen. Das sonore Brummen der Schiffsdiesel ist ein ständiger Begleiter. Schiffe der Weißen Flotte wechseln mit dicken Containerbrummern, auf dem Fluss ist immer was los. Seitenwechsel: Über die Horchheimer Brücke geht´s auf die rechte Rheinseite Richtung Lahnstein. Erster Stopp: Die Erlebnis-Brauerei „Maximilians Brauwiesen", Räder abstellen und Brotzeit machen – so schön kann radeln sein ...

Wie hineingemalt in ein Rheingemälde alter Meister, thront die schiefergedeckte Burg Lahneck hoch über der Lahnmündung. Vorbei an der Johanniskirche geht es nach Oberlahnstein und von dort aus mit der Fähre (April bis September!) wieder über den Rhein nach Stolzenfels. Hinauf zum Lustschlösschen mit südländischem Flair führt ein Fußweg, Pedalos müssen außen herumkurven! Also: Wer keine Lust auf Strampeln hat, bleibt unten und rollt gemütlich Richtung Rhens, Brey und Spay. Von weitem funkelt das Schieferdach der Marksburg im Sonnenlicht – und Boppard lockt mit steilen Weinbergen und Fachwerkromantik aus drei Jahrhunderten. Von jetzt an geht´s bergauf – allerdings mit der Bahn: Die Hunsrückbahn (ab 9 Uhr sind Fahrräder zuschlagfrei) bringt Radler bequem durch waldreiche Hänge nach Emmelshausen. Radler folgen der Beschilderung E2. Der Radweg führt nach Gondershausen, Mermuth, Beulich und Morshausen. Tipp: zwei Kilometer auf der L 206 weiterfahren, bis sie in den Wald abbiegt, geradeaus auf einen geteerten Wirtschaftsweg Richtung Burgen weiterfahren. Der Lohn: tolle Aussichten auf Baybach- und Moseltal. Die Mosel – bald ist sie zum Greifen nah: Durch Brodenbach und über die Moselbrücke nach Löf geht es auf der Moselweinstraße Richtung Koblenz. Kattenes, Lehmen, Kobern-Gondorf, Winningen – links und rechts von schmalen Ortsstraßen und Wirtschaftswegen lockt überall die Versuchung nach einer Pause. Noch wenige Kilometer durch ein dunkelgrünes Rebenmeer und dann zurück in die Stadt – am besten über die Eisenbahnbrücke von Güls nach Moselweiß, vorbei an der kräftig gurgelnden Staustufe zum Peter-Altmeyer-Ufer.

Bergauf mit der Bahn.

INFORMATIONEN

AUSKUNFT

Rhein-Mosel-Eifel-Touristik (REMET)
Bahnhofstraße 9, 56068 Koblenz
☏ 0261/108419 ☏ 3002797
@ www.remet.de
Tourist-Info-Zentrum am Park
Am Kreisel, 56281 Emmelshausen
☏ 06747/93220 ☏ -22
@ www.emmelshausen.de

ANFAHRT

Von der A 48 am Kreuz Koblenz-Nord,
auf die B 9 Richtung Koblenz, rechts
Richtung Cochem, nach 300 m scharf
rechts zum Peter-Altmeyer-Ufer bis zum
Parkplatz am Deutschen Eck.

TOUR-TIPP

Vierseenblick in Boppard: 2,5 km langer
Anstieg zum Aussichtspunkt mit
Gasthof.

EINKEHR-TIPP

Maximilians Brauwiesen,
Didierstraße 25, 56112 Lahnstein
☏ 02621/926060. Von Oktober bis Ende
März Ruhetag Montag.
Traumhaft gelegene, radlerfreundliche
Ferienwohnungen der Familie Hessel
Maifeldstr. 10, 56330 Kobern-Gondorf
☏ 02607/972086 (ab 19 Uhr) ☏ 972088

Auch für Roller tolle Reviere.

Roller-Reviere

Wenn Max (15) und Peter (19) mit ihren Skateboards rollen und rutschen, schlittern und springen, bleiben Spaziergänger stehen und staunen mit offenem Mund über die Geschicklichkeit der Jungs. Die beiden Schüler nehmen Komplimente ganz gelassen entgegen, wachsen ihre Boards neu ein und rollen dem nächsten Abenteuer entgegen. Der Skater- und Inlinepark in Bernkastel-Kues ist ein Dorado für alle, die nicht nur beschaulich an der Mosel entlang gleiten wollen, sondern die den Nervenkitzel lieben. Der Verein für Sport, Freizeit und Gesundheit (SFG) hat die Anlage direkt neben dem Schulzentrum und dem Schwimmbad im Ortsteil Kues eingerichtet. Insider sprechen angesichts der meterhohen Holzbauten nicht etwa von Rampen, sondern von Quarters, Curbcuts, Flatrails und Banks. Peter, der Skater, mag diese Begriffe nicht gerne ins Deutsche übersetzen, „weil es dann lächerlich klingt". Aber er erklärt kurz, dass man darauf Übungen wie den Kickflip macht – dabei dreht sich das Skateboard beim Sprung um die eigene Achse. Bei einem Slide rutscht er mit dem Brett über ein Geländer, beim Faky rollt er rückwärts. Peter und Max sind nach der Schule oft hier und am Wochenende sowieso. Beide sind – wie viele Inline-Freaks übrigens auch – Individualisten. „Mit diesem Sport sind wir unabhängig. Wir brauchen keinen Trainer, keine bestimmten Klamotten, haben keine festen Uhrzeiten und kennen keine körperlichen Grenzen. Man kann nie sagen, dass man zu gut zum Skaten ist, weil man ständig etwas Neues ausprobieren kann." Für blutige Anfänger ist dieser Park in Kues nicht geeignet. Einsteiger sollten es machen wie andere auch, die zufällig vorbeikommen: zuschauen und staunen.

INFORMATIONEN

AUSKUNFT
Verein für Sport, Freizeit und Gesundheit, Schul- und Sportzentrum, 54470 Bernkastel-Kues
☎ 06531/91199 ☏ 91197
@ www.sfg-bks.de
Öffnungszeiten: Der Skate- und Inlinepark ist täglich geöffnet; Montags bis freitags von 15 bis 19 Uhr, samstags und sonntags von 14 bis 18 Uhr. Bei schlechter Witterung bleibt der Park geschlossen. Die Benutzung der Bahnen ist außerdem nur mit Ellenbogenschutz, Kopfschutz und Handschuhen gestattet.

ANFAHRT
An der Mosel aus Richtung Koblenz und Trier auf der B 53 bis Bernkastel-Kues.

TOUR-TIPP
In Bernkastel-Kues ist es zwar Pflicht, die Burgruine Landshut zu besichtigen, aber ebenso spannend ist ein Blick in das Geburtshaus des Mannes, der dem Ort auch seinen Namen gab: Nikolaus von Kues (1401-1464 ▶ SEITE 86f).

EINKEHR-TIPP
Empfehlenswert ist ein Abstecher in die Vinothek im Weinkulturellen Zentrum Cusanusstraße 2 55470 Bernkastel-Kues
☎ 06531/4141 ☏ 4155
@ www.bernkastel-vinothek.de
Kein Ruhetag.

AUF EINEN BLICK

DIE BESTEN SKATERSTRECKEN

RIOL - DETZEM/THÖRNICH: *AB ORTSAUSGANG RIOL MOSELABWÄRTS AUF DEM MOSELRADWEG BIS ZUR SCHLEUSE DETZEM, WEITER NACH THÖRNICH, LÄNGE 10,5 KM.* **OBERBILLIG - WINCHERINGEN:** *ANSPRUCHSVOLLE STRECKE, LÄNGE 18 KM. START AN DER UFERSTRASSE OBERBILLIG, AUF DEM MOSELRADWEG RICHTUNG TEMMELS, DER RADWEGEBESCHILDERUNG FOLGEN.* **TRIER/STAUSTUFE - WASSERBILLIG:** *AUF DEM MOSELRADWEG VON DER STAUSTUFE KONZ BIS ZUR LUXEMBURGISCHEN GRENZE, LÄNGE 11 KM. HALFPIPES IN* **SAARBURG:** *AM SPORTZENTRUM; IN* **SCHWEICH:** *VOR STEFAN-ANDRES-HALLE; IN* **TRABEN-TRARBACH:** *MOSELUFER. SKATEVERLEIH UND UNTERRICHT IN* **TRIER:** *TRICK 17 SKATESHOP & VERLEIH, BÖHMESTR./PLAZA CARRÉE,* ☎ *0651/9940303* @ *WWW.MAG17.DE.* **RIOL:** *INLINE-SKATE-VERLEIH WAKE UP WASSERSKISCHULE* ☎ *06502/936474.* **BERNKASTEL-KUES:** *SCHUL- UND SPORTZENTRUM,* ☎ *06531/91199.*

Baden

Bummeln

Ein Stau,

Staus auf der Autobahn nerven.

Auf dem Wasser sieht das

anders aus. Ein völlig neues

Staugefühl garantiert die

„Wasserstraße Mosel". Auf des

Rheines schönster Tochter wird

jede unverhoffte Standzeit (fast)

zum Vergnügen.

„All die Höhen baden in bewegtem Nass, die gespiegelten Weinberge wiegen sich in Wellen, und die reifen Trauben schwellen in den gläsernen Fluten". So viel hat sich eigentlich nicht geändert, seit Moselromantiker und -dichter Ausonius im vierten Jahrhundert n. Chr. in lateinischen Versen festhielt, was ihn an und auf der Mosel so faszinierte. Einfangen davon lässt man sich am besten auf dem Schiff. Der Unterschied der Perspektiven – ob aus der Seitenscheibe des Autos lugend oder locker an der Reling lehnend – ist frappierend. Einige Hunderttausende oder sogar Millionen auf der „boot" in Düsseldorf müssen Sie dabei nicht unbedingt ausgegeben haben. Bootscharter gibt es auch auf der Mosel, nicht viele, aber immerhin. Und wer keinen Bootsführerschein hat, der lässt sich über die Wellen schaukeln mit kleinen und größeren Personenschiffen.

Was das mit Staus zu tun hat? Ganz einfach: Die gibt es auch auf dem Wasser. Vor den Schleusen Fankel und Zeltingen ganz besonders. Der Grund: die Nähe der Touristenmetropolen Bernkastel-Kues und Cochem, Abfahrts- und Zielorte vieler Ausflugsschiffe im Sommer. So viele immerhin, dass es vor den mächtigen Stauwehren schon einmal etwas länger dauern kann. Nicht zu lange, denn die weiße Moselflotte und die Sportboote – sofern Letztere sich mit den größeren Pötten kostenlos mitschleusen lassen, statt die eigens angelegten Bootsschleusen oder -gassen zu benutzen – genießen bei Einfahrt in die Schleuse Vorrecht. Und lassen dabei en passant so manchen Frachter oder Schuber liegen. Eine musikalische Abendfahrt Richtung Beilstein im warmen Licht der bald untergehenden Sonne an Bord der in Cochem beheimateten „Undine" kann neidisch machen. Während die auf dem Ausflugsdeck postierte Band beileibe nicht nur „O Mosella" intoniert, vergessen die Passagiere für einen Moment den Zauber einer jahrhundertealten Kulturlandschaft, die steil ansteigenden Weinbergshänge und den spritzig-frischen Rieslingschoppen auf dem Tisch: Einfahrt in die Schleuse. Immer wieder faszinierend, mit welch traumwandlerischer Sicherheit der Kapitän seinen Pott in die nur 12 Meter breite, aber immerhin 170 Meter lange Kammer bugsiert. Ernüchternd zunächst auch die plötzlich neue Aussicht: glitschig-grüne Steilwände aus Eisen an Luv und Lee, mächtige Doppeltore vor dem Bug und hinter dem Heck. Modrig riecht es plötzlich, fast faul. Doch nicht lange. Wie von Zauberhand bewegt, fast unmerklich, hebt sich die Undine langsam in die Höhe, geben die modrigen Wände wieder den Blick frei auf die im Abendlicht leuchtenden Hänge. Die Wasserkraft macht's, Millionen Liter Mosel, die, unsichtbar und auch nahezu unhörbar, in die Kammer strömen. Auf dem Niveau des „Oberwassers" angekommen, manövriert der Kapitän die Undine ebenso sicher wieder aus der Kammer hinaus, öffnet sich plötzlich der Blick auf die Bilderbuchkulisse Beilsteins, das Dornröschen der Mosel. Das Örtchen, komplett unter Denkmalschutz gestellt, wird mit seinem romantischen Charme nur wenig später die Passagiere umfangen. Ein Charme, für den die Matrosen und Kapitäne auf den drei Frachtschiffen, die im Oberwasser schon auf die Schleuseneinfahrt warten, vermutlich kaum etwas übrig haben. Für sie bleibt Stau

BOOT

der Spaß macht

Paradies für Freizeitkapitäne.

der Autobahn oder auf der Mosel. Wer diese auf Letzterer umfahren möchte, sollte schon mit eigenem Boot kommen. Denn Motorbootverleihe gibt es an der Mosel nur wenige, so in Lieser (Boote Frey ℡ 06531/4619), Treis-Karden (Mosel-Boating Center ℡ 02672/2613) oder Cochem (Motorbootverleih Tibus ℡ 02671/8692). Meist darf man sich mit den gecharterten Booten ohnehin nur zwischen zwei Schleusen bewegen. Wer aber mit dem eigenen Boot kommt, der findet in nahezu allen Moselorten Slipanlagen, in vielen Orten auch Bootshäfen.

AUF EINEN BLICK

MUSKELN UND MOTOREN

Die Mosel gehört zu den wenigen deutschen Flüssen, wo sich Wassersportler per Muskelkraft oder Motor noch richtig austoben können. Und so kommen zwischen Trier und Koblenz alle auf ihre Kosten - die Tretbootfahrer wie die Wakeborder. Lern- und Leihmöglichkeiten: Wasserski: Schleich-Pölich: Franz Kirsch, Am Kraftwerk, ℡ 06507/99133 Kanu: Schoden: Familie Loch, ℡ 06581/6981, im Sommer mittwochmorgens geschlossen, im Winter Mittwoch Ruhetag. Kinheim: Rainer Thomé Kanu-Charter „Mosel-Tours" Königstrasse 3, ℡ 06532/94320, oder unter @ www.moseltours.de Piesport: Mosel-Kanu-Service E. Welter, Römerstr. 38, ganzjährig geöffnet nach Vereinbarung, ℡ 06507/5558 oder ℡ 0170/3454221 (Verleih & geführte Touren). Segeln und Surfen: Surfgebiet oberhalb der Staustufe Enkirch, ℡06541/9719, kein Verleih. Wakeboarden: Riol: Wakeboarding „Wake up", Moselstrasse, ausserdem: Banane, Wasserski, Longboarden, ℡ 06502/936474. Die Öffnungszeiten sind zumeist stark wetterabhängig.

INFORMATIONEN

AUSKUNFT
Moselland-Touristik
54463 Bernkastel-Kues, Postfach 1310
℡ 06531/2091 ℡ 2093
@ info@mosellandtouristik.de
Tourist-Information Cochem
56812 Cochem, Endertplatz
℡ 02671/60040 ℡ 600444
@ verkehrsamt.cochem@lcoc.de

ANFAHRT
Nach Cochem ab Koblenz auf der
B 416 bis Treis-Karden, von dort auf der
B 49 bis Cochem, ab Autobahnkreuz
Koblenz auf der A 48 Richtung Trier,
Abfahrt Kaisersesch.

BOOTSHÄFEN
Saarburg, Sportboothafen,
54439 Saarburg
℡ 06581/6351
Konz, Segelboothafen, 54329 Konz
℡ 06501/4431
Trier, Yachthafen Trier Monaise
℡ 0651/84311
Schweich ℡ 06502/91300
Bernkastel-Kues, Sport-Yachthafen
℡ 06531/8200
Traben-Trarbach, Yacht- und
Schutzhafen ℡ 06541/3136
Senheim, Yachthafen ℡ 02673/4660
Cochem, Städt. Yachthafen
℡ 02671/4528
Treis-Karden, Mosel-Boating-Center
℡ 02672/7456
Brodenbach, Schutz- und Yachthafen
℡ 0171/2724600
Burgen, Bootshafen an der Fähre
℡ 02605/2123
Winningen, Marina Winningen GmbH
Yachthafen ℡ 02606/22967
Neumagen-Dhron, Yachthafen
℡ 06507/701670

Wohlig warm: Thermen in Amnéville.

Thermapolis in Amnéville

Es gibt Tage, die einem schon morgens das Aufstehen schwer fallen lassen. Feuchtkalt, diesig, wolkenverhangener Himmel – es wird gar nicht so richtig hell. Und das ausgerechnet in den Ferien. Aber so ist die Natur, die auf der anderen Seite wiederum ihre Vorzüge hat. Wie zum Beispiel heiße Quellen aus tiefem Gestein. Eine davon befindet sich in Amnéville-Les-Thermes, rund zehn Kilometer nördlich von Metz. Bis vor vier Jahren war das 41 Grad warme Wasser aus 900 Meter Tiefe ausschließlich Kurgästen des Centre Thermal Saint Eloy vorbehalten. 1996 schließlich wurde das heilende Nass für jedermann zugänglich. Die Wasserstadt „Thermapolis" war geboren. Mitten im Wald von Coulange innerhalb eines großen Freizeitparks fügt sich der Bade- und Entspannungstempel architektonisch anspruchsvoll in die Landschaft. Große Glasflächen ermöglichen das Gefühl, in die Natur eingebettet zu sein. Drei große Innenbecken mit Temperaturen von 32 und 35 Grad bieten den Wasserfreunden allerlei Abwechslung. Zahlreiche Massagedüsen lockern verspannte Muskeln. Schwanenhals-, Strahlduschen und Wässerfälle beleben den Kreislauf. Sprudelbäder, Geysire, warme und kalte Fußbäder und Whirlpools – insgesamt 130 (!) verschiedene Animationen wecken Badespaß bei Jung und Alt. 370 Leute können gleichzeitig ins Thermapolis. Um ins Außenbecken zu gelangen, muss der Besucher noch nicht einmal aus dem Wasser: Eine direkte Verbindung macht's möglich. Eine leichte Strömung von 5 km/h treibt den Gast ins Freie, wo ein noch stärkerer Strom (20 km/h) für Bewegung sorgt. Besonders im Winter ist der Kontrast der eiskalten Außenluft zum dampfenden Bad besonders reizvoll. Im Sommer lädt ein nach Süden gerichteter Strand zum Sonnenbaden ein. Der Aufenthalt im Thermalwasser unterstützt die Aufnahme von Spurenelementen und Mineralien durch die Haut, die das Wasser auf seinem langen Weg durch die Gesteinsschichten aufgenommen hat. Gewinn an Vitalität und Spannkraft ist garantiert. Wer auf Schwimmen oder Massage vorübergehend keine Lust hat, wird im Fitnessbereich glücklich. Zwei Saunen zwischen 85 und 90 Grad für Hartgesottene und drei Hammams (45 Grad Dampfbäder) mit und ohne Aufguss ätherischer Öle lassen die Körper schwitzen. Nach zwei bis drei Gängen und einem Abschlussbad im Kaltwasserbecken (20 Grad) kann am Trinkbrunnen Wasser nachgefüllt werden. Danach ab in die Ruheräume. In ägyptischem und orientalischem Stil gestaltet, verwöhnen sie die Sinne des Wasserstadt-Besuchers. Besonders fasziniert die ornamentgeschmückte Felslandschaft mit diversen kalten und warmen Fußbädern und als Highlight der Entspannungsraum mit warmen Marmorplatten. Auch Pharaonen hätten sich hier wohl gefühlt.

INFORMATIONEN

AUSKUNFT

Thermapolis, Avenue de l'Europe
57360 Amnéville-les-Thermes
℡ 0033/3877183-50 ℻ -59
Geschlossen am 23., 24., 25.,
31. Dez. und am 1. Jan.

ANFAHRT

Auf der A 31 Abfahrt „Mondelange"
und auf der A 4 „Semécourt" nehmen,
sehr guter Beschilderung
(Amnéville-les-Thermes) folgen.

TOUR-TIPP

Eisenerzmuseum in Neufchef
(▶ SEITE 88).
Das Thermapolis liegt direkt im
Freizeitzentrum „Centre Thermal et
Touristique". Es bietet unter anderem:
Einen 18-Loch-Golfkurs, das Casino von
Amnéville, ein hochmodernes
Multiplex-Kino, eine Konzerthalle, eine
Sommerrodelbahn, ein olympisches
Schwimmbad, eine Eislaufhalle, Tennis-
Squash-Kegel-Center, eine Spielothek
und einen Kinderspielpark, Infos:
Office de Tourisme d´Amnéville
℡ 0033/38770/1040 ℻ -19094
@ www.ville-amneville.fr

EINKEHR-TIPP

La Forêt, Restaurant höheren Niveaus
℡ 0033/387703434. Ruhetag
Sonntagabend und Montag.

DIE VIELEN SCHÖNEN SEITEN VON SAARBURG

Wo der Wasserfall rauscht

Saarburg ist einen Bummel wert.

Fragt man einen Saarburger, warum ihm seine Stadt so gut gefällt - dann sollte man sich auf einen etwas längeren Vortrag einstellen. Denn Saarburg ist ein Ort mit besonders vielen schönen Seiten. Natürlich wird jeder stolze Bürger zuerst einmal den Leukbach erwähnen, der durch die kleine Stadt fließt. Wer jetzt denkt, dass sei nichts Besonderes, weiß natürlich noch nicht, dass sich der Leukbach mitten in der Stadt über ein zwanzig Meter hohes Felsmassiv ergießt. Damit ist Saarburg wahrscheinlich die einzige Stadt mit Wasserfall.

Die Geschichte von Saarburg beginnt 964. Da erstand Graf Siegfried von Luxemburg den Berg „Churbelun" und ließ die Festung Saarburg, eine prächtige Höhenburg, bauen. Der Ort zu ihren Füßen wuchs schnell und bekam schon 1291 die Stadtrechte verliehen. Lange Zeit widerstand die gewaltige Burg über der Saar allen Eroberungsversuchen, bis sie im 17. Jahrhundert doch zerstört wurde. Heute ist sie eine romantische Ruine, ihr Bergfried kann über eine Treppe bestiegen werden. Eine Mühe, die mit einem herrlichen Rundblick belohnt wird. Die sehenswerte Altstadt von Saarburg steht aus gutem Grund unter Denkmalschutz. Das mittelalterliche Stadtbild wird von engen Gassen, Fachwerkhäusern mit stilvollen Schieferdächern, Barockbauten und bunten Fischer- und Schifferhäuser geprägt. Im Zentrum liegt der „Buttermarkt", hier stehen die alten Häuser noch auf dicken Eichenpfählen. Schon der große Berliner Baumeister Schinkel war begeistert und sprach von einem „Klein-Venedig".

Moderne Besucher freuen sich über die vielen Straßencafés rechts und links des Leukbaches und über das südländische Ambiente, das der kleinen Stadt viel Schwung und Leichtigkeit verleiht. Zu den Besonderheiten von Saarburg gehört auch die Glockengießerei Mabilon, die besichtigt werden kann. In Deutschland gibt es nur noch sechs Betriebe, die sich auf dieses wohltönende Handwerk verstehen. Direkt am Wasserfall steht das „Amüseum", ein Anziehungspunkt für Besucher. In der ehemals kurfürstlichen Mühle befinden sich heute unter anderem der Gästetreff, eine Vinothek und ein Museum. Zu bewundern ist auch eine der ältesten funktionstüchtigen Turbinen Deutschlands, die noch immer zur Stromerzeugung genutzt wird. Außerdem werden die historischen Saarburger Handwerkskünste der Drucker, Gerber, Schuster, Glockengießer und Schiffer vorgestellt. Und im Mühlen-Museum „Hackenberger Mühle" kann man sich dann genau ansehen, wie das war, als die Mühlen noch am rauschenden Leukbach klapperten.

INFORMATIONEN

AUSKUNFT

TouristPoint Saarburg im AMÜSEUM am Wasserfall, Am Markt 29
54439 Saarburg
☎ 06581/994642
✆ 06581/95670
@ www.saarburg.de

ANFAHRT

Von Trier aus die B 51 über Konz Richtung Saarbrücken bis nach Saarburg. Parkmöglichkeiten sind in Saarburg ausgeschildert.

TOUR-TIPP

Saar-Schleife bei Mettlach. B 407 Richtung Orscholz, dann die B 406 Richtung Orscholz. In Orscholz ist der Aussichtspunkt ausgeschildert.

EINKEHR-TIPP

Hotel Villa Keller, Brückenstraße 1
54439 Saarburg
☎ 06581/92910 ✆ 6695
@ www.villa-Keller.de
Ruhetag Montag.

Blauer Tupfer
im grünen
Flickenteppich

Abendstimmung am Bostalsee.

INFORMATIONEN

AUSKUNFT
*Tourist-Information Sankt
Wendeler Land, Am Seehafen
66625 Nohfelden-Bosen
☎ 06852/9011-0 ✆ 901020
@ www.bostalsee.de*

ANFAHRT
*Auf der A 1 Ausfahrt Primstal und
auf der A 62 Ausfahrt Türkismühle,
Schildern folgen.*

TOUR-TIPP
*Keltischer Ringwall in
Nonnweiler-Otzenhausen,
zweistündige Führungen nach
Vereinbarung,
Verkehrsamt Nonnweiler
☎ 06873/6600
Johann-Adams-Mühle, historisches
Mühlenanwesen in einem malerischen
Wiesental bei Theley
☎ 06853/1732*

EINKEHR-TIPP
*„Bistro am See", am Seehafen
☎ 06852/991088. Kein Ruhetag.
Hotel Restaurant Bard, Hofgut
Imsbach, 66636 Theley
☎ 06853/50140
@ www.hotel-restaurant-bard.de
Kein Ruhetag.*

„Gott war der Ebenen müde, ihm schien, als hätte er seine Schöpferkraft vergeudet an Sandwüsten, an Dschungel und Ozeane. Da nahm er vom Werkstoff, der ihm geblieben war, Buntsandstein und Muschelkalk, Schiefer und roten Sand und feilte zwischen Hochwäldern und Kalkplatten ein Gärtchen nach seinem Herzen." So beschrieb einmal ein Journalist das Sankt Wendeler Land. Inmitten dieses kleinen Paradieses liegt ein Wassersport- und Freizeitzentrum der besonderen Art. Der Bostalsee, der mit 120 Hektar größte Freizeitsee im Südwesten Deutschlands. Idyllisch eingebettet in die Mittelgebirgslandschaft des Naturparks Saar-Hunsrück, ist der See, dessen kühles Nass Trinkwasserqualität hat, ein Mekka für Wassersportfreunde. An zwei großen Sandstränden, in Bosen und Gonnesweiler, können sich jung und alt austoben. Tauchen, Baden, Burgen bauen oder auf den Liege- und Spielwiesen picknicken und grillen. Richtig ab geht es in der Surfschule von André Lefebvre, der mehrere Jahre mit Surflegende Robby Nash auf Hawaii zusammengearbeitet hat. Diplomierte Lehrer machen Anfänger in 10-12 Stunden fit für den Spaß mit Wind und Fluten. Den haben auch die Segelfreunde. Der Landesverband Saarländischer Segler in der Eckelhauser Bucht bietet Segelkurse an und richtet Regatten aus. Wem das zu stürmisch ist, der kann sich bei der Seeverwaltung ein Tret- oder ein Ruderboot ausleihen und damit den See ohne Stress und Hektik erkunden. Ganz gemütlich geht es auch bei der Seerundfahrt auf dem Solarkatamaran St. Wendeler Land zu. Zwei Mal sechs Kilowatt schieben das Boot sanft übers Gewässer, das am besten in frühmorgendlicher Stille zum Angeln genutzt werden kann. Im Kunstzentrum „Bosener Mühle" locken wechselnde Ausstellungen den Feriengast, der in diversen Kreativkursen selbst schöpferisch tätig werden kann. Wer denkt, das sei's gewesen an Aktivitäten hat sich gründlich getäuscht. Speziell für Familien mit Kinder wurden von der St. Wendeler Tourist-Info sieben Rad-Touren unterschiedlicher Längen und Schwierigkeit ausgearbeitet. Sehr interessant ist die Skulpturen-Tour, die vom Steinbildhauersymposion über eine ehemalige Römerstraße zum Bostalsee führt. Durchtrainierte Mountainbike-Fahrer können sich auf die Spuren von Radprofi Mike Kluge begeben und die 800 Höhenmeter der Welt-Cup-Tour hinter sich bringen. Auf Schusters Rappen kann der Wandersmann die saftiggrünen Wiesen und ausgedehnten Wälder natürlich auch bewundern. 800 km Wanderwege bietet die Region. Ein 120 km langer Rundwanderweg erschließt die wichtigsten Sehenswürdigkeiten. Ob die Wendalinusbasilika in St. Wendel, den keltischen Ringwall bei Otzenhausen, die Primtalsperre, die Johann-Adams-Mühle oder die Abteikirche in Tholey. Im Sommer ist rund um den Bostalsee natürlich besonders viel los. Beach-Volleyball-Turniere, die bunte Fronleichnams-Prozession über den See oder das Treffen der Heißluftballonfahrer an Christi Himmelfahrt bringen die Leute auf die Beine. Im Juli und August bietet der „Kinderclub Wasserfloh" ein lustiges Programm für die Kleinen rund um den See.

Marx-Geburtshaus in Trier.

Der Zögling hatte „gute Anlagen"

Seine Söhne kann man sich nicht aussuchen. Ob sich Trier ausgerechnet für Karl Marx entschieden hätte? In der Brückenstraße 10 steht das in Schiefer gedeckte Geburtshaus des Mannes, dessen Ideen die Welt vielleicht nicht vom Kopf auf die Füße stellten, mit Sicherheit aber gewaltig erschütterten. Die Gedenktafel an der Hauswand ist in so lichter Höhe angebracht, dass ein unachtsamer Besucher in spe erst einmal vorbei geht. Ganz anders eine Gruppe junger Chinesen. Zielbewusst wird das Haus angesteuert, das heute ein viel besuchtes historisch-politisches Museum beherbergt: Die jungen Leute aus dem fernen China werden sich die Ausstellung über Leben, Werk und Zeit von Marx und Friedrich Engels genau ansehen, sie werden die Erstausgaben von „Das Kapital", die Briefe und Fotos bestaunen.

Zuerst aber streben sie ins obere Stockwerk des sorgfältig renovierten Barockhauses. Dort an der überlebensgroßen Büste des vollbärtigen Philosophen wollen sie Fotos machen. Die Aufstellung klappt, wie lange geprobt: Links ein junger Chinese, rechts ein junger Chinese, dazwischen Marx. Lächeln. Handschlag. Foto. Die beiden Nächsten bitte. Ein Ritual, das zu diesem Haus gehört. Der ehemalige chinesische Ministerpräsident Hua Guofeng ließ sich 1979 an dieser Stelle fotografieren. Erich Honecker kam noch 1987 mit Blumen. Karl Marx wurde hier am 5. Mai 1818 um zwei Uhr morgens geboren, möglicherweise sogar in dem Zimmer, das heute von seiner Büste beherrscht wird. Seine Schulzeit verbrachte er in Trier. Im „Zeugnis der Reife" bestätigte man dem „Zögling" freundlich: „Er hat gute Anlagen." Später besuchte Marx seine Heimatstadt, in der er nachweislich erste prägende Eindrücke sammelte, die in sein Werk einflossen, nur noch selten. Im Gegensatz zu seiner Ehefrau Jenny von Westphalen, die öfter in der Moselstadt war. Zum Beispiel 1844, als der Heilige Rock, das Gewand Christi, das die Mutter des römischen Kaisers Konstantin nach Trier gebracht haben soll, ausgestellt wurde und viele Pilger nach Trier kamen. Jenny schrieb ihrem Mann nach Paris von dem unglaublichen „Treiben und Leben" in der Stadt und kaufte ihrer Tochter Jenny „ein kleines Medaillon" zur Erinnerung an das Ereignis.

Ob Vater Karl, der die Religion wortgewaltig mit Opium verglich, überhaupt davon erfuhr und wenn ja, wie er darauf reagierte, ist leider nicht überliefert ... Schade eigentlich. Und doch ist die Episode typisch für Trier und für die vielen Facetten dieser weltoffenen Stadt, die von den Römern geprägt wurde, die mit der Vielzahl ihrer Reliquien seit Jahrhunderten ungezählte Pilger anzieht und in der eben auch Platz ist für einen widersprüchlichen Querdenker.

INFORMATIONEN

AUSKUNFT
Museum Karl-Marx-Haus
Brückenstraße 10, 54290 Trier
☎ 0651/97068-0 📠 97068-140
Öffnungszeiten: November - März:
Dienstag - Sonntag 10 bis 13 Uhr und 14
bis 17 Uhr, Montag 14 bis 17 Uhr. April
bis Oktober: Dienstag bis Sonntag 10
bis 18 Uhr, Montag 13 bis 18 Uhr.
Der Heilige Rock wird im Trierer Dom in
einem kostbar geschmückten Schrein
aufbewahrt. Gute Infos bietet:
@ www.trier.de

ANFAHRT
Über die A 1 aus Richtung Saarbrücken/
Kaiserslautern und über die
A 1/A 48 aus Richtung Koblenz/Köln.
Die Moselweinstraße B 49/B 53 führt
aus Richtung Cochem/Bernkastel Kues
nach Trier.

TOUR-TIPP
Bei einem Stadtbummel lohnt sich
ein kurzer Abstecher von der Trierer
Simeonstraße durch einen unauffälli-
gen Torbogen in die Judengasse, die
in das ehemalige Ghetto der Stadt
führte. Die Geschichte der Familie Marx
war stets auch exemplarisch für die
Geschichte der Juden. So setzte sich
zum Beispiel Karl Marx' Vater Heinrich,
der aus einer traditionsreichen
Rabbinerfamilie stammte, mit großen
Schwierigkeiten und über unzählige
Hindernisse als einer der ersten jüdischen Rechtsanwälte in Deutschland
durch. Das dies in einer Zeit relativer
Liberalität möglich war, beweist auch
das Haus in der Simeonstraße 8 (Nähe
Porta Nigra), das Heinrich Marx 1819
kaufen konnte.

EINKEHR-TIPP
Weißhaus-Restaurant, Trier
☎ 0651/83433 @ www.weisshaus.de
Ruhetag Montag.

Mit dem Spaten in die Römerzeit

Römische Spuren überall, so auch das „Weinschiff" (rechts).

Er war der erste Werbestratege, den die Moselregion je hatte. Und er war perfekt. Nicht, dass ihm das im Sinn gelegen hätte, aber der Dichter Decimus Magnus Ausonius begeisterte sich so für diese unvergleichliche Landschaft, dass er ins Schwärmen geriet. Über Noviomagus zum Beispiel. „Reiner liegt hier die Luft auf den Feldern .. jetzt ist verscheucht der Nebel", schrieb er im vierten Jahrhundert über Neumagen.

Ein Ort, in dem die Römer noch immer erstaunlich lebendig sind. Das geht auch auf das Konto von ein paar Arbeitern, die vor mehr als hundert Jahren beim Ausschachten für ein neues Fundament auf einige merkwürdige Steine stießen – sie hatten die Grundmauern eines römischen Kastells entdeckt. Man griff zum Spaten, buddelte weiter und fand Erstaunliches. Das Kastell, errichtet gegen die heftig vordrängenden Germanen, war erstaunlicherweise aus älteren römischen Grabmonumenten und Sarkophagen zusammengebaut worden. Steinerne Bildtafeln kamen ans Tageslicht, die selbstbewusst vom Leben und den Aufgaben der Toten berichten. Mit diesen Funden lag der Alltag in der Antike plötzlich wie ein steinernes Bilderbuch vor den Archäologen. Vielleicht die berühmteste Darstellung: das Weinschiff. Das Grabmal eines römischen Weinhändlers zeigt eifrige Ruderer und einen bärtigen Steuermann, der recht vergnügt ausschaut. Eigentlich kein Wunder. Ist sein Boot doch hoch mit Weinfässern beladen. Das Original dieser wunderschönen Steintafel wird im Landesmuseum in Trier gezeigt, in Neumagen steht bei der gotischen Peterkapelle eine gute Nachbildung.

Im Ort verteilt sind noch andere Abgüsse berühmter Funde, deren Originale ebenfalls sicher im Museum aufbewahrt werden: So spricht auf einer anderen Bildtafel ein Lehrer streng auf seinen betreten dreinblickenden Schüler ein, und auf einer anderen Steinplatte wird eine feine Dame mit viel Aufwand frisiert. Den Grundriss des römischen Kastells, das Kaiser Konstantin errichten ließ, kann man um die Kirche von Neumagen dank Markierungen genau verfolgen. Noch mehr von den Römern findet sich im Heimatmuseum, dass auch über die Fischerei in der Mosel und – natürlich – über den Weinbau informiert. Schließlich darf sich Neumagen ältester deutscher Weinort nennen. In Neumagen und im Ortsteil Dhron gibt es viele sehenswerte Winzerhöfe und Bürgerhäuser, die sich bei einem Rundgang entdecken lassen. Vor allem in Dhron bestimmt der Naturschiefer, ein klassisches Baumaterial an der Mosel, das Erscheinungsbild der Häuser. Gemütliche Lokale und Straußwirtschaften laden ein, den Wein, der hier schon seit so langer Zeit angebaut wird, auch zu genießen. Dafür hat sich der rührige Dichter Ausonius garantiert ebenfalls begeistern lassen.

INFORMATIONEN

AUSKUNFT
*Tourist-Information, Hinterburg 8
54347 Neumagen-Dhron
☏ 06507/6555 ☏ 6550. Hier gibt
es auch ein Faltblatt über den
„Archäologischen Rundweg".
Heimatmuseum, Hinterburg 8
54347 Neumagen-Dhron, geöffnet:
Mo - Fr 9-12 Uhr und 14-17 Uhr, von
Oktober bis März: 9-12 Uhr.*

ANFAHRT
*Über die Moseluferstraße B 53 oder
über die A 1, Abfahrt Salmtal über
Klausen und Piesport.*

TOUR-TIPP
*Im nahen Piesport wurde die bisher
größte bekannte römische Weinkelter-
Anlage (am Ortsrand, Richtung Ferres)
freigelegt (▶ SEITE 147).*

EINKEHR-TIPP
*Hotel „Zum Anker", Moselstraße 14
54347 Neumagen-Dhron
☏ 06507/6397 ☏ 6399
In den Wintermonaten Mittwoch
Ruhetag, ansonsten durchgehend
geöffnet. Schöne Terrasse.*

Warum Kuno drei Mal vom Felsen stürzte

Wie gemalt: Ürzig.

Dieses Haus, diese steilen Weinberge – das ist doch . . . Genau. Moselbrück. In Ürzig hat man Verständnis für solche Déjà-vu-Erlebnisse. Schließlich ist der alte Weinort durch die Fernsehserie „Moselbrück" bundesweit bekannt geworden. Ürzig schmiegt sich in einen Moselbogen, schützend umrahmt von Schieferbergen. Der schroffste darunter, die wuchtige Urlay, wurde zu einem Wahrzeichen und ist eng verwoben mit der Geschichte des Ortes. Eine Sonnenuhr, die älteste im Moseltal, ist auf der Urlay angebracht, in einer Nische steht dort eine Figur des unglücklichen Kuno von Pfullingen.

Der arme Kerl hat hier keine sonnigen Stunden verbracht. Ganz im Gegenteil. Er war das Opfer eines politischen Komplotts. Sein Onkel, der Erzbischof von Köln, wollte ihn auf den Trierer Bischofsstuhl hieven. Die Trierer waren erbost und schickten ihren Vogt Theoderich, der Kuno gefangen nahm und in Ürzig einkerkte. Am 1. Juni 1066 stieß man den ungewollten Bischof vom Urlayfelsen – Kuno überlebte den Sturz. Und zwei weitere Stürze obendrein, bevor man ihn schließlich enthauptete...

Im Gleitflug über dem Moseltal zu schweben, ist heute – ganz anders als zu Kunos Zeiten – möglich. Paragliding und Drachenfliegen gehören zu den vielen Freizeitangeboten, die Ürzig seinen Besuchern macht. Wer sich nicht so hoch hinaufwagen will, hat vielleicht mehr Spaß an einer Wanderung durch die Weinberge. Die bekannte Lage „Ürziger Würzgarten" blickt auf eine lange Tradition, ihr Name erinnert daran, dass man bis ins Mittelalter den herben Wein gerne mit Kräutern abschmeckte. Und die wurden halt im „Würzgarten" gezogen. Im Ort gibt es noch viele schöne alte Fachwerkhäuser. Bei einem Spaziergang kann man ungewöhnlich weit über die Straße geneigte Giebel entdecken oder dämonische Fratzen, die in die Balken eines Hauses geschnitzt wurden.

An der Ürziger Moselfront steht der Mönchhof, der in „Moselbrück" eine Hauptrolle spielte. Die Fassade ist kaum hundert Jahre alt, doch das Gemäuer stammt aus dem 16. Jahrhundert, der Keller ist sogar noch gut zweihundert Jahre älter. Nicht alt, aber liebenswert ist der Rotschwänzchen-Brunnen auf dem Ürziger „Zentralplatz" an der Kreuzung von Altenbergstraße, Rathausplatz und Bergstraße. Der wurde nicht von dankbaren Ornithologen errichtet, sondern erinnert an den Spitznamen der Ürziger. Im schönsten Moselfränkisch sind das nämlich die „Erzer Ruutschwänzja". Die Ürziger Rotschwänzchen. Warum? So genau weiß das niemand mehr. Aber manche meinen, der eigenartige Rot-Ton der Felsen um Ürzig, zwischen deren Schiefer sich ein wenig roter Sandstein mischte, habe für den Namen vor langer Zeit Pate gestanden.

INFORMATIONEN

AUSKUNFT
Verkehrsamt: 54539 Ürzig/Mosel
Rathausplatz 7
☎ 06532/2620 📠 5160
@ www.uerzig.de
Infos zum Paragliding:
☎ 06532/93237 oder
☎ 0173/3034107 oder
@ www.moselfalken.de

ANFAHRT
Über die A 1/A 48 (Abfahrt Wittlich
und dann über Bombogen direkt nach
Ürzig) oder über die
Moseluferstraße B 53.

TOUR-TIPP
Im nur zehn Kilometer entfernten
Bernkastel-Kues gibt es einen
1000 Quadratmeter großen Skate-
und Inline-Park
☎ 06531/91199. Es gibt unter anderem
eine Half-Pipe, Funbox und Spin
(► SEITE 34).

EINKEHR-TIPP
Hotel-Restaurant „Zur Traube" direkt
am Moselufer gelegen
54539 Ürzig/Mosel
☎ 06532/930830 📠 9308311
Kein Ruhetag.

Vom Bummel ins Bad: Bad Bertrich.

Klein, aber fein

INFORMATIONEN

AUSKUNFT

Kurverwaltung Bad Bertrich
☏ 02674/932222 🖷 932220
@ www.bad-bertrich.de

ANFAHRT

Aus Richtung Koblenz A 48 Abfahrt
Laubach, Lutzerath, Bad Bertrich;
aus Richtung Trier A 48 Abfahrt
Hasborn, Hontheim, Bad Bertrich.

TOUR-TIPP

Geologische Wanderung und
Exkursion ins Vulkangebiet nach
Kennfus, Wanderung durch den
Kondelwald zur Abtei und
Klosterkirche Springiersbach;
Moselradwanderweg ab Alf in
Richtung Cochem oder
Bernkastel-Kues.

EINKEHR-TIPP

Café Schweizer Haus mit
Waldterrasse und Wintergarten im
Haus. Täglich ab 14 Uhr geöffnet,
☏ 02674/260. Kein Ruhetag.

Als der Erfinder des „Struwwelpeters", der Frankfurter Arzt Heinrich Hoffmann, 1848 erstmals nach Bad Bertrich kam, amüsierte er sich über den winzigen Ort und seine Kessellage: „.... wo man glaubte, des Morgens gegen die grünen Bergwände zu stoßen und man fürchten musste, dass einer daherkäme, alles in eine große Schachtel packte und davontrüge." Ein romantisches Mini-Bad, eines der ältesten Kurbäder der Welt und Deutschlands einzige Glaubersalztherme – das ist Bad Bertrich bis heute. Ein romantischer Ort, wenige Kilometer von der Mosel entfernt, den schon die Römer vor 2000 Jahren aufsuchten, um die 32 Grad warme Quelle aus den Tiefen der vulkanischen Erde für ihre Gesundheit zu nutzen. Viele archäologische Funde wie eine wunderschöne Marmorstatuette der Jagd- und Heilgöttin Diana zeugen davon, dass schon die Damen und Herren aus Rom sich im engen Seitental der Mosel wohl fühlten. Die Schönen und die Reichen – sie entdeckten im 15. Jahrhundert Bad Bertrich. Im „Fürstenbad" aalte sich der verwöhnte Hofstaat im warmen Wasser und durften sich die kurfürstlichen Gäste erholen. Eine Blütezeit erlebte der Ort in der Zeit zwischen 1768 und 1790, die vom letzten Trierer Kurfürsten Clemens Wenzeslaus eingeläutet wurde. Mit Straßen und der Einrichtung einer Bäderlinie auf der Mosel sorgte er für eine bessere Infrastruktur des Bades, baute Promenaden, Parkanlagen und das romantische, schiefergedeckte Kurfürstliche Schlösschen, das bis heute der feine Mittelpunkt des kulturellen Badelebens ist.

Einen besonderen Reiz haben die überschaubaren Einrichtungen des Kurbetriebs – der neubarocke Kursaal mit der Trinkhalle und dem neuklassizistischen Bäderhaus. Klein und fein zeigt sich auch der Kurpark, der sich im Sommer mit blühenden Blumen schmückt. Gemütliche Familienatmosphäre genießt der Gast in den Hotels und Gästehäusern. Längst hat Bad Bertrich sein Angebot des klassischen Kuraufenthaltes um ein Rundum-Wellness-Schönheits-Programm für Kurzurlauber erweitert. In den 270 Jahre alten Kellergewölben des Kurhotels am Kurfürstlichen Schlösschen kann der Gast seinen gestressten Körper mit einer orientalischen Pflegezeremonie verwöhnen und im warmen Wüstensand die Seele baumeln lassen. Frische Energie tankt man zur Sommerzeit im beheizten Diana-Bad im Wald und – ganzjährig – im modernen Thermal-Hallenbad. Frisch gestärkt, empfiehlt sich eine der vielen Wanderungen in die reizvolle Vulkanlandschaft der Eifel. Ein beeindruckendes Naturschauspiel und -denkmal am Ortsrand ist die Käsegrotte (oder Elfengrotte) mit ihren Wasserfällen. Hier ist der Lavastrom bis zu einer Höhe von 22 Metern über dem heutigen Bachbett eingedrungen. Die Lava erkaltete säulenartig, so dass die späteren kugeligen Verwitterungen wie aufgeschichteter Käse aussehen. Kurze Spazierwege führen auch zum Naturpark Römerkessel, zum Schweizer Haus oder zur Viktoriahöhe. Bemerkenswert ist das ganzjährige kulturelle Angebot in Bad Bertrich, wobei der Klaviersommer mit hochkarätigen Pianisten einen Höhepunkt bildet. Ein literarisches Denkmal wurde Bad Bertrich und seiner Landschaft von Clara Viebig (1860-1952) gesetzt. Zahlreiche musikalisch-literarische Lesungen der Clara Viebig-Gesellschaft würdigen das Werk der Romanschriftstellerin.

LAACHER SEE

Feuer und Wasser

Still ruht der Kratersee.

Es ist schon ein merkwürdiges Gefühl. Da steht man nun am Ufer des wunderschönen Laacher Sees und weiß, der Vulkan, der ihn geschaffen hat, ist noch längst nicht erloschen. Er schläft, aber er ist nicht tot. Ein Indiz für seine Aktivität sind die Mofetten, kleine Kohlendioxid-Bläschen, die aus der Tiefe an die Wasseroberfläche steigen. Am Ostufer des Sees, unweit des Rundwanderweges, wird man Zeuge des leisen Gesprudels. „Der Laacher See ist mit etwa 13 000 Jahren der jüngste der Osteifel, nur das Ulmener Maar im Westen ist mit 11 000 Jahren noch jünger", sagt Dr. Volker Reppke von der Deutschen Vulkanologischen Gesellschaft in Mendig, die es sich zur Aufgabe gemacht hat, den erdgeschichtlichen Reiz der Region interessierten Naturliebhabern, Hobby- und Profi-Forschern näher zu bringen. Im Laacher Seegebiet findet sich eine beeindruckende Fülle verschiedenster Mineralien und Materialien aus 400 Millionen Jahren Erdgeschichte – Trass, Basalt und Schiefer - Funde aus dem devonischen Grundgebirge, aus den Perioden Tertiär und Quartär. Die Erdkruste bricht auf. Eine riesige Wolke steigt gen Himmel, Blitze zucken gespenstisch, Donnergrollen, sintflutartiger Regen, Orkan, Gesteinsbrocken prasseln, schlagen ein wie Bomben, eine Glutlawine rollt über alles hinweg. Die Osteifel ist zerstört. Öde, wo vorher dichter Urwald das Land bedeckte. Beim letzten richtigen Vulkanausbruch Mitteleuropas wurde fast doppelt so viel Gestein in

die Atmosphäre geschleudert wie bei den anderen rund 300 Explosionen in der Eifel zusammen! Die gesamte Eruption bestand aus mehreren etwa achtstündigen Ausbruchsphasen, verteilt auf circa 10 Tage, und war wesentlich gewaltiger als die des Mount St. Helens (USA) in den achtziger Jahren. Der Ascheregen reichte von Rügen bis nach Grenoble. Heute freuen sich Geologen und Vulkanologen über die Überbleibsel dieser Katastrophe. „Nun bin ich schon so alt geworden und habe Tausende von Vulkanen gesehen, aber nirgendwo ist mir die Technik eines Vulkans so klar geworden wie an dieser einzigartigen Wand!" So urteilte ein japanischer Vulkan-Forscher 1990 über die Wingertsbergwand zwischen Mendig und dem Laacher See. Nirgendwo sonst sind die oberen, grauen, schräggeschichteten Lagen der Fallablagerungen aus Bims und Tuff, die Überlagerung einer großen Schiefer-Grunddecke, die das Rheinische Schiefergebirge darstellt, derart deutlich zu beobachten. 1994 erklärte der Kreis Mayen-Koblenz die Wand zum Grabungsschutzgebiet. Das Mendiger Vulkanmuseum bietet Exkursionen an, die Neugierige die erdgeschichtlichen Vorgänge besser verstehen lassen. Nicht geführte Touristen müssen allerdings vorsichtig sein, da auf dem umliegenden Gelände noch Abbau betrieben wird. Ein kleiner aber sehr informativer Rundwandcrweg, gesäumt von riesigen Basaltbrocken, erklärt die Vorgänge während des Ausbruchs sehr anschaulich. Und mit etwas Glück findet der Hobby-Geologe einen kleinen leuchtend blauen „Stein". „Das Gebiet ist die beste Fundstelle für schleifwürdigen Hauyn", erläutert Dr. Volker Reppke.

INFORMATIONEN

AUSKUNFT
Verbandsgemeinde Mendig
Marktplatz 3
02652/ 980014 980019
www.mendig.de
Baden am offiziellen Strand.
ANFAHRT
Direkt an der A 61 Abfahrt
Mendig/Maria Laach
TOUR-TIPP
Deutsches Vulkanmuseum
Brauerstraße 5, 56743 Mendig
02652/4242 989774
Museumslay (Grube mit hist.
Steinbearbeitung), Felsenkeller (32
Meter bzw. 150! Stufen unter der Erde)
und ggf. zur Wingertsbergwand
(► AUCH SEITE 19 UND BAND 1, SEITE 91).
Naturkundemuseum Maria-Laach,
02652/4785 (► BAND 2 SEITE 42).
EINKEHR-TIPP
See-Hotel Maria Laach
02652/5840 (► SEITE 136).
Kein Ruhetag.
Vulkan-Brauhaus, Laacher-See-Str. 2
56743 Mendig
02652/4213
www.vulkan-brauhaus.de
Öffnungszeiten: 11 bis 23 Uhr,
kein Ruhetag (► BAND 1, SEITE 91).

Winningen und seine „Weinhex".

INFORMATIONEN

AUSKUNFT

Gemeindeverwaltung Winningen
56333 Winningen
August-Horch-Straße 3
☎ 02606/2214 ✆ 347
✉ www.winningen.com
Der Gedenkstein an die Hexenprozesse
von Winningen liegt im Wald auf dem
Heideberg in der Nähe des Flugplatzes.
Die Jesuitenkirche (Kirche zur Heiligen
Dreifaltigkeit) in Trier liegt zwischen
Brot- und Neustraße in einem Hof am
früheren Jesuitenkollegium. Sie ist
täglich von 8.30 bis 17.30 Uhr geöffnet.
Den Schlüssel zur Spee-Gruft kann
man an der Pforte des Bischöflichen
Priesterseminars abholen.

ANFAHRT

Winningen ist von Koblenz aus über die
B 416 zu erreichen.

TOUR-TIPP

Im Winninger Heimatmuseum
(Schulstraße 8) wird an den Auto-
Bauer August Horch erinnert, der aus
Winningen stammte. Das Museum ist
von Mai bis November mittwochs und
samstags von 15 bis 16.30 Uhr geöffnet.

EINKEHR-TIPP

Gutsschänke Birgitt Höreth-Schaaf
Fährstraße 6, 56333 Winningen
☎ 02606/597 ✆ 897. Mittwoch bis
Samstag ab 17 Uhr geöffnet, Sonntag
ab 16 Uhr, an Feiertagen ab 12 Uhr.
Ruhetag Montag und Dienstag.

FRIEDRICH SPEE UND DER HEXENWAHN

Als an der Mosel die Flammen loderten

Sie war die Frau von Matthes Knebel, und ihr Name war Maria. Rotblonde Locken soll sie gehabt haben. Man sagt, sie sei noch jung gewesen und hübsch. Eines war sie mit Sicherheit nicht. Eine Hexe. Doch sie starb auf einem Scheiterhaufen. Im Moseldorf Winningen bummelt man durch die Geschichte. Ein Gedenkstein auf dem „Heideberg" erinnert noch heute in Winningen an die Menschen, die im 17. Jahrhunderten einem unglaublichen Verfolgungswahn zum Opfer fielen. Alte Akten beweisen, dass hier mindestens 19 Frauen und Männer sterben mussten, weil sie der „Zauberei und Hexerei" beschuldigt wurden. War die Anklage erst einmal ausgesprochen, gab es kein Entrinnen mehr. Wer den absurden Beschuldigungen nicht zustimmte, wurde gefoltert, bis er alles Erdenkliche zugab. Wenn nicht – dann sah man das als Zeichen für einen besonders „verstockten" Schuldigen. Das Urteil war so oder so schon längst gefällt. Es gab im 16. und 17. Jahrhundert zahllose solcher Prozesse entlang der Mosel. Vor allem gegen Ende des Dreißigjährigen Krieges, als Soldaten raubend, mordend und plündernd durch die Dörfer zogen, forderte der Hexenwahn viele Opfer. Nicht selten ging es dabei gar nicht einmal um den Glauben, sondern um Geld. Habgierige Denunzianten strichen Hab und Gut der Verurteilten ein. Friedrich Spee sah das Elend der Menschen. Er erkannte ihre Angst und begriff, dass großes Unrecht geschah. Spee, ein Jesuitenpater, war ein ganz außergewöhnlicher Mann. Er war klug, seiner Zeit weit voraus, und er war mutig. Denn Spee schrieb nieder, warum er Folter und Hexenprozesse zutiefst verabscheute, und plädierte für einen Rechtsgrundsatz, der für uns selbstverständlich klingt: Im Zweifel für den Angeklagten. Seine „Cautio Criminalis" gehört zu den Büchern, die die Welt bewegten – und veränderten.

Mit seinem Werk begann das Ende der Hexenverfolgung. In Trier ist die Erinnerung an diesen großen Mann noch lebendig. Friedrich Spee starb 1635 mit nur 44 Jahren in der Moselstadt. Er arbeitete als Krankenpfleger und Seelsorger in den Lazaretten, dabei steckte er sich mit einer Seuche an. Sein Grab in der Jesuitenkirche wurde erst 1980 wieder entdeckt und für Besucher zugänglich gemacht.

Die Geschichte, die hinter dem Hexenbrunnen in Winningen steckt, der jedes Jahr im Mittelpunkt des großen Weinfestes steht, ist allerdings heiter. Der Brunnen, den eine spitzbübische Besen-Hexe krönt, soll an eine Winzersfrau erinnern, die viel zu gerne die guten Tropfen im eigenen Keller probierte. Ihr Mann reagierte handgreiflich und schimpfte über seine alte „Weinhex". Die vielen Besucher des ältesten deutschen Weinfestes in Winningen sind garantiert auf der Seite der gescholtenen Winzersfrau. Der Wein schmeckt halt einfach gut.

Gurgelnde Fluten

Josef Friesenhahn bei der Arbeit.

Ein gigantischer Whirlpool: In der 170 Meter langen und 12 Meter breiten Kammer der Staustufe Koblenz sprudelt und spritzt das Moselwasser. An der Reling der MS Beethoven, die gerade auf die nächste „Etage" der Mosel gehievt wird, stehen die Fahrgäste und blicken gebannt auf die gurgelnden Fluten hinab. Ausgelöst hat sie Hermann Josef Friesenhahn. Per Mausklick am Bildschirm seines PC. Er thront im kleinen Kontrollzentrum über den beiden Schleusenkammern und ist der Herr über Stemmtore und Prellbalken. Staustufe Koblenz – die letzte von 12 Schleusen zwischen Quelle und Mündung. Einige davon bieten Besuchern tiefe Einblicke in Technik und in die Geschichte der Schiffbarmachung der Mosel. Seit 33 Jahren arbeitet Josef Friesenhahn an der Schleuse Koblenz, heute ist er Betriebsstellenleiter. „Schleusenwärter?" Er runzelt die Stirn. „Diese Berufsbezeichnung höre ich gar nicht gern. Nennt man das wirklich so?" Die Nostalgie des Wortes passt auch überhaupt nicht mehr zum modernen und unspektakulär-schlichten Arbeitsraum von Friesenhahn. Monitore hängen von der Decke, mit deren Hilfe die Angestellten die Schleusenkammern überwachen können. Und das alte Steuerpult von anno dazumal funktioniert noch und lenkt auch die kleinere der beiden Kammern. Vom Bildschirm aus wird die große Kammer gesteuert. In drei Schichten wird gearbeitet, rund um die Uhr. Während des achtstündigen Arbeitstages steht Friesenhahn meistens allein im Kontrollraum. „Einsam ist es eigentlich kaum", sinniert er. „Man kommt in Kontakt mit den Schiffsleuten, und allmählich kennt man auch die Kapitäne, die regelmäßig vorbeikommen." Kracht es nicht öfter mal? „Nein, nein", schmunzelt Friesenhahn, „die meisten Schiffer sind Profis in Sachen Schleuse." Und sollte doch einer mal die Bremse nicht finden, gibt es noch eine Art Fangseil, bevor er gegen eines der Tore donnert. Ein holländisches Schiff hat die Maschinen gestoppt, die Schleusentore schließen sich. Die Kammer ist rappelvoll. Wenn kleinere Schiffe geschleust werden wollen, dann muss Hermann Josef Friesenhahn rasch rechnen. Dann geht's nicht nach der Reihe der Startplätze, auf denen die Schiffe warten, bis sie dran sind, sondern nach der Länge. Ein kleines Touristenboot kann dann immer noch reingepackt werden.

33 Jahre an der Schleuse – eine eher eintönige Zeit? Friesenhahn schüttelt den Kopf. „Mir macht der Beruf Freude." Und Abwechslung gibt es immer. Der Schubverband hat inzwischen den höheren Wasserspiegel erreicht. Das Tor öffnet sich, die Motoren springen an. „Schleuse Koblenz, bitte kommen", quakt das Funkgerät. „Schleuse Koblenz hört!" Friesenhahn greift zum Feldstecher und blickt auf die Mosel zu dem Sportboot, das in der Nähe dümpelt. „Tut mir Leid, Sie müssen warten. ‚Berg' habe ich gerade geschleust."

INFORMATIONEN

AUSKUNFT

Fast alle Moselstaustufen haben einen Besucherbereich mit Blick auf die Unterschleuse. Führungen durch den Bauch der Schleusen gibt es für Gruppen nach Anmeldung. Infos: ☎ 0261/98190 @ www.elwis.de Besonders gute Einblicke gewähren: Lehmen (mit Kraftwerk), Detzem (höchster Wasser-Fall). Koblenz (Übergang).

AUF EINEN BLICK

GESTAUTER FLUSS

STAUSTUFEN: 12, DAVON 10 AUF DEUTSCHEM GEBIET (PALZEM, GREVENMACHER, TRIER, DETZEM, WINTRICH, ZELTINGEN, ENKIRCH, ST. ALDEGUND, FANKEL, MÜDEN, LEHMEN, KOBLENZ), VON KOBLENZ BIS ZUR SAUERMÜNDUNG (WASSERBILLIG) SIND ES 206 KM UND 105,8 M HÖHENUNTERSCHIED. **SCHLEUSENGRÖSSE:** EINE KAMMER, 170 M LÄNGE, 12 M BREITE, 3,50 M TIEFE, IN KOBLENZ EINE ZWEITE KAMMER: 122M LÄNGE, 12 M BREITE, 3M TIEFE. **BOOTSGASSEN:** AN SIEBEN STAUSTUFEN, LÄNGEN 53 - 99 M, GEFÄLLE 1:12 - 1:15, FÜR BOOTE BIS 1,20 M BREITE UND 0,3 M TIEFGANG. **SCHIFFFAHRTSWEG:** FAHRRINNENBREITE MINDESTENS 40M. ENGSTE KRÜMMUNG: BREMMER BOGEN MIT 350 M RADIUS. FAHRRINNENTIEFE: 2,70M BIS 3,00 M.

So schwimmt die Mosel

ERLEBNIS- UND THERMALBÄDER

TRIER: STADTBAD TRIER, SÜDALLEE 10-12, ☎ 0651/7172350. HALLENBAD, MIT SCHWIMMERBECKEN (27°C), ABENTEUERBECKEN, MEHRZWECKBECKEN, PLANTSCHBECKEN, HOT-WHIRL-POOLS (31°C), ZWEI SAUNEN, SONNENBÄNKEN, SONNENTERRASSE UND GYMNASTIKSAAL. **WITTLICH:** VITELLIUS-SCHWIMMBAD, IM SPORTZENTRUM. ☎ 06571/6088. MODERNES FREI- UND HALLENBAD MIT PLANTSCHBECKEN, VERSCHIEDENEN RUTSCHEN (RIESENRUTSCHE 64 METER), SPORT-SCHWIMMERBECKEN (ACHT 50-METER-BAHNEN), WHIRLPOOL, WASSERFALL UND STRÖMUNGSKANAL SOWIE KINDERBECKEN. 20 000 QM SPIEL- UND LIEGEWIESEN. FREIBAD-SAISON: MITTE MAI BIS MITTE SEPTEMBER. **TRABEN-TRARBACH:** MOSELTHERMEN, WILDSTEINER WEG, ☎ 06541/83030. ERLEBNISBAD MIT THERMALWASSER-WHIRLPOOL, KLEINKINDERBEREICH, SPORTBECKEN, SAUNA-LANDSCHAFT UND AUSSENBECKEN. **ZELL:** ERLEBNISBAD ZELLER LAND, AM SPORTZENTRUM, ☎ 06542/4830. MODERNES ERLEBNISBAD MIT SUPERLANGER WASSERRUTSCHE. HALLEN- UND FREIBAD. WHIRLPOOL, SAUNA UND SOLARIUM. **BAD BERTRICH:** THERMALBAD, KLARA-VIEBIG-STRASSE 1, ☎ 02674/932200. HEILBAD MIT SAUNA, AUSSENBEREICH, WASSERSCHWALLDÜSEN UND WHIRLPOOL. **COCHEM:** FREIZEITZENTRUM, MORITZBURGERSTR.1, ☎ 02671/97990. WELLENBAD MIT RIESENRUTSCHE, WHIRLPOOL UND SOLARIEN.

FREIBÄDER

TRIER-NORD: FREIBAD, ZUR MAINER STR. 122, ☎ 0651/25145. KOMBINIERTES SCHWIMMER-/NICHTSCHWIMMERBECKEN MIT 1 UND 3-METER-SPRUNGBRETT, WASSERRUTSCHE, KINDER-PLANSCHBECKEN UND SPIELWIESE. **TRIER-SÜD:** FREIBAD, AN DER HÄRENWIES, ☎ 0651/31509. KOMBINIERTES SPRUNG-/SCHWIMMERBECKEN, SOWIE SCHWIMMER-/NICHTSCHWIMMERBECKEN, GROSSE WASSERRUTSCHE, KINDERPLANTSCHBECKEN UND MINIGOLFANLAGE. **LEIWEN:** PANO-RAMABAD ZUMMETHÖHE, ☎ 06507/3009. IN TOLLER LAGE HOCH ÜBER DEM MOSELTAL GIBT ES SCHWIMMEN UND SONNEN MIT FERNBLICK. 25-METER-SCHWIMMERBECKEN, KINDERRUTSCHE, PLANTSCHBECKEN, RESTAURANT. **SCHWEICH:** ERLEBNISBAD, FREIBADSTRASSE, ☎ 06502/2497, 50-METER-SCHWIMMERBECKEN, SPRINGERBECKEN, KINDERBECKEN MIT WASSERKARUSSELL UND KINDERRUTSCHE, SPASSBECKEN MIT RIESENRUTSCHE (52 METER), STRÖMUNGSKANAL, WASSERGROTTE MIT WASSERFALL. **BERNKASTEL-KUES:** HALLEN- UND FREIBAD, AM SCHUL- UND SPORTZENTRUM, ☎ 06531/3003. GROSSE SPIEL-, SPORT- UND SONNENWIESE. **KRÖV:** FREIZEITANLAGE AN DER B 53 (MOSELWEINSTR.), ☎ 06541/9653. BEHEIZTES FREIBAD (WASSERTEMPERATUR 24 - 26 GRAD). WILDWASSERRUTSCHBAHN (76 METER LANG), KLEINGOLF, TISCHTENNIS, FREILUFTSCHACH, GROSSER KINDERSPIELBEREICH. **ALF:** FREIBAD ARRASTAL, ALF, ☎ 06542/22970 MODERNES BEHEIZTES FREIBAD. **ELLENZ-POLTERSDORF:** FREIBAD, SCHULSTR. 32, ☎ 02673/1642. BEHEIZTES FREIBAD (WASSERTEMPERATUR 23 GRAD), GESCHÜTZTE LAGE MITTEN IM WEINBERG. **TREIS-KARDEN:** FREIBAD, BRUTTIGER STRASSE, ☎ 02672/7331. SPIEL- UND SPASSFREIBAD. WASSERTEMPERATUR: 24 °C, OFFEN JE NACH WETTER. **WINNINGEN:** FREIBAD, AM YACHTHAFEN, ☎ 02606/670. 50 UND 25 METERBECKEN, KINDERPLANTSCHBECKEN.

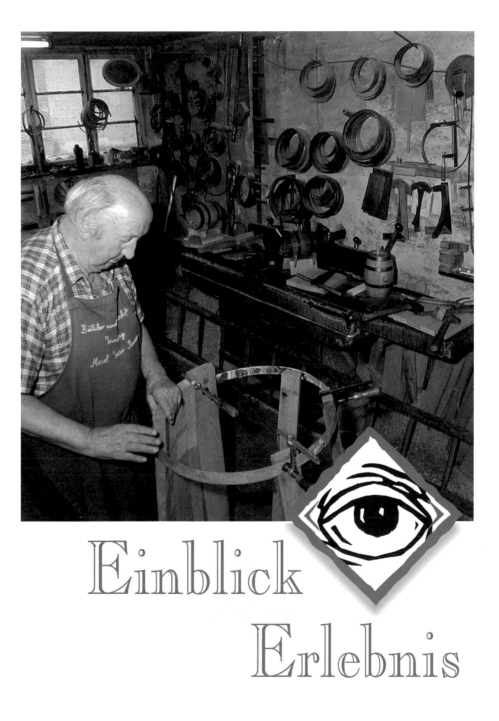

Einblick

Erlebnis

Die Stille

Die Stille irritiert. Es ist nicht einfach leise. Es ist schlichtweg nichts zu hören. Im Schieferstollen Charlotte dürfen sich Besucher auf überraschende Erfahrungen gefasst machen. Dazu gehört auch die faszinierende Ruhe in 150 Meter Tiefe.

Der Besucherstollen im romantischen Flaumbachtal, einem Nebental der Mosel, liegt unweit des Klosters Maria Engelport, rund sieben Kilometer von Treis-Karden entfernt. Es ist noch gar nicht lange her, da träumte der alte Stollen, in dem bis kurz vor Ausbruch des Ersten Weltkrieges Dachschiefer abgebaut wurde, in einem Dornröschenschlaf. Versteckt hinter einem Garagentor war er nur wenigen zugänglich (▶ *AUCH SEITE 155*). Doch bei einem Besuch im Gesundheits-Schieferstollen Nordenau im Sauerland fiel den Besitzern Theodora und Robert Kastor auf: „Der Stollen sieht genauso aus wir unsere Charlotte!" So reifte der Plan, die heilsame Wirkung der staub- und allergenfreien Luft auch im Flaumbachtal für Besucher nutzbar zu machen. Denn Charlottes Stollengänge sind durch einen zweiten Ausgang miteinander verbunden. Dadurch zirkuliert die Luft auf ganz natürliche Weise und sorgt auf Hunderten von Metern dafür, dass an den immer feuchten Stollenwänden alle mikroskopisch feinen Staubteilchen hängen bleiben. In 150 Meter Tiefe können sich Besucher in einer geräumigen Halle bei einem mit Quellwasser gespeisten Brunnen in angenehm kühler Luft und vollkommener Ruhe eine knappe Stunde aufhalten.

Seit Jahrmillionen finden sich in Seitentälern der Mosel hochwertigste Schiefervorkommen. Wie mühsam früher der Schiefer aus Stollen ans Licht befördert werden musste, erzählen Rundgänge durch die ehemaligen Schieferbergwerke Charlotte, Barbara und Hoffnung.

Allergiker und Menschen mit Atemwegserkrankungen empfinden die Wirkung der feuchten, kühlen, staubfreien Luft als wohltuend. Interessierte Besucher können sich im Schieferstollen Charlotte zudem über den Schieferabbau und über die Verwertung des vielseitigen Materials informieren. Noch tiefere Einblicke in die Schiefergeschichte des Moseltales gewährt das Besucherbergwerk Fell (▶ *BAND 1*). Dort wurden die historischen Dachschieferbergwerke Barbara und Hoffnung im Nosserntal (zwischen Fell und Thomm) durch einen hundert Meter langen Treppenschacht miteinander verbunden – und ein Rundgang zeigt Besuchern heute eindrucksvoll, wie früher unter Tage im schwachen Schein von Grubenlampen das „Blaue Gold" aus dem Berg gesprengt wurde. Lebensgroße Figuren demonstrieren die gefahrvolle Arbeit der Schieferbergleute, der so genannten „Leyenbrecher". Beeindruckend sind auch die Halden, die mächtigen Bergemauern und vor allem der unterirdische „Dom", die höchste Abbaukammer

Einblick unter Tage in Fell.

SCHIEFERBERGWERK

im Stollen

INFORMATIONEN

AUSKUNFT

SCHIEFERSTOLLEN CHARLOTTE:
*Robert Kastor, Flaumbachtal 3,
56253 Treis-Karden,* ☎ *02672/1369
Öffnungszeiten: Montag, Dienstag,
Mittwoch und Freitag von 14 Uhr bis
18 Uhr. Am Wochenende von 10 Uhr
bis 18 Uhr. Ruhetag Donnerstag.*
Besucherbergwerk Fell:
Burgstraße 3, 54341 Fell
☎ *06502/988588 (vom 1. April bis 31.
Okt., täglich von 10 bis 17 Uhr
geöffnet),* ☎ *06502/994019*
@ *www.besucherbergwerk-fell.de*

ANFAHRT

Schieferstollen Charlotte: *A 48
Richtung Trier, Abfahrt Kaifenheim
Richtung Treis-Karden. In Karden über
die Brücke Richtung Ortsteil Treis. Der
Schieferstollen ist ab der Moselbrücke
am Ortseingang des Ortsteils Treis
ausgeschildert.*
Besucherbergwerk Fell: *Aus Trier:
Autobahn Richtung Schweich, am
Autobahndreieck Moseltal Ausfahrt
„Longuich/Fell". Aus Richtung
Saarbrücken: Autobahnausfahrt
„Mehring/Fell". In Fell angekommen:
Abbiegen über die Brücke in Richtung
Thomm (beschildert). Rund 100 Meter
hinter der Brücke liegt rechts der
kleine Parkplatz „Grubenwanderweg"
mit Informationstafel und
Übersichtskarte. Weiterfahrt zum
Margaretenbrunnen möglich, Parken
auf der Schürzig Halde.*

TOUR-TIPP

*Vom Schieferstollen Charlotte aus
weiter durchs Flaumbachtal nach
Mörsdorf im Hunsrück. Besichtigung
des Heimatmuseums im ehemaligen
Backhaus aus dem Jahre 1645. Eintritt
ist frei. Geöffnet Samstag 15.30 Uhr bis
17.30 Uhr. Infos* ☎ *06762/1681*

EINKEHR TIPP

*Gasthaus Pulger-Mühle im
Flaumbachtal,* ☎ *02672/1389
Dienstag Ruhetag.*

Schiefergeschichte hautnah im Bergwerk Charlotte.

des Nosserntales. Seit neuestem ist das Besucher-Bergwerk Fell außerdem auf den Hund gekommen – dank einer Sammlung von Loren, die schon seit dem Mittelalter liebevoll „Hund" genannt werden. Die Führung durch den Stollen ist aber nicht nur ein Stück Nachhilfe in Bergmannsdeutsch, ein Hauch von Abenteuer und eine Reise durch die deutsche Sozialgeschichte, sondern auch ein Blick in die Zukunft. Von ehemals Hunderten kleiner und mittlerer Stollensysteme sind heute am Rande des Moseltales nur noch zwei übrig geblieben: In den Bergwerken Margareta und Katzenberg bei Mayen wird mit modernster Technik der Moselschiefer aus den Tiefen der Eifel für die Dächer der Welt geborgen. Auch davon erzählen die Führer beim Rundgang durch die weitläufigen Stollensysteme – und dass Fell und Mayen die Tradition verbindet: Während in Fell zwar kein Schiefer mehr abgebaut wird, existiert dort noch eine Bergmannskapelle, die wiederum Stammgast bei den Mayenern Schieferbergleuten ist. Denn zum Arbeiten gehört traditionell das Feiern. Und so wurde in Mayen bei Rathscheck Schiefer wieder das „Schieferbergmannsfest" ins Leben gerufen.

Riddler wie er leibt und lebt, als ob er direkt aus einem Batman-Film gesprungen wäre.

Schnell unter Schlümpfen

So richtig in die Strümpfe kamen die Schlümpfe bei unseren französischen Nachbarn anfangs nicht. Lange Zeit stand das Schlumpfendorf bei Metz stets im Schatten von Disneyland in Paris und dem Europapark in Rust. In den vergangenen Jahren aber hat sich das Reich der kleinen blauen Winzlinge nach diversen Besitzerwechseln gewaltig gemausert – und jeder eingefleischte Rollercoasterfan muss einmal im Leben dort gewesen sein. Denn im ausgebauten Land der knuddeligen Kinderlieblinge steht inzwischen eine der größten Holzachterbahnen der Welt: Auf der „Anaconda" kommen Wagemutige schnell hoch hinauf - und mit 110 Stundenkilometern wieder herunter. Wer besonderen Nervenkitzel sucht, der kann seinen Adrenalinspiegel auch beim Katapultstart auf „Gargamel's Revenge" puschen. Der Schlumpf schaut von der Spitze schelmisch zu, wie in 2,5 Sekunden 55 Meter Höhenunterschied bewältigt werden... Wem das noch nicht reicht: Auf dem „Comet Space" (einer Stahlachterbahn) geht es drunter und drüber, der Himmel scheint bisweilen bedrohlich nah. Es sind aber nicht nur die kurzen schnellen Abenteuer, die den Schlumpfpark besuchenswert machen – es sind auch die liebenswerten kleinen, ruhigen und manchmal auch feuchten Attraktionen für weniger Waghalsige.

Die Kleinsten schaukeln bei einer Flussfahrt über den See, kurven in Autos über den Parcours, drehen im Minizug eine Runde und lassen sich auf einem plüschig-weichen Schlumpf-Schoß fotografieren. Denn was bei Disney die Maus, das ist im Walibi-Park selbstverständlich der Schlumpf in Lebensgröße und zum Anfassen.

In Deutschland sind die Schlümpfe übrigens schon seit Mitte der 60er Jahre bekannt; 1982 kamen sie ins Fernsehen und eroberten die Kinderzimmer. Ihr belgischer Vater Pierre Culliford (genannt „Peyo") eröffnete den Schlumpf-Park 1991 noch persönlich – ein Jahr vor seinem Tod. Inzwischen hat sich das einstmals eher beschauliche Schlumpfland für Kinder zum beachtenswerten Freizeitpark für die ganze Familie entwickelt – mit Hallen- und Freiluft-Abenteuern, mit Shows und sportlichen Spektakeln. An heißen Hochsommertagen sorgt vor allem der „Waligator" für angenehme Erfrischung: Im Boot geht's über eine Rampe 15 Meter abwärts, und wenn die Gischt spritzt, bleibt kein Hemd trocken. Besonders kinderfreundlich ist der Park geblieben: Bis zur Größe von 100 Zentimetern haben junge Gäste freien Eintritt.

INFORMATIONEN

AUSKUNFT

Walibi Schtroumpf, Voie Romaine
F-57280 Maiziéres-les-Metz
☏ *0033/387519052*
@ *www.sixflagseurope.com und*
@ *www.walibi.be*
Geöffnet von Anfang April bis Ende Oktober, je nach Saison bis in die späten Abendstunden, Ruhetag Samstagvormittag.

ANFAHRT

Französische Autobahn A 4, Ausfahrt Semécourt (in der Nähe von Metz)

TOUR-TIPP

Ausflug nach Metz. Oder zum Einkaufen ins Outlet-Center nach Thionville.

EINKEHR-TIPP

Im Park zahlreiche Restaurants – von einfach bis edel. Wer seine eigene Verpflegung mitbringt, kann den Rucksack gemütlich in einer Picknick-Area auspacken.

Unter Tage im Fort du Hackenberg

Beklemmend: Leben in der Kaserne

„Brrr" –, der Fahrtwind pfeift den Insassen des kleinen Bähnchens um die Ohren. Kühl ist es in der Ligne Maginot. Schauderhaft und faszinierend zugleich sind die Einblicke und Eindrücke der zehn Kilometer langen Befestigungsanlage, die die Franzosen im 2. Weltkrieg gegen die Deutschen schützen sollte. Nie richtig zum Einsatz gekommen, nutzten die Deutschen die Anlage von 1943 bis August 1944 als Munitionsfabrik. Heute ist die Ligne Maginot ein Denkmal, das zum Nachdenken anregen soll. Ein Blick zurück: Drei Monate hätten die Soldaten – mehr als 1000 an der Zahl – im Notfall in der pfiffig ausgeklügelten Kaserne im Hackenberg überleben können.

Die Ligne Maginot, nach dem Kriegsminister (1929 bis 1932) Andre Maginot benannt, war eine autarke kleine Stadt: Im Ernstfall konnte Strom erzeugt werden, es gab riesige Tanks mit Löschwasser, große Lebensmittelvorräte und Kühlkammern für Frischfleisch, eine eigene Kapelle (wo die Soldaten 1939 die Mitternachtsmette feierten) und ein komplettes Hospital mit Zahnarztpraxis. Bis heute blieb das Fort erhalten – als Zeugnis der Geschichte: Hinter Glas sehen wir Wachssoldaten, die in der Truppenküche bei Knoblauchkranz und Wurst den Versorgungsablauf von damals rekonstruieren.

Aber kann man sich das Leben unter Tage im Fort du Hackenberg wirklich vorstellen? „Hackenberg ist wie ein U-Boot", vergleicht die deutsche Führerin Gaby Becker. Tatsächlich erinnern nicht nur die riesigen Dieselmotoren der Stromaggregate an die Technik unter dem Meer. Mit der Bahn fahren wir zu Block 9, wo scharf geschossen wurde. Unterwegs fällt die grünmarmorierte Wandbemalung auf. „Das sollte die unterschiedlichen Bereiche kennzeichnen und es etwas wohnlicher hier unten machen", erzählt Gaby - „wenn man überhaupt von wohnlich sprechen kann ..."

Doch damals lief wenigstens die Heizung, ganz im Gegenteil zu den kühlen 12 Grad, die uns begleiten. Inzwischen sind wir bei der Kanonenhaubitze. Ein enormes Geschütz, das von sechs Soldaten bedient werden musste. Wem fällt da nicht der Film „Das Boot" ein? Ein kleiner Schlitz in der Wand zeigt den Winkel, aus welchem die Soldaten mal einen Blick nach draußen erhaschen konnten. Eindeutig nichts für Frischluftfanatiker hier unten im Felsen. Zurück in den Aufzug, der uns zum Mini-Express bringt. An der ehemaligen Arztpraxis vorbei geht´s in das Museum, das Stücke aus der Ligne Maginot und Uniformen, Gewehre, Orden, Schriftstücke und vieles andere rund um das traurige Kapitel Krieg zeigt. Kurz vor dem Ausgang sehen wir wieder ein paar Wachssoldaten. Allein der Anblick lässt frösteln ...

INFORMATIONEN

AUSKUNFT
Association AMIFORT
Grand'Rue 61, F-57920 Veckring
☎ 0033/382823008 ✆ 382823277
Besichtigungsmöglichkeiten für einzelne Personen: samstags, sonntags und an französischen Feiertagen ab 14 Uhr. Führungen in Deutsch um 14.30 Uhr. Geschlossen vom 1.11. bis 31.3. Für Gruppen ganzjährig offen.

ANFAHRT
A 48 von Koblenz, Richtung Trier. auf Bundesstraße Richtung Saarburg, in Perl über die Grenze, Apach, Sierck, Königsmacker, Veckring Richtung Fort du Hackenberg.

TOUR-TIPP
Zwischen Thionville und Luxemburg liegt das mittelalterliche Dörfchen Rodemack, das komplett unter Denkmalschutz steht. Infos:
Office de Tourisme de Rodemack
☎ 00333/82512550 ✆ 82512985
@ ot.rodemack@wanadoo.fr

EINKEHR-TIPP
Auberge de la Vallée, 3 Route de Helling, F-57920 Veckring
☎ und ✆ 0033/382823448
Kein Ruhetag.

Funken sprühen beim Glockenguss.

Die Stimme der Stadt

Brodelnd und gurgelnd sucht sich die gleißende Masse ihren Weg in die Formen. Funken sprühen, und heiße Luft entweicht zischend als grünlich blaue Flamme. Den Zuschauern, die eben noch ein Gebet gesprochen haben, stockt für einen kurzen Augenblick der Atem. Stille kehrt ein in die rußgeschwärzte Werkhalle. In der Wandnische brennen zwei Kerzen vor der Statue des Hl. Josef. Glockenguss – das hat auch im Zeitalter von Hightech und Datenautobahn noch etwas ganz Besonderes. Die Glockengießerei Mabilon in Saarburg bei Trier gilt als eine der ältesten Glockengießereien Deutschlands. Seit 1770 bringt das Familienunternehmen dort eine besondere Metall-Mischung (eine Legierung aus 78 Teilen Kupfer und 22 Teilen Zinn) zum Klingen. Urbanus Mabilon hatte es als Wanderglockengießer von der Loire ins Seitental der Mosel verschlagen, weil es dort riesige Lehmvorkommen gab, die sich vorzüglich als Formmaterial eigneten. Wer jemals Zeuge bei der Geburt einer Glocke sein durfte, versteht, welche Faszination dieses Schauspiel bereits auf Friedrich Schiller ausübte, der sich hingebungsvoll damit auseinander setzte. Viel kurzweiliger als das Auswendiglernen Schillerscher Verse ist vor allem für Schüler aber der Live-Besuch in der Glockengießerei. Meist an einem Freitag können Besucher miterleben, wie monatelange mühselige Arbeit zur Vollendung gebracht wird. „Das A und O einer Glocke ist ihr Klang", erzählt Glockengießermeister Wolfgang Hausen-Mabilon und heute Chef des Unternehmens, ohne damit ein streng gehütetes Familiengeheimnis zu lüften. Denn der Klang einer Glocke hängt weniger von der Bronze als vielmehr von der Wandstärke, dem Profil ab. Das kann nicht berechnet werden, sondern beruht auf jahrhundertlanger Erfahrung und wird von Generation zu Generation weitergegeben. Jede Glocke ist ein Unikat.Die eigentliche Kunst des Glockengießens kommt ursprünglich aus China, ehe sie im sechsten Jahrhundert nach Christus auch im Abendland praktiziert wurde. Bis heute ist die Herstellung einer Glocke eine zeitraubende und mühselige Arbeit geblieben. Bereits die Herstellung der Glockenform, die aus drei Teilen (Glockenkern-Falsche Glocke-Glockenmantel) besteht, erfordert viel Zeit und Geschick. Dabei sind Lehm, Rindertalg oder Graphit nur einige der für Laien unbekannten Zutaten.Auch beim Beschriften der Glocke setzt Wolfgang Hausen-Mabilon auf Tradition: Die Buchstaben und Ornamente werden noch aus Bienenwachs in alten Holzmodeln geformt und auf die „falsche Glocke" aufgesetzt, bevor sie in der Hitze schmelzen und sich im Glockenmantel seitenverkehrt einprägen. Höhepunkt einer jeden Glockenherstellung aber ist der eigentliche Guss. Wenn sich die 1150 Grad hellrot glühende, flüssige Bronze dampfend ihren Weg im Gusskanal zur Gussform sucht, Funken sprühen und Dampf aufsteigt, vollendet sich in wenigen Minuten ein langer Werdegang. Drei Tage kühlt die Form aus, dann wird die Glocke ausgegraben, poliert und an ihrem Bestimmungsort aufgehängt. An der Mosel gibt es heute noch viele Kirchentürme, unter deren historischen Schieferdächern Glocken bereits über Jahrhunderte ihre Stimme klangvoll erheben. Und wer genau hinhört, kann vielleicht auch noch die Worte Schillers vernehmen: „Fest gemauert in der Erden, steht die Form aus Lehm gebrannt" …

INFORMATIONEN

AUSKUNFT

Glockengießerei Mabilon & Co.
Staden 130, 54439 Saarburg
☎ 06581/2336 ☏ 7223
Die Glockengießerei kann
besichtigt werden.
Führungen nach Vereinbarung.

ANFAHRT

Über die A 48 Richtung Trier. Weiter
auf die A 602 Richtung Saarburg.

TOUR-TIPP

Stadtbummel mit Besichtigung der
Klause (▶ *SEITE 39*).

EINKEHR-TIPP

Hotel Villa Keller, Brückenstraße 1
54439 Saarburg
☎ 06581/92910 ☏ 6695
@ www.villa-keller.de
Ruhetag Montag.

Fein geschrotet und in Stücken

Wo der Müller mahlt: Die Molitorsmühle.

.... „Max und Moritz wird es schwüle, denn nun geht es nach der Mühle. Meister Müller, he, heran! Mahl er das, so schnell er kann! Her damit! Und in den Trichter schüttet er die Bösewichter. Rickeracke! Rickeracke! Geht die Mühle mit Geknacke. Hier kann man sie noch erblicken, fein geschrotet und in Stücken. Doch sogleich verzehrt sie Meister Müllers Federvieh." Dieses Schicksal könnte die beiden bösen Buben in der schiefergedeckten Molitorsmühle bei Schweich heute wohl kaum ereilen: Rundum 30 Jahre lang hat sich das Mühlrad im Föhrenbach nicht mehr „mehlbringend" gedreht. Wer allerdings zu einer Führung vorbeischaut, kann die Maschinerie für ein paar Minuten wieder klappern hören. Museumsmühle, technisches und bauliches Denkmal - erfahren wir auf dem Hinweisschild, das unweit des urigen Geländes angebracht ist. Erinnerungen weckt die Szenerie zunächst aber auf eine ganz andere Art und Weise. Hühner laufen gackernd über das holprige Pflaster des Hofes und lassen das Ganze eher lebendig als museumshaft wirken: Wilhelm Buschs „Federvieh" lässt grüßen.

Bald darauf wird auch das Klischee des Müllermeisters erfüllt: Von der Bommelmütze bis zu den Schuhen ganz in Weiß, erscheint die Museums-Führerin. Hildegard Haubrich ist eins von sieben Enkelkindern des letzten Vorfahren mit Namen Molitor, der die Mühle noch in Betrieb nahm. „Müllerin" Haubrich absolviert also den Rundgang durch das 1824 errichtete Gebäude.

Da ist er noch, der Geruch nach gemahlenem Korn, der feine Mehlstaub auf allen Geräten. Und in den Ecken Mausefallen, die auch heute noch ungebetene Grautiere fernhalten sollen. Selbst das alte Rechnungsbuch liegt weiterhin aufgeschlagen auf einem Pult, so als wäre der Müller nur kurz in seine Mittagspause verschwunden: „Kloster, Joseph, 400 Kilogramm Roggenmehl und 400 Kilogramm Weizenmehl", steht dort geschrieben. Schließlich fängt es am (rauschenden) Föhrenbach dann doch noch an zu klappern. Auch wenn die Technik und Mechanik von den Reinigungsgeräten bis zum Mahlwerk von der Museums-Führerin erklärt werden, bleibt trotzdem ein Moment der Ehrfurcht und des Staunens, als die Mühle für einige Minuten wieder belebt wird: Da rattert und wackelt alles, vom ersten bis zum vierten Stockwerk.

„Alte Weine und junge Weiber sind des Müllers Zeitvertreiber", hat wohl ein Geselle in einem unbemerkten Augenblick in die Wand geritzt. Ersteres kann im Anschluss an eine Führung in gemütlicher Runde auf dem Mühlenhof getestet werden. Bei diversen Moselweinen und passenden, nach traditioneller Weise gebackenen Broten ließe sich so ein Müllerleben wohl gut aushalten.

INFORMATIONEN

AUSKUNFT

Molitorsmühle
06502/2253 oder 1336
Zwischen Ostern und
Ende Oktober Sa, So
und feiertags 14 bis 17 Uhr, für
Gruppen ganzjährig und
wochentags nach Absprache
Anmeldung für die Führung mit
Weinprobe: Weingut Jutta Fassian
Schulstr. 26, 54346 Mehring
06502/4387
980016

ANFAHRT

Autobahn A 48 Richtung Trier.
Abfahrt Schweich, Einfahrt direkt
hinter dem Hotel Leinenhof
(beschildert).

TOUR-TIPP

In Schweich restaurierte Synagoge
und „Niederprümer Hof" -
Museum zum
Leben des Heimatdichters
Stefan Andres -
besuchen (▶ SEITE 118).

EINKEHR-TIPP

Hotel-Restaurant Leinenhof in
Schweich, 06502/91860
www.leinenhof.de
Ruhetag Montag.

Sterngucker in Wintrich.

Ein-Blick in ferne Galaxien

INFORMATIONEN

AUSKUNFT

Astronomischer Freundeskreis
Wittlich, Herrmann Knieriem,
Marktplatz 6, 54533 Laufeld
℡ 06572/2306 oder über das
Touristinformation Wintrich,
Moselstraße 19, 54487 Wintrich
℡ 06534/8628 ℅ 1512
@ www.wintrich-mosel.de
Hindenburg-Gymnasium Trier
℡ 0651/97950 ℅ 9795299
@ www.hgt.bildung-vp.de

ANFAHRT

Wintrich: Von Koblenz A 48 Richtung
Trier, Abfahrt Wittlich, Richtung
Wengerohr und Mühlheim nach
Wintrich. Beim Rathaus links hoch, der
Bergstraße folgen bis zum Ende, dann
links (gegenüber Aussiedlerhof),
kleinen blauen Schildern zur
Sternwarte folgen. Uni Trier: Von
Koblenz A 48 nach Trier, im
Verteilerkreis Richtung
Alleenring/Hauptbahnhof, am
Hallenbad Richtung Uni.

TOUR-TIPP

Ein Abstecher zum Kloster Klausen
mit seiner herrlichen
Schieferdachlandschaft bietet sich
mit dem Auto ebenso an wie die
Besichtigung des Römischen
Weinschiffs in Neumagen-Dhron.

EINKEHR-TIPP

Gaststätte Königschulte
Moselweinstraße 54, 54487 Wintrich
℡ 06534/295 ℅ 261. Ruhetag Montag.

Wo kommen wir her, wo gehen wir hin? Was sich nach Fragen einer Philosophenvereinigung anhört, beschäftigt in Wirklichkeit den astronomischen Freundeskreis Wittlich, der regelmäßig in die Röhre, genauer gesagt, durchs Objektiv schaut, um ferne Welten in noch ferneren Galaxien vor die Linse zu bekommen. 26 Mitglieder zählt der 1986 gegründete Verein, der seit 1991 eine eigene Sternwarte hoch über den wärmespeichernden Schieferbergen von Wintrich besitzt. Mittels drei professioneller „Instrumente" können Sternegucker in fremde Sphären abtauchen. Bei Objektiven mit einer Brennweite von zwei Metern lassen sich problemlos die felsigen Krater der Mondoberfläche entdecken. Doch der Freundeskreis belässt es nicht bei der puren Sterneschau: Alle 14 Tage werden populär-wissenschaftliche Thesen und Themen rund um die „älteste Wissenschaft" besprochen. Um mitreden zu können, muss man kein Profi sein. Vom absoluten Laien bis zum Mathematikprofessor und von 17 bis 77 Jahren zieht sich die Spanne der Mitglieder. Wer als Besucher auch mal einen Blick ins All riskieren will, kann mit Sachwart Herrmann Knieriem nach Absprache und bei klarer Sicht ebenfalls all die Schönheiten des Himmelszeltes erblicken, die dem bloßen Auge verborgen bleiben.

Mit Hilfe komplizierter Rechenverfahren werden Venus und Co. auch auf Film gebannt. Dabei muss die Bewegung der Planeten trickreich ausgeglichen werden. „Der Mond lässt sich ganz gut fotografieren", erzählt Knieriem, „Mädchen für alles" beim Freundeskreis. Als die Sternwarte erbaut wurde, war er unzählige Stunden im Einsatz, und mit zwei anderen Mitgliedern hat er auf dem Grundstück neben der Warte ein kleines Gartenhäuschen gepachtet. Hier sorgen Porträts von Hale Bob und anderen himmlischen Formationen dafür, dass die Hobbyastronomen nach sternreichen Nächten auch in entsprechend „himmlischer" Umgebung bequem schlafen können. „Sternegucker", aber kein Sterndeuter und doch Philosoph – Hermann Knieriem gerät ins Philosophieren über das Schicksal der Erde und der Menschen, deren Dasein, verglichen mit dem gesetzten Alter des blauen Planeten von 4,5 Milliarden Jahren, nur einen Sekundenbruchteil beträgt. Ein klitzekleines Zeitfenster eben.

Auch die Besucher der Trierer Sternwarte auf dem Dach des Uni-Hauptgebäudes streben nach den fernen Himmelskörpern. In der Schulsternwarte mit zwei Teleskopen beobachten die Schüler der sieben Gymnasien aus Trier und Umgebung beispielsweise Kometeneinschläge im Jupiter, unsere Nachbargalaxy, den Andromedanebel oder halten Mondbewegungen oder Veränderungen in der Planetenatmosphäre im Logbuch fest. Jeden 1. und 3. Donnerstag im Monat beim Treffen des Trägervereins (oder nach Absprache) können auch hier Besucher einen Blick auf Mond und Mars werfen.

BESUCH BEIM
BALLONMACHER

Mit dem Wind um die Wette

Naht an Naht für die Himmelfahrt.

Bei Nena waren es 99 Luftballons auf dem Weg zum Horizont, in Schweich sind es rund 900 Riesenballone, die aus der Taufe gehoben wurden und in luftige Höhen abhoben. Der grau-schwarze Stoff bläht sich langsam auf und wird zu einem mächtig großen Heißluftballon – in Form einer Uli-Stein-Maus mit Lederjacke ...
In Deutschlands einziger Fabrik für die behäbigen Himmelsstürmer nahm auch schon Ballonseide die Form von Teekannen oder Piratenschiffen an. 1985, mit 65 Jahren, beschloss Firmenchef und Bauingenieur Theo Schroeder, der hobbymäßig leidenschaftlich gerne abhob, sich einen Traum zu erfüllen und luftige Gefährte herzustellen. Stolz führt er durch die Fertigungshallen, wo am Rande der Schieferfelsen alle Einzelteile hergestellt werden. Einzige Ausnahme: Feuerlöscher werden gekauft. Während Gasflaschen zusammengeschweißt werden, stellen nebenan lange Peddigrohre aus Fernost in einem Wasserbottich ihre Biegsamkeit unter Beweis. Ein fertiger Korb zeigt, was aus den Pflanzenrohren einmal wird. Eine Etage höher rattern Nähmaschinen um die Wette. 24 endlos lange Bahnen aus buntem, reißfestem Stoff werden per Spezialzwirn verbunden. Auf den meisten Bahnen prangen Werbeletttern. Waren früher Ballons mit Firmenlogos die Ausnahme, tragen heute neun von zehn Luftschiffen eine werbeträchtige Botschaft. Auch wenn Ballonfahren im Zeitalter von Jumbojets und Raketen eher die konservative Art der luftigen Fortbewegung ist, nutzt man bei der Herstellung modernste Technik. Per Computer werden die Designs maßstabsgetreu ausgedruckt. Nach etwa drei Monaten ist ein Ballon bereit zum Abheben. Rund 80 bis 90 Himmelskörper verlassen im Jahr Schweich. Kostenfaktor des himmlischen Vergnügens: 80.000 bis 100.000 Mark. Inzwischen hat sich die Maus zu voller Größe aufgeplustert, hebt ab und bietet den Ballonfahrern einen traumhaften Blick über das Moseltal, die imposanten Hänge und die im Abendlicht schimmernden Fachwerkdörfer mit ihren Schiefer-Dachlandschaften. Die Mosel - sie ist nicht nur Heimat der Ballonbauer, sondern auch Treffpunkt der Ballonfahrer: Jeden August gehen rund 40 Heißluftballons im Kurpark von Bernkastel-Kues auf große Fahrt. Teams aus ganz Europa reisen für das Wochenende an und erobern gemeinsam die Lüfte. Passagiere dürfen – gegen Bezahlung – mitfahren.

AUF EINEN BLICK

BALLONFAHRTEN

INFORMATIONEN: HOTEL MOSELPARK, ☎ 06531/5080 📠 508612 @ WWW.MOSELPARK.DE; INFOS ÜBER GANZJÄHRIGE BALLONFAHRTEN: BAD BERTRICH, KURVERWALTUNG, ☎ 02674/932222; BERNKASTEL-KUES, MITTELMOSELTOURISTIK, ☎ 06531/3075: SCHWEICH, BALLONREISEN MOSELLAND, ☎ 06502/99080 📠 99083 @ WWW.BALLONREISEN-MOSELLAND.COM; ST. ALDEGUND, BALLONPILOT CARTER, ☎ 06542/21274 @ ROSS.CARTER@LYCOS.DE; WINNINGEN, FLUGPLATZ, ☎ 02630/3333.

INFORMATIONEN

AUSKUNFT

*Schroeder fireballons
Gewerbegebiet am Bahnhof 12
54338 Schweich
☎ 06502/9304 📠 930500
@ www.schroeder-fireballons.de
Auf Anfragen kann man die
Fertigungshallen besichtigen.*

ANFAHRT

*Von Koblenz auf der A 48 Richtung
Trier, Abfahrt Schweich, Richtung
Bahnhof/Gewerbegebiet, bei
Schroeder Keramik rechts abbiegen
und ganz durchfahren bis zum letzten
Gebäude.*

TOUR-TIPP

*Ein Abstecher zur großen
Moselschleife – von Schweich nach
Trittenheim, über die Brücke rechts
Richtung Zummethof – hier hat man
einen einmaligen Panoramablick.*

EINKEHR-TIPP

*Restaurant Zummethof
Panoramaweg 1-3, 54340 Leiwen
☎ 06507/93550 📠 935544
@ www.hotel-zummethof.de
März bis Dezember kein Ruhetag.
Einmaliger Panoramablick auf die
Moselschleife bei Leiwen und
Trittenheim.*

Kunst und Küfern

Besuch beim Küfer.

INFORMATIONEN

AUSKUNFT

Edmund Wagner, Bergstraße 6
54492 Zeltingen
☎ 06532/2522 oder 5129 oder
Verkehrsamt Zeltingen-Rachtig
Uferallee 13, 54492 Zeltingen-Rachtig
☎ 06532/2404 📠 3847
@ www.zeltingen-rachtig.de
Josef Breit, Obere Wierth 4
54498 Piesport
☎ 06507/5386. Waldemar Hensler
Hauptstraße 221, 56876 Briedel
☎ 06542/41197

ANFAHRT

Zeltingen: Von Koblenz A 48 Richtung
Trier, Abfahrt Wittlich, Richtung
Bernkastel-Kues, nach Zeltingen, über
die Brücke, geradeaus, erste rechts in
Weingartenstraße, nach 500 Metern
auf linker Seite kleine Kapelle
(Bergstraße).
Piesport: Von Koblenz A 48 Richtung
Trier, Abfahrt Salmtal/Piesport,
Richtung Klausen.
Briedel: Von Koblenz A 48 Richtung
Trier, Abfahrt Zell.

TOUR-TIPP

Gang durch den Weinlehrpfad in
Zeltingen-Rachtig (Anmeldung beim
Verkehrsamt s.o.) mit Weinlagenprobe
oder Schiffsfahrt beispielsweise nach
Bernkastel.

EINKEHR-TIPP

Hotel Zeltinger Hof (gut bürgerlich bis
gehoben), ☎ 06532/93820 📠 938282
@ info@zeltinger-hof.de
Öffnungszeiten: 10 bis 14, 17.30 bis
22 Uhr, Im Winter Dienstag und
Mittwoch Ruhetag.

„Nie war das Küferhandwerk so wertvoll wie heute, es ist ja keiner mehr da", schmunzelt Josef Breit aus Piesport, der Mann, der als der letzte Küfer an der Mosel gilt. Der 71-Jährige steht immer noch sechs Tage die Woche zwölf Stunden täglich in seiner Werkstatt, um wertvolles Eichenholz in edle Weinfässer zu verwandeln – seit 53 Jahren. Schon der Urgroßvater des Küfermeisters hatte sich dem traditionsreichen Handwerk verschrieben. Breits Kunden kommen von Mosel, Saar, Ruwer und Ahr, um seine handgearbeiteten Fässer, die dem Wein von den Schieferterrassen den besonderen Geschmack verleihen, zu kaufen. An Ruhestand denkt der Küfer noch lange nicht: „Es gibt noch viel zu tun. Ich mache weiter, bis ich nicht mehr kann." Und schon verschwindet er, um Feuer zu machen, damit das Holz die richtige Biegung bekommt. So geht das auch bei den Kollegen. 50 Jahre Weinbau und rund 20 Jahre als Küfer haben Waldemar Hensler aus Briedel an der Mosel nicht nur jede Menge Erfahrungen beschert, sondern der Nachwelt ein Wein- und Holzküfermuseum. Typische Handwerksgeräte wie Handkorkmaschine, Hobel, Sägen, Zirkel, Hammer und Amboss sowie drei der ältesten Abfüllgeräte Deutschlands legen im ehemaligen Fasskeller ein eindrucksvolles Zeitzeugnis ab. Nach Anmeldung (und gegen einen kleinen Obulus) erklärt Hensler anhand von 1000- und 2000-Liter-Fässern die Arbeit eines Küfers, während im imposanten 3800-Liter-Fass mit Sitzecke nach der Theorie der Fass-Inhalt in Form von edlen Tropfen auf dem Programm steht. Auch Edmund Wagner aus Zeltingen gehört der aussterbenden Zunft der Küfermeister an. Noch bis vor kurzem übte der fast 80-Jährige den „edelsten Beruf der Welt" aus. „Ich war immer stolz auf mein Handwerk", meint Wagner und zitiert: „Mit Eichenholz und Rebensaft der Küfer sich durchs Leben schafft." 40 Jahre legte der Keller- und Küfermeister Hand an, wenn es darum ging, hochwertige Eichenholzfässer herzustellen, bis er krankheitsbedingt die Werkzeuge an den Nagel hängen musste. Doch sein Ruf ist ihm nicht nur voraus-, sondern in die weite Welt hinausgeeilt. Unzählige internationale Fernsehteams haben ihm beim Küfern über die Schultern geschaut, und in der gemütlichen Kellerstube stapeln sich Zeitschriften und Bücher, die den Moselaner und sein Handwerk dokumentieren. Die urige Werkstatt gleicht einem Museum. Neben Hammer und eisernen Fassringen erzählen antike Schätze wie Plätteisen, Lockenschere, Schusterwerkzeug und Holzwiegen Handwerks-Geschichten längst vergangener Zeiten. Eine Foto-Wand erklärt auch dem Laien deutlich den Weg vom Eichenholz zum Eichenfass: Wie das Holz in passende Teile, zu so genannten Dauben, geschnitten und gehobelt wird, wie diese gefügt und mit Fassreifen versehen und durch Feuer und Wasser die Hölzer in die richtige Form gebracht werden, bevor Boden und Deckel eingesetzt werden. Etwa anderthalb Tage dauert es, bis das Holz zum Fass wird. Täglich finden Menschen von überall her den Weg in Wagners Werkstatt und seinen urigen Keller: „Nicht selten, dass bei mir drei Nationen aufeinander treffen." Und sie werden nicht enttäuscht. Zum leckeren Moselwein serviert der Hausherr stets seine beliebten Anekdoten aus seinem ereignisreichen Leben.

DRACHEN-UND
GLEITSCHIRM-FLIEGEN
AN DER MOSEL

Vogelfrei im Doppelpack

AUF EINEN BLICK

ADRESSEN ZUM ABHEBEN

DIE MOSELFALKEN, @ WWW.MOSELFAL-KEN.DE, DRACHEN- UND GLEITSCHIRM-FLIEGERFREUNDE RHEIN-MOSEL-LAHN, @WWW.THERMIK4U.DE, DRACHENFLIEGER-CLUB TRIER, @ WWW.DFC.TRIER-WEB.DE

Einmal abheben und sich frei fühlen wie ein Vogel – an der Mosel ist das möglich. Es ist schon ein kribbeliges Gefühl im Magen, zum ersten Mal, festgezurrt an den bunten Schwingen eines Schuldrachens, auf einer Rampe zu stehen. Schwindelnde Höhen sind das! Weit unten in der Tiefe windet sich der Fluss durchs Tal. Wie ein Schachbrettmuster liegen uns weite Felder, schroffe Schieferfelsen und grüne Rebflächen zu Füßen, Dörfchen bilden helle Kleckse zwischendurch. Der Fluglehrer kontrolliert noch einmal Windstärke und Windrichtung. Dann wird's ernst: Startfreigabe, losrennen und ab. Nach drei, vier Schritten schon wird man vom Drachen sanft weggehoben, verliert den Boden unter den Schuhsohlen. Fliegen – was für eine Hochstimmung! Noch tausend Meter sind es bis zum Landeplatz, viel Zeit also, das einmalige Panorama zu genießen.

Auf und davon: Drachenfliegen.

Das Moseltal, unendliche Weiten. Die Welt liegt uns zu Füßen ... wir sind im Aufwind! Endlich! Denn vor dem „Höhenflug" ist bereits eine Menge Schweiß geflossen. Wer ein rechter Drachenbezwinger werden will, muss zunächst im Rahmen eines Vereins oder in einer Flugschule den so genannten Lernausweis (L-Schein) machen. Ist diese Grundausbildung erfolgreich bestanden, kommt der nächste Schritt: die Höhenflugausbildung (A-Schein). Hat man vorher Laufübungen, „Hopser" und „Mini-Flüge" auf grünen Wiesenhängen absolviert, geht's jetzt richtig hoch hinaus. Eine praktische und theoretische Prüfung schließt diese zweite Stufe auf dem Weg zum fertigen Drachen- oder Gleitschirmpiloten ab. Während die Drachen eine starre Fläche hat und bis ca. hundert Stundenkilometer schnell werden kann, ist der Gleitschirm ähnlich wie ein Fallschirm entwickelt, wesentlich größer und maximal 50 Stundenkilometer schnell. Der B-Schein schließlich ist die Kür der Fliegerausbildung. Er berechtigt den Piloten zu Überlandflügen, das heißt zu Flügen, die über den Gleitwinkelbereich hinausgehen.

Aber keine Angst: Auch derjenige, der an der Mosel ganz ohne Vor- und Ausbildung mal gerne abheben möchte, kann das tun. Der Tandemflug macht's möglich. Angeboten wird diese Art des Fliegens, bei der man sich im Doppel, gemeinsam mit einem Tandempiloten, in die Lüfte schwingt, von privaten Anbietern und von Vereinen. Auskunft hierüber gibt es zum Beispiel beim DFC Trier, den Drachen- und Gleitschirmfliegerfreunden Rhein-Mosel-Lahn oder bei den Moselfalken. Fluggelände sind in Fülle links und rechts der Mosel vorhanden. So zum Beispiel in Zeltingen-Rachtig, Burgen, Ürzig-Erden, Oberstadtfeld, Neunkirchen, Platten, Maring, Graach, Neumagen-Dhron, Klüsserath, Longuich, Meerfeld und Serrig.

INFORMATIONEN

AUSKUNFT
Deutscher Hängegleiterverband
Miesbacher Str. 2, Postfach 88
83701 Gmund am Tegernsee
☎ 08022/96750 ✆ 967599
@ www.dhv.de
ANFAHRT
Nach Zeltingen-Rachtig über die A 1,
Abfahrt Wittlich. von dort über die
B 50.
TOUR-TIPP
Nach so viel Vielfliegerei dürfte ein
bodenständiger Bummel das Richtige
sein. z.B. durch das an einer
herzförmigen Moselschleife gelegene
Zeltingen-Rachtig mit seiner schönen
Uferallee und dem
Deutschherrenhaus.
EINKEHR-TIPP
Altes Brauhaus, Gestade 4
54470 Bernkastel-Kues
☎ 06531/2552 ✆ 915546
@ www.hotel baeren bernkastel.de
Außerhalb der Saison Montag und
Dienstag Ruhetag, von April bis Ende
Oktober durchgängig geöffnet.

Füttern erlaubt in Klotten.

Mit „Klotti"
geht' es hoch hinaus

Julia (12) hat ein kleines Problem. Sie weiß einfach nicht, was sie zuerst machen soll. Ihr kleiner Bruder ist schon unterwegs zu den Bären. Da will sie auch hin. Am liebsten sofort. Aber wäre es nicht besser, vorher rasch die große Wasserrutsche auszuprobieren? Julia atmet tief durch und trifft ihre Entscheidung: Sie wird sich alles ansehen und alles ausprobieren. Ganz in Ruhe. Und dann rennt sie los ... Der Wild- und Freizeitpark Klotten begeistert nicht nur Kinder. Die ausgedehnte Anlage verspricht Spiel und Spaß für die ganze Familie. Hoch über dem Moseltal und seinen schroffen Schieferhängen gelegen, finden sich auf dem rund 26 Hektar großen Gelände Attraktionen für einen langen Ferien- oder Ausflugstag. Wer den Park besuchen will, kann von Klotten aus in Serpentinen den Berg hinauffahren. Man kann sein Ziel aber auch ein bisschen abenteuerlicher erreichen: Von Cochem aus befördert eine Sesselbahn Gäste ganz luftig auf die Höhe. Dann liegt nur noch ein kurzer Spaziergang zwischen der Bergstation der Sesselbahn und dem Park. Schon am Eingang erwartet hier Maskottchen „Klotti" die Besucher, der verschmitzte kleine Bär mit seiner pfiffigen Mütze bietet sich als Wegweiser an und taucht immer wieder auf. Zum Beispiel hoch oben auf dem „Klotti-Turm", an dem können sich vergnügte Seilschaften hoch hinaufziehen und dem Himmel über dem Moseltal noch etwas näher kommen. Richtig spritzig geht es beim „Nautic Jet" zu. Die raffinierte Anlage katapultiert ein bemanntes Boot ein paar Meter durch die Luft und erlaubt nach pfeilschnellem Flug eine erstaunlich sanfte Landung. Ganz klar. Zu den Hits für Kids gehört die riesige Schlauchboot-Wasserrutsche. Unbedingt ausprobiert werden müssen natürlich auch die Seilbahn und das Rondello, die Riesenschaukel und die Super-Rutsche, die Springburg und die „Magic Disk" . . . Erschöpft? Dann ist jetzt – nach einer kurzen Pause vielleicht – der richtige Zeitpunkt für einen Besuch bei den vielen Tieren, die hier zu Hause sind. Den Rehen kann man sogar innerhalb ihres umzäunten Reviers begegnen. Und es ist bei weitem nicht so, dass nur die Besucher neugierig sind, auch die ansonsten scheuen Tiere kommen näher und schauen sich ihre Gäste genau an. Von den Rehen geht es gleich zu den Bären, sie sind zweifellos eine der großen Attraktionen des Tierparks und ziehen in ihrem großzügigen Gehege, das von mehreren Seiten einsehbar ist, alle Aufmerksamkeit auf sich. Bei weitem nicht so grimmig, aber beliebt bei allen Kindern, sind die putzigen Waschbären, die sich beim Herumwuseln beobachten lassen. Und dann muss natürlich noch Zeit sein für die Wildschweine, die Emus, die Strauße, die Nutrias, die Hängebauchschweine, die Luchse, das Wapiti . . .

INFORMATIONEN

AUSKUNFT

Wild-& Freizeitpark Klotten
56818 Klotten, ☎ 02671/7660 ☎ 5652
Öffnungszeiten: März bis Ende
Oktober täglich ab 9 Uhr.
Großer Parkplatz direkt am Park.

ANFAHRT

Über die A 48, Ausfahrt Kaisersesch
über Landkern oder von Klotten der
Beschilderung folgen. Die Talstation
der Sesselbahn ist in Cochem in
der Endertstraße, auch hier gibt es
Parkplätze in der Nähe.

TOUR-TIPP

Eine Wanderung durch das
Naturschutzgebiet Dortebachtal,
dessen Eingang kurz vor Klotten (in
Richtung Koblenz) liegt, bietet sich an.
Reizvoll ist auch ein Spaziergang zur
Ruine der Burg Coraidelstein, die auf
einem Bergkegel oberhalb von Klotten
gelegen ist. Von dort hat man einen
weiten Blick auf Landschaft und Ort.

EINKEHR-TIPP

Zum Wild-& und Freizeitpark gehört
ein Restaurant, ☎ 02671/7660
Kein Ruhetag.

EDELBRANDBRENNEREI „VALLENDAR"

Vom Baum ins Glas

Ein edler Tropfen auf dem Prüfstand.

Wer durch das 300-Seelen-Dorf Kail fährt, dem fällt unweigerlich ein modernes, nahezu gläsern erscheinendes Gebäude ins Auge. Hoch über der Mosel thront die Edelbrandbrennerei Vallendar, die Weinberge in Reichweite und in unmittelbarer Nachbarschaft zur Dorfkirche. „Wir fühlen uns hier sehr wohl", lacht Hubertus Vallendar, einer der bekanntesten und besten Edelbrandbrenner Deutschlands. Auf Anfrage führt er Besucher durch sein Domizil und lässt sie einen spannenden Blick hinter die Kulissen werfen. „Geister" sind allgegenwärtig, und wohl gerade deshalb will Vallendar weg vom mystischen Image eines Brenners. „Brennen ist Physik und keine Mystik", ist sein Credo. „Bei mir bekommen die Besucher nichts von alchimistischen Kniffen oder Geheimwissen erzählt." Das Hochwasser trieb Vallendar 1998 auf die Moselhöhen hinauf, seither brennt er überwiegend in der neuen Anlage. Nicht mehr als ein sanftes Surren ist zu hören, wenn die

Wasserbadbrennerei in Betrieb ist und köstliche Früchte destilliert. Mit Begeisterung erläutert Hubertus Vallendar seinen Gästen die Kunst des Brennens. Im Stockwerk darüber befindet sich der Verkostungsraum. Auf Wunsch können hier verführerische Proben genossen werden, wobei man die gelungenen Aquarelle an den Wänden nicht übersehen sollte. „Einen Edelbrand muss man richtig genießen können. Auch das zeigen wir unseren Gästen hier", erzählt Vallendar.

Weiter geht's in den kühlen Lagerraum. Die mannshohen Tanks umweht ein hochprozentiger Duft von Pfirsichen und Kirschen. „Ich kaufe meine Früchte direkt am Baum, bin bei der Ernte dabei und mache sie vor Ort ein", erzählt Hubertus Vallendar. So behält er den Überblick und ist sicher, dass nur exzellente Ware verarbeitet wird. Doch manchmal kommt ihm auch der Zufall zu Hilfe. „Einmal stand ein Lkw mit 5000 Kilo Wildkirschen vor der Tür, die ich aber gar nicht bestellt hatte." Während des kleinen Hickhacks („Ich war fest entschlossen: Die lass´ ich zurückgehen!") öffnete er aber dann doch einen der Behälter. „Und ich stellte fest, dass es traumhafte Früchte waren. Mir war sofort klar: Die behalten wir!" So können sich die Kunden bald einen köstlichen Wildkirsch-Brand auf der Zunge zergehen lassen. „Meine Klassiker sind Williams, Mirabelle, Kirsche und Zwetschge", zählt Vallendar auf. Seine besondere Spezialität: ein Brand aus Rotem Weinbergspfirsich. Und wer's gern abenteuerlich mag, der lässt sich bestimmt vom Bananenbrand oder dem Spargelgeist verführen. Im Keller befindet sich der Hobbyraum. Die Tür geht auf, und der Blick fällt auf zahllose Weinflaschen, die auf Regalen liegen. „Ja, man kann ja nicht nur Edelbrände brennen", lacht Vallendar. „Deshalb ist der Wein mein großes Hobby." Denn an den steilen Schieferhängen der Mosel reifen immer noch die besten Rieslinge.

Bildunterschrift: Hubertus Vallendar brennt Obst.

INFORMATIONEN

AUSKUNFT
Besuch und Führung durch die Brennerei Hubertus Vallendar nach vorheriger Anmeldung möglich:
Hauptstraße 11, 56829 Kail
📞 02672/2532 📠 7503
@ www.vallendar.de

ANFAHRT
A 48, Ausfahrt Kaifenheim, rechts in Richtung Gamlen, durch Gamlen, Zettingen und Wirfus durch nach Kail fahren. Die Schnapsbrennerei Vallendar liegt an der Hauptstr. 11. Oder: Über B 49, in Pommern (Nachbarort von Treis-Karden) Abzweigung nach Kail nehmen. Herrliche Panoramastraße durch die Weinberge bis Kail.

TOUR-TIPP
Wanderung durchs Dortebachtal, 1 km vor dem Ortsausgang von Klotten (aus Richtung Koblenz kommend). Parkmöglichkeit am Eingang des Tals, eine Holztafel erläutert den Weg. Im Dorfebuchtal gibt es seltene Pflanzen und Tiere, die gewöhnlich nur im Mittelmeerraum vorkommen
(▶ SEITE 75). Der Wanderweg endet an einem Wasserfall.

EINKEHR-TIPP
Gasthaus und Restaurant „Zur Post"
Bahnhofstr. 24, 56818 Klotten
📞 02671/7116
@ www.hotelzurpost-klotten.de
Feine und raffinierte Küche mit regionalen Spezialitäten.
Ruhetag Donnerstag.

Wald & Wild

*Kontaktfreudig: Wild im
Naturzentrum Remstecken.*

INFORMATIONEN

AUSKUNFT

*Stadtverwaltung
Koblenz-Umweltamt
Gymnasialstraße 1, 56068 Koblenz
℡ 0261/129-1957 🖷 -1500
✉ umwelt@rz-online.de
Waldökostation Remstecken
℡ 0261/56939. Außer Winter
ganzjährig geöffnet; Führungen
nach Vereinbarung.
Kostenlose Infobroschüre
erhältlich.*

ANFAHRT

*Von Koblenz auf B 327
(Hunsrückhöhenstraße)
Richtung Waldesch rechte
Abzweigung Forsthaus
Remstecken
(ausgeschildert), direkt bei
Fußgängerüberführung,
RMV-Linie 6200 oder 3200
ab Koblenz bis
Haltestelle Remstecken.*

TOUR-TIPP

*Beschilderter Waldlehrpfad oberhalb
des Rotwildgeheges, erweitert durch
einen geologisch-landeskundlichen,
archäologischen und
naturkundlichen Wanderweg,
Römervilla in der Nähe der
Schnellstraße (ausgeschildert).*

EINKEHR-TIPP

*Forsthaus Remstecken, Hotel,
Restaurant, Café, Ponyhof, Biergarten
℡ 0261/55579 🖷 55589, traditionelle
Küche mit Ambiente im Grünen.
Kein Ruhetag.*

Majestätisch hebt der Platzhirsch das Geweih in den Nacken und setzt zum Brunftschrei an. 100 Meter weiter zeigt der mächtige Keiler seinen Artgenossen lautstark, wer bei der Fütterung der Erste ist. Und doch herrscht über alledem eine Atmosphäre der Stille und Natürlichkeit. Wer liebt ihn nicht, den Wald. Für Kinder ist es ein Abenteuer zu beobachten, was da kreucht und fleucht in Flora und Fauna, und für Erwachsene ist das Ökosystem eine Oase der Ruhe in der oft hektischen Welt. Ein Paradies für Waldliebhaber ist das Naturzentrum Remstecken im Koblenzer Stadtwald. Seinem Ziel, Naturverständnis und Umweltbewusstsein bei Groß und Klein zu fördern, wird es voll gerecht. Die Anlage bietet viele Attraktionen. Wer zwanglos im 15 Hektar großen Areal umherstreift, wird ebenso glücklich wie der, der sich Diplom-Biologe Oliver Euskirchen, dem Betreuer der Station, oder Revierförster Bernd Kuczynski anvertraut und sich von ihnen führen lässt. Mit fast hautnahem Kontakt kann der Naturfreund um die 150 Exemplare von Rot-, Dam-, ostasiatischem Sika-Wild und Schwarzwild (Wildschweine) in mehreren Gehegen beoachten, füttern und vielleicht ein wenig „Konversation" betreiben. Den in den 70er Jahren angelegten Teich bevölkern überwiegend Stockenten und vereinzelnd Mandarinenten. Vormals als Forstbetriebshof genutzt, hat sich das 15 Hektar große Areal zu einer kommunalen Natur- und Umweltstation, der Waldökostation Remstecken entwickelt. 1992 wurden eine Waldinformationsstelle und zwei kleine Arbeitsräume eingerichtet. Dazu kamen ein Naturlehrgebäude, ein Waldmuseum und ein Umweltlabor. Bauerngarten, Wettermessstation und ein funktionierendes Solaranlagen-Modell runden das vielfältige Angebot ab. Für Schulklassen befindet sich auf der Streuobst-

AUF EINEN BLICK

AUF SAFARI AN DER MOSEL

IN AMNÉVILLE: TIERPARK (► SEITE 38)

IN METTLACH-ORSCHOLZ: MÄRCHENPARK.

IN TRIER: WILDGEHEGE IM WEISSHAUS-WALD.

IN KRÖV: STREICHELZOO

IN KLOTTEN: WILD- & FREIZEITPARK

(► SEITE 60)

IN WALDESCH: REMSTECKEN (► SEITE 62)

und Liegewiese ein Freiluftklassenzimmer. Aber auch Kindergartengruppen älterer Jahrgänge können in die realitätsbezogene Umwelterziehung einbezogen werden. Oliver Euskirchen freut sich über jeden, der sich für das Ökosystem Wald interessiert. Bernd Kuczynski erläutert die naturnahe Forstwirtschaft, die die Holznutzung, den Naturschutz und die Erholungsfunktion des Waldes einschließt. Vereine, Familien oder sonstige Gruppen mit bis zu 30 Mitgliedern, werden – allerdings nur nach vorheriger Anmeldung – herumgeführt. Besonders beliebt sind die der Jahreszeit angepassten Schwerpunktthemen wie Abendexkursionen mit Eulen- oder Fledermaussuche mit dem „Bat-Detektor", die Biologie der Pilze oder das Leben im und um den Bach. Ein großer Naturspielplatz lädt nach all der Informationsflut zum Toben ein. Und die Großen können derweil gemütlich picknicken. Für jüngere Kinder empfehlen sich der Ponyhof und der Streichelzoo des Hotel-Restaurants Forsthaus Remstecken direkt gegenüber der Waldinfostelle.

HISTORISCHE SENFMÜHLE IN COCHEM

Scharfe Körner

Wolfgang Steffens präsentiert scharfe Sachen.

„Kommen Sie ruhig näher, riechen Sie mal." Wolfgang Steffens öffnet den Deckel des riesigen Bottichs, es entweicht ein erst würziger, dann recht beißender Geruch. Den ersten Besuchern steigen die Tränen in die Augen, fluchtartig stellen sie sich in die letzte Reihe. Steffens schmunzelt, immer wieder die gleiche Reaktion, wenn er seine Gäste in das Geheimnis der Senfherstellung einweiht. Seine holländische Mühle aus dem Jahre 1810 – eine der ältesten Europas – ist eine Touristenattraktion im idyllischen Cochem an der Mosel.

Von einem holländischen Senfmüller hat der gelernte Schlosser und Dreher, der schon Erfahrungen in der Senfmühle in Monschau/Eifel sammeln konnte, das gute Stück erstanden – inklusive eines Senfrezeptes aus dem Jahre 1820. Über ein halbes Jahr lang wurde die Mühle von Steffens restauriert und lebensmittelecht, also säurefest, umgebaut. Die meisten Teile sind original, das Mühlengestell, der Treibriemen, die Antriebsräder und nicht zuletzt die 525 Kilo schweren schwarzen Basaltsteine, die im Kaltmahlverfahren die feinen ätherischen Öle freisetzen. Als Perfektionist lernte der Bastler und Tüftler bei der Handwerkskammer den Beruf des Senfmüllers und zog mit seiner Mühle von Birgel/Eifel in das schieferge-deckte Gebäude von 1905 ans Moselufer in Cochem. Hier produziert Steffens täglich etwa 100 Kilo der würzigen Paste – in sieben Geschmacksrichtungen vom herzhaft-süßen Wabensenf über mittelscharfen Indisch Curry-Senf, Knobi-Senf, Cayenne-Senf für die Grillsaison, Mühlen-Senf nach dem Original-Rezept aus dem 15. Jahrhundert bis zum Historischen Senf nach Rezept von 1820 oder dem Riesling-Senf Cochem als Hommage an die neue Heimat der Mühle.

Verwendet werden nur ausgesuchte Naturgewürze und Gelb- und Braunsenf aus Kanada. Die fertigen Pasten landen in Steinzeugtöpfen mit Salzglasur – einem ganz natürlichen Konservierungsstoff. Von den etwa 180 Senfrezepten, die Steffens selbst kreiert oder aus alten Büchern zusammengetragen hat, sind 100 in dem Kochbuch „Süß oder scharf" vorgestellt, wo er mit WDR-Fernsehkoch Horst Lichter am Herd steht. Dass sich die schar-fen Körner auch in flüssiger Form zu sich nehmen lassen, be-weist der Senf-Kräuter-Likör für die Damen und Senfmüller´s fei-ner Tropfen, mit 40 Prozent Alko-hol eher Männersache.

INFORMATIONEN

AUSKUNFT

Wolfgang Steffens
Historische Senfmühle
Stadionstraße 1, 56812 Cochem
☏ 02671/607 665 ☏ 607 667
@ www.senfmuehle.net
Ganzjährig durchgehend geöffnet,
Laden von 10 bis 18 Uhr geöffnet,
kostenlose Senfprobe, Führungen um
11, 14, 15 und 16 Uhr. Erwachsene zahlen
zwei Euro, Kinder bis zwölf Jahre frei.

ANFAHRT

Von Koblenz auf der A 1 Richtung Trier,
Abfahrt Kaisersesch, Cochem, über die
erste Moselbrücke, dann ganz scharf
rechts Richtung Cond, 2. Straße rechts
in die Breite Straße, rechts unter Brücke
durch, auffälliges Haus auf der rechten
Seite. Gut ausgeschildert.

TOUR-TIPP

Weinmuseum Senheim (▶ SEITE 92)
☏ 02673/4381

EINKEHR-TIPP

Hotel Noss
Moselpromenade 17, 56812 Cochem
☏ 02671/3612 ☏ 5366
@ www.hotel-noss.de
Kein Ruhetag, Öffnungszeiten: 7 bis
23 Uhr. Gehobene Küche, auf der
Speisekarte stehen leckere Senfgerichte
mit den Produkten aus der Historischen
Senfmühle. Gewährt Gästen mit
Eintrittskarte der Senfmühle einen Euro
Rabatt.

Auf den Dächern der Welt

SEIT 2000 JAHREN WIRD AN DER MOSEL SCHIEFER ABGEBAUT. SCHON DIE RÖMER WUSSTEN, WAS DICHT HÄLT: SIE VERWENDETEN SCHIEFER FÜR IHRE DACHDECKUNG. DENN DEN SPALTBAREN STEIN GAB ES REICHLICH IN DEN SEITENTÄLERN DER MOSEL. DABEI BETRIEBEN SIE HAUPTSÄCHLICH TAGEBAU, VIELLEICHT AUCH SCHON STOLLENBAU. IN DEN TIEFEN DER EIFEL IST HEUTE NOCH DIE BESTE QUALITÄT VERBORGEN. DESHALB IST NICHT VERWUNDERLICH: EINDEUTIGE HINWEISE AUF DIE SCHIEFERGEWINNUNG DER RÖMER FINDEN SICH AM KATZENBERG BEI MAYEN. GANZ IN DER NÄHE DES HEUTIGEN MOSELSCHIEFER-BERGWERKS DES UNTERNEHMENS RATHSCHECK SCHIEFER WURDE ANHAND VON KERAMIKRESTEN AM SÜDHANG DES BERGES EIN RÖMISCHER SCHIEFER-TAGEBAU NACHGEWIESEN. ZWISCHEN MITTELALTER UND NEUZEIT WAR DIE SCHIEFERGEWINNUNG HÄUFIG EIN NEBENERWERB, DIE VORKOMMEN WAREN IM BESITZ ZAHLREICHER FAMILIEN: IM SOMMER WIDMETE MAN SICH DER LANDWIRTSCHAFT, IM WINTER DEM SCHIEFERBRUCH. WEIL DIE VORKOMMEN AN DER OBERFLÄCHE SCHNELL ERSCHÖPFT WAREN, BEGANN IM MITTELALTER DER STOLLENBAU. MAN GING SEITLICH VOM TAL AUS IN DEN BERG. MUSSTE MAN MIT DER ZEIT TIEFER GEHEN, WURDEN SO GENANNTE TREPPENSCHÄCHTE IN FORM EINER WENDELTREPPE IN DEN BERG GESCHLAGEN. ÜBER VIELE STUFEN MUSSTEN DIE ARBEITER KRAFTRAUBEND UND BESCHWERLICH DIE GROSSEN SCHIEFERBLÖCKE AUF DEM RÜCKEN ANS TAGESLICHT SCHLEPPEN. DER SCHIEFER WURDE AN FUHRLEUTE UND HÄNDLER VERKAUFT, DIE IHN ÜBER DIE MOSEL AUF SCHIFFEN BIS NACH HOLLAND, AN DEN OBERRHEIN ODER AN DEN MAIN BRACHTEN. WEIL ER „VON DER MOSEL" KAM, ENTSTAND SO DIE HERKUNFTSBEZEICHNUNG „MOSELSCHIEFER", DIE SICH ALS QUALITÄTSBEGRIFF SCHNELL ÜBERREGIONAL DURCHSETZTE (▶ *SEITE 155*). ALLERDINGS REICHTEN DIE TECHNISCHEN UND AUCH FINANZIELLEN MITTEL VON VIELEN KLEINEN GRUBENBESITZERN NICHT MEHR AUS, WENN MAN IMMER TIEFER IN DEN BERG GEHEN MUSSTE, UM SCHIEFER ZU GEWINNEN: DAS GRUNDWASSER STELLTE EINE UNÜBERWINDLICHE HÜRDE DAR. VOR ALLEM WEGEN FEHLENDER INVESTITIONSMÖGLICHKEITEN GERIET DER SCHIEFERABBAU ENDE DER 18. UND ANFANG DES 19. JAHRHUNDERTS INS STOCKEN. ERST ALS GROSSE HANDELSUNTERNEHMEN DIE MEISTEN SCHIEFERVORKOMMEN ÜBERNAHMEN UND IN GRÖSSEREM MASSE INVESTIERTEN, KAM DIE PRODUKTION WIEDER IN SCHWUNG. DIE NEUEN FIRMEN FASSTEN MEHRERE KLEINE STOLLENBETRIEBE ZUSAMMEN, BAUTEN FÖRDERSCHÄCHTE UND SCHACHTANLAGEN UND HATTEN AUCH DAS WASSER TECHNISCH IM GRIFF, UM IN IMMER GRÖSSEREN TIEFEN WIEDER AUF QUALITÄTSSCHIEFER ZU STOSSEN. EINE SOLCHE SCHACHTANLAGE ERRICHTETE AUCH SCHON DER UNTERNEHMER JOHANN BAPTIST RATHSCHECK AM KATZENBERG IN MAYEN, WO HEUTE NOCH DER „MOSELSCHIEFER" IN DEN MODERNSTEN BERGWERKEN MITTELEUROPAS ABGEBAUT WIRD – UND VON DORT AUS AUF EINE REISE AUF DIE DÄCHER DER WELT GEHT. DER BEGRIFF „MOSELSCHIEFER" BÜRGT FÜR DIE QUALITÄT DES GESTEINS. DIE QUALITÄTSABGRENZUNG GEHT SOGAR SO WEIT, DASS MANCHMAL ORTE, DIE GEOGRAFISCH VIEL NÄHER AN DER MOSEL LIEGEN, DEN ABGEBAUTEN SCHIEFER TROTZDEM NICHT „MOSELSCHIEFER" NENNEN DURFTEN UND DÜRFEN.

Wandern
Wundern

Kraxelnd

Die Luft ist feucht. Der Bach gibt sich reißerisch und stürzt in kleinen Kaskaden über grün bemooste Schieferfelsen. Ein paar Vögel kreischen, und eine verschlafene Eidechse macht sich gemächlich davon.

Die Ehrbachklamm ist ein bisschen weiter weg vom Alltag, von Lärm und Hektik, als andere Wanderwege. Denn hier ist der Pfad abenteuerlicher und der Wald geheimnisvoller als anderswo. Deshalb begeistert die Klamm auch Kinder, die sonst mehrstimmig maulen, wenn das Wort „wandern" fällt. Feste Schuhe sind ein Muss, schließlich gibt es auf dem Weg, der streckenweise in den Felsen gehauen wurde, ein paar richtige Kraxelpartien. Alpine Kletterkünste werden allerdings nicht benötigt – Pickel und Seil können getrost zu Hause bleiben, die Strecke ist gut zu bewältigen. Die Klamm ist ein Teil des Ehrbachtales, das von Brodenbach an der Mosel nach Buchholz im Hunsrück führt und etwa 16 Kilometer lang ist. Der Höhenunterschied beträgt rund 310 Meter. Einstiegsmöglichkeiten zu dieser Wanderung gibt es mehrere: Wer das ganze Tal durchqueren will, reist am geschicktesten mit zwei Wagen an. Der eine wird am Bahnhof in Buchholz abgestellt, das andere Auto bleibt in Brodenbach. Es ist angenehmer von der Mosel in den Hunsrück zu gehen, auch weil der Weg oft etwas rutschig ist.

Zur ganz großen Tour wird der Ausflug in dieser Variante: Mit dem Auto geht es nach Brodenbach, durch das Ehrbachtal wird bis zum Bahnhof nach Buchholz gewandert, dann steigt man in die Hunsrückbahn, die alle Eisenbahn-Enthusiasten begeistert. Über zwei Brücken und durch fünf Tunnels rattert die Bahn in einer Viertelstunde talwärts und garantiert dabei tolle Aussichten. Endstation ist Boppard, von hier kommt man mit dem Zug oder mit einem Ausflugsschiff nach Koblenz, wo sich Rhein und Mosel treffen. Mit einem Kevag-Bus gelangt man wieder nach Brodenbach zum Wagen. Wer nicht gleich einen Tagesauflug machen will, findet eine Reihe von Seiten-Einstiegen ins Ehrbachtal. Hierfür empfiehlt sich eine Wanderkarte. Natürlich gibt es auch die Möglichkeit, die Tour durchs Tal hin und zurück zu machen. Als Wendepunkt eignet sich etwa die bewirtschaftete Daubisbergermühle, wenn man in Brodenbach losmarschiert ist. Es lohnt sich, in dem kleinen Moselort Zeit für einen

EHRBACHTAL

durch die Klamm

Berauschend schön: Wandern durch die Ehrbachklamm.

kurzen Abstecher in die 1973 fertig gestellte Kirche „Heilig Kreuz" mit ihrer außergewöhnlichen Zeltdachkonstruktion einzuplanen. An der Kirche findet man auch Parkmöglichkeiten. Von hier kann man bereits den Hinweisschildern zum Wanderweg folgen. Eine verwinkelte Straße führt in den Brodenbacher Ortsteil „Ehrenburger Tal" mit seinen schönen, alten Fachwerkhäusern. Weiter im Tal liegt links auf einem steilen Fels die Ehrenburg. Bevor die Sippe „derer von Ehrenburg" dort einzog, waren – wen wundert es – schon die Römer da gewesen. Ihr Kastell zerfiel, die Burg allerdings wurde zum Zankapfel. Ärger gab es etwa mit den Koblenzern, die rückten 1394 und 1395 vor das Gemäuer und richteten großen Schaden an. Die Ehrenburger Burgherren nahmen das übel und fielen zwei Jahre darauf in Koblenz ein, zweihundert Häuser sollen damals in Flammen aufgegangen sein. Die Ehrenburg blieb über Jahrhunderte als Raubritterbehausung gefürchtet. Und sie schien uneinnehmbar zu sein: Allein ihr Rampenturm war so gewaltig, dass in seinem Inneren Platz für einen breiten Wandelgang war, der von Reitern, Wagen und Geschützen befahren werden konnte.

Doch 1689 war ihre Glanzzeit vorüber, die Franzosen eroberten die Burg und ließen eine Ruine zurück. Heute ist die Ehrenburg ein beliebtes Ausflugsziel, vor allem die Ritterspiele ziehen Besucher an. Der Wanderer im Ehrbachtal ist mittlerweile dem Einstieg in die Klamm näher gekommen, zuvor besteht aber Gelegenheit zur Rast im rustikalen Gasthaus Eckmühle. Gestärkt geht's zur Klamm. Hier hat der Wildbach im Laufe der Jahrtausende ein schmales, von schroffen Felsen gesäumtes Tal gegraben. Hölzerne Stege führen über kleine Wasserfälle, es geht dicht an den feuchten Steinwänden vorbei, und manchmal wird der Weg so eng, dass Seile den Kletterern Halt geben müssen, und dann ... macht die Wanderung einfach besonders viel Spaß.

INFORMATIONEN

AUSKUNFT

Verkehrsverein Brodenbach
Moselufer 22, 56332 Brodenbach
☎ *02605/952153* 🖷 *960216*
@ *www.mosel-reisefuehrer.de*
Hier gibt es auch Wanderkarten.
Verkehrsamt Boppard
☎ *06742/3888*

ANFAHRT

Brodenbach erreicht man von Koblenz aus über die B 49, nach Buchholz im Hunsrück fährt man über die Hunsrückhöhenstraße B 327, der Buchholzer Bahnhof liegt am Ortsausgang, Richtung Emmelshausen.

TOUR-TIPP

Ein Besuch auf der Ehrenburg
(► *SEITE 150 UND BAND 1, SEITE 81F.*)

EINKEHR-TIPP

Gasthaus Eckmühle im Ehrbachtal
☎ *02605/659. Ruhetag Montag.*
In Alken· „Gasthaus Burg Thurant"
56332 Alken, Moselstr. 15
☎ *02605/3581* 🖷 *2152*
Ruhetag Montag.

Toller Blick auf Trier.

Zwischen Wald und Wasser gondeln

INFORMATIONEN

AUSKUNFT

*Touristinformation Trier Stadt
und Land e.V., An der Porta Nigra
54290 Trier
☏ 0651/978080 ✆ 44759
@ www.trier.de
Die Kabinenbahn verkehrt von Ostern
bis Ende Oktober.*

ANFAHRT

*A 48 Trier – Koblenz, über die B 49 geht
es entlang der Mosel Richtung Stadt-
Zentrum. In der Zurmaiener Straße
Hinweisschild Parkplatz Kabinenbahn
(Stadtteil Zurlauben) beachten.*

TOUR-TIPP

*Im Juli Besuch der Antikenfestspiele
rund ums Amphitheater
(▶ SEITE 145). Die Stadt per Römertrip
und Visite des Landesmuseums
erobern. Schiffsfahrten auf der Mosel
(Anlegestelle Nähe Parkplatz an der
Gondel). Ausflug ins nahe gelegene
Luxemburg (dort billig tanken und
Tabakwaren bunkern).*

EINKEHR-TIPP

*Weißhaus-Restaurant
☏ 0651/83433 @ www.weisshaus.de
Ruhetag Montag.
Berghotel Kockelsberg
☏ 8248000 ✆ 8248290
@ www.kockelsberg.de
Kein Ruhetag. Kneipenbummel durch
Alt-Zurlauben mit Feinschmecker-
Restaurant „Pfeffermühle"
☏ 0651/26133, Ruhetag Sonntag.*

Was tut ein waschechter Trierer, wenn er sich am Wochenende bewegen will? Er geht in den Weißhaus-Wald. Wohin führt der sonntägliche Familienausflug? Zum Wildpark. Wo wird Kaffee getrunken, Hochzeit oder Goldene Hochzeit gefeiert? Im Kockelsberg- oder Weißhaus-Restaurant. Tun wir es also den echten Moselstadt-Bewohnern nach und starten gen Weißhaus/Tierfreigehege/Kockelsberg. Das Ganze bildet nämlich eine von der Natur prächtig ausgestattete Freizeit-Einheit.

Weißhaus und Kockelsberg, das ist wie Tünnes und Schäl. Das ist einfach eins. Schwebend geht es zur Ausflugsetappe Nummer eins. Vom Parkplatz an der Seilbahn, ganz in der Nähe der Schiffsanlegestelle im Stadtteil Zurlauben gelegen, gondeln wir über die Mosel Richtung Startpunkt für Freunde des Wanderns. Die Häuser von Trier-Pallien, die wir „im Fluge" überqueren, drängen sich malerisch ans rote Felsmassiv. Der Mini-Trip mit der Kabinenbahn endet direkt vor dem „Weißen Haus". Zu Beginn des 19. Jahrhunderts war dies ein Zentrum für die jagdfreudige Nobelgesellschaft. Aus dem Reserve-Lazarett des Ersten Weltkriegs wurde ein Treff für Kerngesunde – ein beliebtes Restaurant. Von hier aus hat man den schönsten Blick über die Stadt mit ihrer von glänzenden Schiefer Kirchtürmen reich dekorierten Silhouette. Und über das kurvenreiche Moseltal.

Wandersmann und Per-pedes-Frau nehmen Kurs aufs Wildfreigehege mit gut drei Kilometer langem Waldlehrpfad. Hier finden sich viele Gehölzarten, die typisch sind für die Region Trier: Neben Buche, Eiche, Weide oder Bergahorn ist die Ess- oder Edelkastanie ein Signum der Moselstadt. Die Römer brachten eben nicht nur Reben in den Norden, sondern auch dieses typisch mediterrane Gehölz. Jeder Trier-Besucher kennt die auf Holzkohle gerösteten, speziell am Hauptmarkt der Stadt angebotenen Früchte, Maroni genannt. Unterwegs zum Kockelsberg: Wildschweine durchwühlen einen waldigen Hang, Rothirsche lassen sich ebenso gerne füttern wie markant duftende Ziegenböcke. In Gehegen warten Fasane vund Eulen nebst gefiederten Verwandten auf Bewunderer.

Nach diesem tierischen Intermezzo geht es steil bergauf zur Krönung der Region rund ums Weißhaus. Das schiefergedeckte Schlösschen dort oben heißt Kockelsberg und ist Ziel des Halbtagswanderers. Hier wird Moselhecht neben dem echten „Kockelsberger" (aus Hack und Spiegelei) kredenzt. Dazu trinkt der Ortskenner eine „Poaz Viez"; Äppelwoi würden Hessen dieses herb-fruchtige Getränk nennen. Steil bergab führt uns der Weg retour zum Ausgangspunkt. Wir gondeln wieder ins Moseltal. Und gehen vom Liftstützpunkt zum Tagesabschluss auf einen Trip durch Triers urigste Kneipenlandschaft mit seinen (überdachten) Open-Air-Restaurants direkt an der Mosel. „Mir laafen no Zalaawen" (wir laufen nach Zurlauben), sagt der Trierer. Und der weiß ganz genau, warum er dies tut.

Fünf Seen in einem Blick

Römer und Romantik auf einen Trip.

Schon die Römer hatten ein Auge für den Reiz des Moseltals. Ob ihnen allerdings vor 2000 Jahren die fünf Flussschleifen einen Blick wert waren, darf bezweifelt werden. Zumal sich der „Fünfseenblick" heute erst durch den mehr als 20 Meter hohen Holzturm so richtig erweitert. Von dessen Spitze – 396 Meter über Meereshöhe – fällt das Auge auf die Mosel, die sich aus der Talaue bis Schweich nun zwischen Eifel und Hunsbuckel hindurchwindet und sich tief in den Schieferfels gegraben hat. Weit in die Eifel hinein blickt der Wanderer über die Holzbrüstung, und mit etwas gutem Willen lassen sich auch die fünf Flussschleifen erspähen, die dem Aussichtspunkt seinen Namen geben.

Doch zum Ausgangspunkt unserer Wanderung, zurück nach Mehring. In den Urkunden taucht die Gemeinde erst im Jahre 721 als „Sairingas" auf, doch die Römer waren schon früher da. Davon zeugt die heute restaurierte Villa auf der rechten Seite der Mosel, die man zu Fuß über die Brücke erreicht. Sie liegt auf halber Höhe und ist ein historischer Blickfang im Rund des schmucken Neubauviertels. Ein Gang durch die Villa macht deutlich: Nix Asterix – von wegen „die Römer spinnen". Bäder, Heizung und Wohnkultur bestimmten deren Leben. Doch weiter geht's, befestigte Weinbergwege schrauben sich gemächlich nach oben in Richtung Mehringer Schweiz, was nicht eben auf norddeutsche Tiefebene schließen lässt. Da taucht plötzlich am Waldrand ein Wassertretbecken auf. Schuhe und Strümpfe fliegen zur Seite, wohl dem, der in Shorts unterwegs ist. Ein Hoch auf den Gesundheitsapostel Pfarrer Kneipp. Schnell kehren die Lebensgeister in die Füße zurück. Ein Schluck aus der Marschverpflegung, der „Fünfseenblick" ruft.

Viele Wege führen nach Rom, heißt ein geflügeltes Wort; auch von Mehring aus gibt es verschiedene Routen, die den Ortsunkundigen zum Ziel führen. Wer auf kartografische Hilfe nicht verzichten will, der steckt sich die Wanderkarte „Der Meulenwald und die Mosel bei Schweich" in den Rucksack. Plötzlich ein Rauschen, ein Jauchzen erschallt über den Köpfen: Drachenflieger! Sie haben sich ihr Areal am Mehringer Berg erkämpft. Ein Sport, der zwar nicht grenzenlos, aber ökologisch sinnvoll ist. Fichten wechseln sich mit Laubwald ab, zwischen Buchen schimmert das Moseltal hindurch. Hinter einer Wegbiegung öffnet sich der Forst: Der Fluss

leuchtet in der Sonne. Den letzten der rund fünf Kilometer säumen Farne den Weg im Hochwald. Dann taucht der 1992 erbaute Aussichtsturm mit seinen 105 Stufen auf. Der Aufstieg lohnt! Wer anschließend nach einer Pause lechzt, der muss noch einmal seine Beine in die Hand nehmen. Aber gemach, nach 300 Metern ist der Rastplatz nebst Grillhütte erreicht.

INFORMATIONEN

AUSKUNFT
Touristikverein Mehring
Bachstraße 47, 54346 Mehring
☎ *06502/1413* 📠 *1253*
✉ *touristinfo.mehring@t-online.de*

ANFAHRT
Von Koblenz über die A 48 bis Abfahrt Schweich, von dort über die B 53 nach Mehring.

TOUR-TIPP
Besuch des Heimat- und Weinmuseums in der Bachstraße 47 in Mehring mit römischen Funden und einem Modell der römischen Villa, die auf dem rechten Moselufer zu besichtigen ist. Nur 18 Kilometer entfernt, liegt das mehr als 2000 Jahre alte Trier.

EINKEHR-TIPP
Wein- und Sektgut Josef Reis
Neustraße 8, 54346 Mehring
☎ *06502/994037* 📠 *994038, geöffnet Mai bis Oktober, Vinothek im Kreuzgewölbe, eigene Sektmanufaktur, Wanderungen durch den Weinberg. Kein Ruhetag.*
Landhaus St. Urban
Büdlicherbrück 1, 54426 Naurath/Wald
☎ *06509/91400*
✉ *www.landhaus-st-urban.de*
Ruhetag Dienstag, Mittwoch.

Wandern durch das Winzerland.

Vergaß Obelix seinen Hinkelstein?

„Wissen ist Lieben." Der gelehrte Johannes Zeller aus Trittenheim, der sich Trithemius nannte, hat das gesagt. Er muss es gewusst haben, schließlich galt er im Mittelalter als einer der klügsten Männer seiner Zeit. Der schöne Satz ist ein wunderbares Motto für einen Besuch in der Heimat des Johannes. Im Weinort Trittenheim kann man den Wein nämlich nicht nur genießen, sondern auch viel über ihn lernen. Am besten geht das auf dem Weinlehrpfad. Der führt vom südlichen Ortseingang hinauf zur schiefergedeckten Laurentiuskapelle. Unterwegs erfährt man, wie der Winzer arbeitet, man lernt die Rebsorten kennen und kann sich über Rebenaufzucht und Weinausbau informieren. Das alles wird auf großen Tafeln gut erklärt. Fast das Beste aber ist, dass man beim Wandern oft auch Winzer im Wingert an den Weinstöcken trifft, die man dann ganz direkt mit Fragen löchern darf. Am Ziel – der Laurentiuskapelle aus dem 16. Jahrhundert – angekommen, weiß man dann ein bisschen besser, warum der Wein so unnachahmlich schmeckt. Gleichzeitig genießt man von hier oben einen einzigartigen Rundblick ins Moseltal. Der Fluss schlägt um Trittenheim einen bemerkenswert engen Bogen, die reinste Haarnadelkurve. Wer noch Puste hat für eine richtig große Wanderung, geht weiter auf die Höhe und folgt dem Weg durch die Weinberge, bis linker Hand ein – unauffälliges – Schild zum „Hinkelstein" weist. Das klingt jetzt, als sei Obelix hier einst vorbeigekommen. Wer das bezweifelt, hat sicher Recht. Wenn man sich aber zwischen den Sträuchern hindurch auf die kleine Lichtung wagt, entdeckt man zweifelsfrei einen gewaltigen Hinkelstein Es ist einer der wenigen in dieser Region erhaltenen Menhire aus der Megalith-Kultur, die in keltischer Zeit verbreitet war. Zurück in unsere Zeit. Aus Trittenheim stammte schon einmal die Deutsche Weinkönigin. Das wurde im Ort zu Recht begeistert gefeiert. Bundesweite Schlagzeilen machte acht Jahre später auch Céphas Bansah, seines Zeichens König von Hohoe Ghana und Weinkönig von Trittenheim. Er war 1999 der erste deutsche Ortsweinkönig überhaupt. Auch seine Hochzeit mit Gaby im Jahr darauf war ein Medienereignis. Dem klugen Johannes Trithemius haben die Trittenheimer auf dem alten Brückenkopf ein sehr schönes Denkmal aufgestellt. Trithemius war sowohl Abt in Sponheim als auch im Würzburger Schottenkloster und dazu Büchersammler, Historiker, Mathematiker und Naturwissenschaftler. Er schrieb einen „Katalog der berühmten Deutschen" und soll sogar ein wenig Magier-Wissen besessen haben. Wie klug und weise er wirklich war, zeigt allerdings, dass er seinen schönen Heimatort und seine Herkunft als Winzersohn ein Leben lang immer wieder hoch gelobt hat.

INFORMATIONEN

AUSKUNFT

Tourist-Information
Moselweinstraße 55
54349 Trittenheim
℡ 06507/2227 🖷 2040. Hier gibt es
zum Beispiel auch Informationen über
die exakte Lage des Hinkelsteins.

ANFAHRT

Trittenheim liegt an der
Moselweinstraße B 53.

TOUR-TIPP

Fast ein Muss: Von Trittenheim über
die Brücke auf die rechte Moselseite
und der Straße zur „Zummethöhe"
folgen. Von hier ist der Blick über die
Moselschleife ausgezeichnet. Wer der
Straße (in Richtung Büdlicher Brück)
folgt, begleitet die „Kleine Dhron" bis
zum Dhrontalstausee mitten im Wald.

EINKEHR-TIPP

Weinstube Stefan Andres
Laurentius-Str. 17, 54349 Trittenheim
℡ 06507/5972 🖷 6460
Ruhetag Dienstag.

Der steilste Weinberg Europas

INFORMATIONEN

AUSKUNFT

Tourist-Information Bremm

☎ 02675/370 📠 02675/1610

🌐 www.calmont-mosel.de

ANFAHRT

Anreise mit der Bahn im Stundentakt:
Trier–Koblenz, Bahnhof Ediger-Eller.
Mit dem Auto über die A 48, Ausfahrt
Kaisersesch nach Cochem, B 49
Richtung Trier.

TOUR-TIPP

Ab Bremm mit der Moselfähre zur
Klosterruine Stuben übersetzen. Dort
sind Ausgrabungen zu sehen, die etwas
über die lange Geschichte
des ehemaligen
Augustiner-Nonnenklosters erzählen.
Wanderung zum Petersberg mit der
spätrömischen Befestigungsanlage und
dem noch genutzten Höhenfriedhof
und der mittelalterlichen Kapelle,
einst durch einen Kreuzweg mit Kloster
Stuben verbunden war.

EINKEHR-TIPP

Große Auswahl an urigen Weingütern
mit moseltypischer Küche und
Rieslingweinen, zum Beispiel:
Erlebnis-Gasthof „Christoffel" in
Ediger-Eller, Hochstraße 24
☎ 02675/255 📠 02675/1625
Spezialität: individuelle
Wochenendprogramme,
Ruhetag Dienstag.

Bergsteigerische Leistungen müssen die Winzer an den Steillagen der Mosel seit jeher vollbringen, um die Reben anzubauen, zu pflegen und schließlich die reifen Trauben für den begehrten Riesling lesen zu können. Bei einer Tour auf dem einzigartigen Calmont-Klettersteig im Terrassenweinberg können Bergwanderer den Winzern bei ihrer harten Arbeit zusehen und ganz nebenbei den steilsten Weinberg Europas bezwingen.

Über eine Länge von rund drei Kilometern schlängelt sich der Calmont-Klettersteig zwischen Ediger-Eller und Bremm am Steilhang entlang. Zwar müssen die Wanderer keine Hochgebirgserfahrungen mitbringen, doch sollten sich nur trittsichere, schwindelfreie und mit Wanderschuhen ausgerüstete Kletterer in den Berg wagen. Denn wenn die schmalen, Gras-bewachsenen oder steinigen Pfade nicht mehr ausreichen, helfen Leitern und Sicherungsseile über die unwegsamen, schroffen Schieferfelspartien hinweg.

Doch Anstrengung und Muskelkater werden reich belohnt: Nicht nur der faszinierende Blick auf den Moselkrampen, die Klosterruine Stuben und die Kapelle auf dem Petersberg lassen das Herz höher schlagen. Reizvoll ist auch das Entdecken der äußerst reichen Pflanzen- und Tierwelt, die sich nur in diesem sonnigen Steillagenklima in den jahrhundertealten Trockenmauern und am natürlichen Hang entwickeln kann. Der blau blühende Natternkopf und die rot blühende Pechnelke beleben im Frühjahr farbig die grau-blauen Schieferfelsen. Im Sommer breiten sich der weiße Hirschwurz und der blutrote Storchschnabel aus, im Herbst leuchten das gelbe Sonnenröschen oder die Goldhaar-Aster. Der immergrüne Buchsbaum, der seinen Ursprung im Mittelmeerraum hat, wächst hier wild am steinigen Hang.

Milane, Bussarde und Falken zeigen ihre imposanten Flugkünste, und nachts schwebt der stolze Uhu auf der Suche nach Beute über das Moseltal. Die kleine Zippammer fühlt sich in den Terrassen das ganze Jahr über wohl, im Sommer nehmen Mauereidechsen und die seltenen Smaragdeidechsen Sonnenbäder auf den warmen Schieferfelsen. Auch bunte Schmetterlinge wie der edle Apollo-Falter erfreuen den aufmerksamen Calmont-Kletterer mit ihrer Schönheit.

Der Panoramablick vom Calmont entlohnt für den steilen Aufstieg.

Spurensuche: Der Apollo-Falter
fliegt nur sechs Wochen im Jahr.

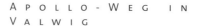

Einem Falter auf der Spur

Er ist ein kleiner, zarter Geselle. Etwas flatterhaft, zugegeben. Aber wunderschön. Leider ist er sehr selten geworden, der Mosel-Apollofalter. Eine Chance, dem exquisiten Schmetterling zu begegnen, haben Spaziergänger zum Beispiel auf dem Apollo-Wanderweg, der in Valwig beginnt. Es ist engagierten Naturschützern und Winzern zu verdanken, dass der Falter, der sich bei Wissenschaftlern als Parnassius apollo ssp. Vinningensis vorstellt, wieder etwas öfter anzutreffen ist. Nur sechs Wochen im Jahr – von Mitte Juni bis Ende Juli – fliegt der Schmetterling mit den charakteristischen schwarz-roten Punkten. Für Naturfreunde und Schmetterlingskundler aus ganz Deutschland ein Grund, an die Mosel zu kommen, um den Falter zu beobachten.

INFORMATIONEN

AUSKUNFT
Gemeindeverwaltung Valwig
☎ 02671/916322 📠 5326. Fachkundige
Führungen können vereinbart werden
mit Hermann Schausten
Weingartenstraße 15, 56820 Briedern
☎ 02673/1675

ANFAHRT
Über die A 48 Abfahrt Kaisersesch,
L 98 nach Cochem, in Cochem über
die Mosel Richtung Trier. Nächster Ort
Valwig. Dort Abfahrt Valwiger Berg.
Der Apolloweg und die Wanderwege
sind ausgeschildert. Parken am besten
am Moselufer.

TOUR-TIPP
Wanderung über den Cochemer
Krampen zum Ortsteil Valwiger Berg
mit Wallfahrtskapelle und herrlichen
Ausblicken ins Moseltal.

EINKEHR-TIPP
Gast- und Weinhof „Beim
Schneemann", Brühlstr. 2, 56812 Valwig
☎ 02671/980606 📠 5326
@ www.valwig.de/schneemann
kein Ruhetag, geöffnet vom 1. Februar
bis 31. Dezember. In der Nebensaison
Ruhetag Montag.

Von der Moselgemeinde Valwig aus führt der 7,5 Kilometer lange Apollo-Wanderweg zunächst vorbei an der sehenswerten Hallenkirche, dem ersten neoromanischen Bau des Architekten Lassaulx im Originalzustand. Am Weg liegt auch das liebevoll restaurierte historische Feuerwehrhaus, das in früheren Zeiten sogar als gemeindeeigenes Gefängnis diente. Durch die schiefrigen Weinberge geht es dann über

Prachtexemplar: Parnassius apollo.

einen wiederhergestellten Kreuzweg zur Wallfahrtskirche „St. Maria und Maria Magdalena" im Ortsteil Valwiger Berg oder in Richtung Cochem zu einem neu erbauten Wingertshäuschen hoch über der Mosel. Tafeln und Plastiken aus der Werkstatt des Senheimer Künstlers Christoph Anders berichten über die Geschichte der Bauten, und entlang des alten Kreuzweges „Sieben-Fuß-Fälle" hat Anders die sieben Stationen wieder hergerichtet. Am Freitag vor Palmsonntag ziehen die Gläubigen übrigens noch heute, einer alten Tradition folgend, über diesen Weg durch die Weinberge zum Valwiger Berg. Am Ende des Apollo-Weges, der durch die Initiative des Naturschutzbeauftragten Hermann Schausten entstand, wurde schließlich hoch über der Mosel eine Schutzhütte errichtet, in der die Wanderer Rast machen können nach dem Marsch durch die Wingerte. Der Blick von hier ins Moseltal und auf die Orte Valwig und Cochem ist herrlich. Doch nicht nur die außergewöhnlichen Landschaftseindrücke machen diesen Weg für aufmerksame Wanderer zu etwas Besonderem. Hier lassen sich zum Beispiel auch die Pflanzen entdecken, die der Mosel-Apollofalter unbedingt in seinem Lebensraum braucht. Das ist vor allem die Weiße Fetthenne, die Futterpflanze für die Raupen des Falters. Und wo es dem Mosel-Apollofalter gut geht, da finden sich auch andere selten gewordene und gefährdete Lebewesen wie Zippammern, Smaragdeidechsen, Sattelschrecken oder Segelfalter wieder ein.

Malerisch: Eine Mühlentour.

Mühlen-Geschichte(n)

Wild-romantisch ist nicht nur die zerklüftete Bach-landschaft des Martentals zwischen Kaisersesch und Cochem. Auch das Leben in den rund 36 Mühlen, die einst die Wasserkraft der Endert nutzten, war mitun-ter recht aufregend. Neid, Missgunst und Familienfehden führten zu Brandstiftung und Mord und machten das harte Leben in der Einsamkeit des unwegsamen Bachtales noch schwieriger. Mit ein wenig Fantasie kann der Wanderer durch das Tal der Wilden Endert das schöne wie schaurige Treiben rund um die Mühlen wieder aufleben lassen. Die meisten Mühlen sind ganz verschwunden, von einigen zeugen noch bemooste Mauerreste, andere wurden liebevoll restauriert, werden als Wochenendhäuser genutzt oder bieten Wanderern eine Rast. Direkt unterhalb der „Napoleonsbrücke", über die die alte Postkutschen-Straße Koblenz – Trier führte, gelangt man auf klammen Schieferfelsen und schmalen Pfaden zur Maxmehrer Mühle, die als Doppelmühle von zwei Brüdern bewohnt wurde. Als die erwachsenen Söhne der beiden Müller im strengen Winter 1882 den zugefrorenen Mühlengraben vom Eis befreien wollten, stritten sie sich so, dass der eine den anderen mit der Eishacke erschlug. An der Browelsmühle vorbei gelangt man zur „Bücheler Mühle", um die sich folgende, düstere Geschichte rankt: Jeden Samstag packten die Endertmüller das Mehl, das sie aus dem Korn der Eifelbauern gemahlen hatten, auf ihre Esel und stiegen hinunter nach Cochem „in die Waage". Dorthin, ins heutige Rathaus, kam die Moselbevölkerung, um Mehl zu kaufen. Der Konkurrenzkampf zwischen den Müllern war groß. Alle ärgerten sich darüber, dass der Müller der „Bücheler Mühle" den Bauern mehr fürs Korn zahlte und dennoch den Moselanern das Mehl billiger abgab. An einem Sonntagmorgen fand man einen herrenlosen Esel im Wald und den Knecht der „Bücheler Mühle", „den Thermes", tot mit eingeschlagenem Schädel in einer Schlucht. Ein verwittertes Holzkreuz erinnert heute noch an das Ereignis. Ein anderes Kreuz wurde 1922 einem Sohn aus der Göbels Mühle zum Verhängnis. Auf dem Heimweg aus der Schule in Greimersburg wurde der Junge dort von einem wilden Keiler angegriffen und getötet, als er das Kreuz zum Gedenken an einen abgestürzten Schäfer mit Blumen schmückte. Heute steht auf dem Kreuz der Name des Getöteten. Die auf dem Weg nach Cochem folgende „Franzosenmühle", vormals „Reicherts Mühle", nahm ein schlimmes Ende. Eva Reichert war 1813 als junge Frau mit fünf Söhnen bereits Witwe. Eines Abends hat ein völlig erschöpfter, französischer Soldat um ein Stück Brot, das Eva ihm gerne gab. Der Fremde blieb, weil er sich in die schöne Müllerin verliebte. Das Paar heiratete, doch die Nachbarschaft und die heranwachsenden Söhne der Müllerin hatten etwas gegen „den Franzuus", der sich später als jähzornig und gewalttätig entpuppte. Eines Nachts im Jahr 1828 steckte er aus Wut über die missgünstigen Nachbarn die Mühle, die inzwischen die „Franzosenmühle" hieß, in Brand und flüchtete in seine Heimat. Eine bekannte Persönlichkeit war der Müller der „Sevenich Mühle", der „Klier-Pitter". Der soll Fäuste wie Tigerpranken und Bärenkräfte gehabt haben. Nicht nur, dass er fünf Zentner schwere Baumstämme den Berg hinauf schleppte, einmal trug er sogar sein Pferd auf dem Rücken nach Hause.

INFORMATIONEN

AUSKUNFT
Wanderwege durch das Enderttal beschreibt der Eifelverein. Informationen bei Wanderführer Otto Nick aus Kaisersesch
☎ 02653/3596. Wanderkarten gibt es bei Tourist-Information Kaisersesch
☎ 02653/999615 ☏ 9996918

ANFAHRT
A 48 Abfahrt Kaisersesch, Wanderstart Kaisersesch oder Kloster Martental. Buslinie 6213/Enderttakt.

TOUR-TIPP
Römerwall Kaisersesch, Wallfahrtskirche Kloster Maria Martental, Endert-Wasserfall „Rausch".

EINKEHR-TIPP
Pilgerheim Martental. Voranmeldung
☎ 02653/98900, kein Ruhetag. Gaststätte „Göbelsmühle" in Greimersburg
☎ 02678/253, kein Ruhetag; Hotel Weißmühle in Cochem
☎ 02671/8955 ☏ 8207
Kein Ruhetag.

Schiefergeschichte im Kaulenbachtal.

Neues Leben im alten Stein

Wo mehr als 250 Jahre Schieferbergbaugeschichte geschrieben wurde, ist heute die Natur zu Hause: In alten Stollen überwintern Feldmäuse, zwischen den warmen Schiefersteinen huschen Eidechsen umher, Zitronenfalter und Baumweißlinge gaukeln von wildem Thymian zur Mondraute und Golddistel. Das Kaulenbachtal zwischen Laubach, Müllenbach und Leienkaul war einmal das Dorado der Schieferschürfer. Zwischen 1695 und 1959, als die letzte Grube nach einem Wassereinbruch schloss, war der blaue Moselschiefer aus dem Kaulenbach begehrt wegen seiner hohen Qualität. Als Zeugnis der Vergangenheit sind riesige Abraumhalden zurückgeblieben, die eine Landschaft von eigenartigem Reiz und überraschender Fauna und Flora geschaffen haben. Wanderer gehen hier nicht nur sprichwörtlich auf den Spuren des Schiefers, sondern tauchen ein in eine weithin unbekannte Welt.

Los geht's zur dreistündigen Tour (feste Schuhe sind empfehlenswert) entweder vom alten Dorfkern in Laubach, vom Trafohäuschen in Leienkaul oder vom Wanderparkplatz „Auf der Nick" auf der Höhe vor Müllenbach. Egal, wo die Wanderung beginnt, der Weg ist überall gut ausgeschildert. Informationen rund um das Kaulenbachtal und die Geschichte eines der bedeutendsten linksrheinischen Schieferabbaugebiete finden Wanderer auf zahlreichen Informationstafeln. Wir entscheiden uns für Vorschlag drei. Also: Auto auf den Wanderparkplatz „Auf der Nick", auf geht's Richtung Laubach. Vor dem Ort biegen wir rechts ab und nach etwa 20 Metern erreichen wir rechts einen Feldweg. Hier sind wir auf der Trasse der ehemaligen Schiefergrubenbahn, genannt „das Bähnchen", die den Schiefer zum Laubacher Bahnhof transportierte. Ein schmaler Weg führt zuerst talwärts über den Kaulenbach und steigt dann eine Halde hinauf zur Grube Mariaschacht in Leienkaul. Von oben schweift der Blick über das ganze Tal und über die Eifellandschaft. Besonders schön ist es im Frühjahr, wenn der Ginster, das Eifelgold, blüht. Über die Klosterheide geht es auf einem alten Fahrweg ins Tal. Hier haben sich tief die Räderspuren der Wagen in den Boden gegraben, die den Schiefer nach Leienkaul brachten. Rechts stehen Gebäudereste der Grube Escherkaul. Sie hieß auch „Höllenpforte", denn sie war das erste Stollenbergwerk. Der Name verrät, dass die Schieferbrecher unsicher und wohl auch ein wenig bange waren, was sie erwartete, wenn sie ins Innere des Berges vordringen würden. Der Weg schlängelt sich weiter ins Tal zwischen gewaltigen Halden hindurch bis zur Herrenwiese, wo das Müllenbacher Dachschieferwerk war. An der westlichen Talseite geht es zur Grube Colonia hinauf, auf einer Strecke von 250 Metern etwa wieder dem „Bähnchen" entlang zurück nach Müllenbach und zum Ausgangspunkt. Übrigens: Der Schieferabbau im Kaulenbachtal ruht seit mehr als vier Jahrzehnten – der Traditions-Markenname Moselschiefer lebt weiter. Er kommt heute aus zwei hochmodernen Bergwerken bei Mayen und wird von Rathscheck Schiefer weltweit verkauft. Auch der Weltmarktführer hatte früher umfangreichen Bergwerksbesitz im Kaulenbachtal.

INFORMATIONEN

AUSKUNFT
Verein zur Erhaltung der Schieferbergbaugeschichte Wagenweg 15a, 56761 Müllenbach
☎ *02653/6002* 📠 *9119163*
✉ *VnSchiefer@aol.com*
Der Verein bietet Führungen an.

ANFAHRT
A 48 Richtung Trier, Ausfahrt Laubach.

TOUR-TIPP
Im Bürgerhaus „Alte Schule", Müllenbach, ist eine Dokumentation zum Schieferbergbau mit Texten, Fotos, Grubenplänen, Werkzeugzu sehen. Zu besichtigen nach Absprache mit dem Verein zur Erhaltung der Schieferbergbaugeschichte. Wer gut zu Fuß ist, kann weiter über die Wallfahrtskirche Maria Martental durchs Endtertal bis nach Cochem laufen.

EINKEHR-TIPP
Hotel Eifelperle, Eifelstraße 34 56759 Laubach
☎ *02653/99800* 📠 *998080*
Ruhetag Dienstag. Gut bürgerliche Küche. Sonntagmittags sehr voll!

Zu den scheuen Quelljungfern

Naturwunder vor der Haustüre.

Es gibt Natur-Schönheiten, die bauen sich mit einem Paukenschlag vor dem staunenden Besucher auf und machen gleich auf den ersten Blick viel her. In diese Kategorie gehört das Dortebachtal nicht. Es gibt keinen Aussichtspunkt, der Fotografen automatisch zur Kamera greifen lässt. Und das ideale Postkarten-Motiv findet sich auch nicht so leicht. Das Dortebachtal ist etwas für Leute, die Zeit und Geduld mitbringen, und noch nicht verlernt haben, genau hinzuschauen. Wer von der Mosel kommt, wird nicht gleich mit der schönsten Seite des schmalen Tales verwöhnt. Direkt an der Uferstraße liegt der kleine Parkplatz nur ein paar hundert Meter vom Ortseingang von Klotten entfernt, es geht unter dem Bahndamm hindurch und ein paar Stufen hinauf. Dann öffnet sich das Erosionstal des engen Dortebachs: Schiefergeröllhänge und schroffe, fast hundertfünfzig Meter hohe Felsen sind die Begrenzung. Man kann jetzt in flottem Schritt das kleine Tal durchqueren bis zu dem Wasserfall, der an seinem Ende über die Felsen stürzt. Dann hat man einen schönen Spaziergang gemacht. Man kann allerdings auch gemächlicher wandern, hier und da stehen bleiben, genau hinschauen und staunen. Ganz perfekt wird diese Tour, wenn man einen Begleiter wie Hermann Schausten hat. Der ist ehrenamtlicher Naturschutzbeauftragter im Kreis Cochem-Zell und ein leidenschaftlicher Naturkenner. Schausten informiert, gibt Rat und greift ein, wenn zum Beispiel ein Uhu mit angebrochenem Flügel gefunden wird. Dann kümmert er sich halt auch darum, dass dem flügellahmen Patienten schnell geholfen wird. Vor allem aber, so scheint es, muss Hermann Schausten Vorurteile aus dem Weg räumen. Dann zum Beispiel, wenn ihm schon wieder jemand erzählt, er habe im Dortebachtal eine Kreuzotter entdeckt: „Die gibt es hier gar nicht! Hier leben Glatt- oder Schlingnattern und Ringelnattern." Fast ärgerlich wird er auch, wenn er irgendwo liest, im Dortebachtal habe sich eine Sondervegetation erhalten, wie es sie nur am Mittelmeer gebe. Das stimmt allenfalls, wenn es um die Zippammer geht. Einen Singvogel, den es sonst tatsächlich nur im Süden gibt.

Das Dortebachtal, das älteste Naturschutzgebiet im Kreis Cochem-Zell, ist auch ohne fabelhafte Attraktionen ein Lebensraum für viele Pflanzen und Tiere, denen wir ansonsten immer weniger Platz einräumen. Hier gibt es zum Beispiel Mosel-Apollofalter und Smaragdeidechsen. Fingerlange Libellen, die schwarz-gelben Quelljungfern, lassen sich entdecken oder scheue Salamander. An warmen Sommertagen liegt der Duft von wildem Majoran in der Luft, Schlehen gedeihen, Lebermoos, wilde Orchideen und Milzkraut. Nicht spektakulär vielleicht, aber wunderschön.

INFORMATIONEN

AUSKUNFT
Hermann Schausten
Weingartenstraße 15, 56820 Briedern
☎ 02673/1675

ANFAHRT
Das Dortebachtal liegt etwa dreihundert Meter vor der Ortseinfahrt von Klotten (aus Richtung Koblenz) an der B 49.

TOUR-TIPP
Ein Besuch des Freizeitparks in Klotten bietet sich an.

EINKEHR-TIPP
Gasthaus und Restaurant „Zur Post"
Bahnhofstraße 24, 56818 Klotten
☎ 02671/7116 📠 1311
@ www.hotelzurpost-klotten.de
Ruhetag Donnerstag.

Hermann Schausten gibt Einblicke.

Äpfel
und Reben

Der Stein des Tychikos.

INFORMATIONEN

AUSKUNFT
Gemeindeverwaltung Pommern
56829 Pommern
℡ 02672/910133 ℻ 910134
@ porten-pommern@t-online.de

ANFAHRT
Pommern erreicht man aus Richtung
Koblenz über die B 49.

TOUR-TIPP
Es ist geplant, auf dem Martberg
eine gallo-römische Tempelanlage zu
rekonstruieren. Informationen zu
diesem Projekt und eventuelle
Besichtigungsmöglichkeiten siehe
„Auskunft".

EINKEHR-TIPP
Hotel-Restaurant Gasthaus Onkel
Otto, Lindenstr. 13, 56829 Pommern ℡
02672/2407 ℻ 8828
November bis Ostern dienstags
Ruhetag, ansonsten täglich geöffnet.

Wahrscheinlich war er ziemlich im Stress. Ungeduldige Kunden, säumige Zahler. Man kennt das. Der griechische Händler Tychikos nahm eine Auszeit und gönnte sich eine Kur. Danach fühlte er sich so gut, dass er ein Dankschreiben hinterließ. In Stein gehauen, freundlicherweise. Denn so erfahren auch wir, wie sich der arme Kerl vor rund zweitausend Jahren fühlte. Aus „beschwerlichen Leiden des Körpers und Qualen der Seelen", so diktierte der Grieche dem Schreiber der Tafeln, fand er Rettung an der Mosel. Tychikos´ Botschaft wurde auf dem Martberg zwischen Pommern und Karden gefunden. Auf diesem Plateau lag eine ehemalige keltische Höhensiedlung, später kamen die Römer und vergrößerten die Anlage. In ihrer Blütezeit standen hier zahlreiche Tempel, einer war dem römischen Gott Mars geweiht und gab dem Berg seinen Namen.

An der schnellen Genesung des Tychikos war vielleicht auch der gute Wein aus Pomaria, dem heutigen Pommern, nicht ganz unschuldig. Man vermutet, dass der Ortsname Pommern, vom lateinischen pomerium, das heißt Apfelgarten, herrührt. Aber wer weiß, ob die Römer an diesen verlockenden Hängen nicht vor allem Reben anbauten und dabei die Apfelernte ein bisschen vernachlässigten? Auch heute noch ist man in Pommern stolz darauf, den mit rund sechs Kilometern längsten zusammenhängenden Südhang an der Mosel zu besitzen. Mehr als sechzig Hektar Schieferverwitterungs-Weinberge werden bewirtschaftet, meist in Hang- und Steillagen mit Terrassenanbau. Lagen-Namen wie Pommerner Rosenberg, Sonnenuhr, Goldberg oder Zeisel wecken bei Weinfreunden die Vorfreude. Im Ort stehen typische Winzerhöfe, Fachwerk- und Bruchsteinhäuser. Das Pfarrhaus wurde um 1550 errichtet und ist wahrscheinlich das älteste im Bistum Trier, es gehörte einst zum Hof der Abtei Himmerod. Die Zisterzienser aus Himmerod sicherten sich in Pommern – wie andere Abteien auch – ihren Weinbedarf. Vom alten Pfarrhaus führt eine kleine Brücke in die Kirche St. Stephanus, die um 1786 errichtet wurde. Einen neuen Turm zu bauen, ersparte man sich damals. Schließlich gab es noch einen sehr ansehnlichen, frühgotischen Turm, der sich auch ganz wunderbar mit dem neuen Gotteshaus machte. In gut drei Meter Höhe blickt von ihm noch heute

ein merkwürdiger runder Steinkopf in einem dreieckigen Rahmen auf das Treiben in den Gassen von Pommern. Bis heute ist man sich nicht ganz sicher, was oder wen er darstellen soll. Schöne Wanderwege führen aus dem Ort in die Umgebung. In das Naturschutzgebiet Pommerbachtal zum Beispiel. Und an einem sonnigen Tag ist der schmale Weg durch die Weinberge an den alten Kreuzwegstationen vorbei hinauf zur Bergkapelle besonders schön.

RUNDWANDERWEG AN DER UNTERMOSEL

Zu Fuß den Schoppen stechen

Von der Rebe ins Glas: Winzertour.

Er bietet für alle etwas – der Schoppenstecher-Rundwanderweg entlang der Untermosel. Spaziergänger kommen ebenso auf ihre Kosten wie ambitionierte Wanderer, die konditionsstark die Kilometer unter die Schuhe nehmen. Der grüne Weinrömer auf weißem Grund ist ein trefflicher Wegweiser auf unserer Tour, für die auch die Eifelverein-Wanderkarte „Maifeld-Untermosel" ein willkommener Begleiter ist. Denn hier und da hat der „Römer" wohl Liebhaber gefunden. Über 100 Kilometer schlängelt sich der Schoppenstecher-Weg von Koblenz nach Karden, macht einen Sprung über die Moselbrücke nach Treis und setzt seine Route entlang des Flusses fort, windet sich auf die Höhe und taucht wieder hinab in die Seitentäler von „Oh Mosella". Apropos Schoppenstecher. Dahinter versteckt sich kein Nachfahr eines Rittergeschlechts, der vom Pferd aus mit der Lanze das Schoppenglas von der Stange holt. Er ist vielmehr ein Zeitgenosse, der den Wein liebt und bei seinen Touren ein oder mehrere Schoppen kostet. Wir haben uns einen 15 Kilometer langen Abschnitt ausgesucht, der vor dem Wanderer die Vielfalt der schiefrigen Mosellandschaft und ihrer Kultur ausbreitet. Start ist der Weinort Hatzenport auf der linken Flussseite. Doch Vorsicht ist angesagt, denn wer bei Maria und Albrecht Gietzen einkehrt, kann im Winzerhof mit Toskana-Flair schon Zeit und Raum vergessen. Also nur einen Schoppen stechen. Hinter uns verschwindet die 700 Jahre alte Johanneskirche, wir haben das Maifeld im Visier. Eine rüstige Winzer-Rentnergruppe hat rund um den Ort Wege angelegt. Einer führt bei schönem Blick auf die Mosel nach Lasserg, fast 300 Meter über dem in der Sonne glänzenden Fluss, in dem Ausflugsdampfer und Sportboote ihr Kielwasser aufschäumen. Wer will, kann am Lasserger Sportplatz auch mal mit einem Bier fremdgehen und dabei dem Auf und Ab der Paraglider an der Abrisskante zum Moseltal zuschauen. Über das fruchtbare Ackerparadies des Maifeldes geht es durch Äcker und Waldstücke zu einer versteckten, mittelalterlichen Attraktion, die alle Kriege überstanden hat: Burg Eltz. Noch längere Zeiten überstanden hat die gesamte Schiefer-Dachlandschaft der Burg. Der Moselschiefer in Altdeutscher Deckung besitzt nachweislich über 200 Jahre Lebensdauer. Vom Elztal schwingt sich der Weg wieder auf die Höhe entlang des Forsthauses Rotherhof. Ackerfurchen säumen den Weg, dann tauchen die Windhäuser Höfe auf, sie haben ihre eigene Kapelle. Noch ein paar Minuten – das Moseltal hat uns wieder. Unter den Schienen der Winzer-„Eisenbahn" gelangen wir nach Karden. Hier können noch Schoppen gestochen werden, oder am Bahnhof druckt der Automat die Fahrkarte für die Heimfahrt aus.

INFORMATIONEN

AUSKUNFT

Koblenz Touristik, Bahnhofplatz 17
56068 Koblenz
☎ 0261/31304 ✉ www.koblenz.de
Verkehrsbüro, 56330 Kobern-Gondorf
☎ 02607/1055

ANFAHRT

Von Neuwied über die A 48, Abfahrt
Polch, L 82 Richtung Polch, Mertloch
nach Hatzenport; von Koblenz über
die B 416 entlang der Mosel nach
Hatzenport.

TOUR-TIPP

Auf der Tour liegt die im 12.Jahrhundert
begonnene Burg Eltz; vom 1. April bis
1. November täglich von 9.30 bis 17.30
Uhr geöffnet.
(► SEITE 109).

EINKEHR-TIPP

Hofausschank Winzerhof Gietzen
Moselstraße 52, 56332 Hatzenport
☎ 02605/952371 ✉ 952372
✉ www.winzerhof-gietzen.de
Öffnungszeiten: freitags ab 18 Uhr,
Wochenende ab 11 Uhr, sonst unter der
Woche auf Anfrage.
Weingut und Gästehaus Otto Knaup
Am Rathaus 6, 56253 Treis-Karden
☎ 02672/2446 ✉ 1621
✉ www.weingut-otto-knaup.de
ganzjährig täglich ab 10 Uhr geöffnet.

Schiefer als Langzeitdünger

„OH MOSELLA" BEGINNT EIN BEKANNTES TRINKLIED VON AUSONIUS, DAS DIE FÜLLE DES WEINANGEBOTES IM MOSELGEBIET BETONT. DURCH DAS ZUSAMMENSPIEL DER BESONDEREN GEOLOGISCHEN, KLIMATISCHEN UND BOTANISCHEN BEDINGUNGEN WACHSEN AN DEN SCHIEFERHÄNGEN DER MOSEL BESONDERS GUTE WEINE. DAS WAR AUCH DEN RÖMERN BEKANNT. SO BESCHREIBT SCHON PLINIUS (23 BIS 79 NACH CHRISTUS), DASS BEI WEINEN DIE GEGEND UND DER BODEN BESONDEREN EINFLUSS AUF DEN GUTEN GESCHMACK HABEN: DIE SONNENEINSTRAHLUNG WIRD DURCH DEN SCHIEFRIGEN BODEN MEHRFACH VERSTÄRKT. DER SCHIEFER WÄRMT SICH TAGSÜBER AUF, SPEICHERT DIE WÄRME UND GIBT SIE NACHTS WIEDER AB. DURCH DIE WÄRMESPEICHERNDE WIRKUNG DES SCHIEFERS WERDEN OPTIMALE BEDINGUNGEN FÜR DAS REIFEN DER REBEN GESCHAFFEN. DIE MINERALISCHEN BESTANDTEILE DES SCHIEFERBODENS (Z.B. KALIUM) WERDEN DURCH DIE HUMINSÄUREN DER WURZELN NUR LANGSAM GELÖST UND VOM WEINSTOCK IN AROMASTOFFE UMGEWANDELT. SOMIT WIRKT DER SCHIEFER WIE EIN LANGZEITDÜNGER UND VERLEIHT DEM WEIN – AN DER MOSEL INSBESONDERE DEM RIESLING - SEINEN CHARAKTERISTISCHEN GESCHMACK. DENN OHNE DEN SCHIEFRIGEN BODEN KÖNNTE DER RIESLING NICHT MEHR NACH RIESLING SCHMECKEN. SO SCHEINT ES NICHT VERWUNDERLICH, DASS IM JAHRE 1786 DER TRIERER KURFÜRST CLEMENS WENZESLAUS DEN VORRANGIGEN ANBAU DER RIESLING-REBE VERFÜGTE. DER MÜLLER-THURGAU STELLT WENIGER ANSPRÜCHE AN DEN STANDORT UND WIRD VOR ALLEM IN TALLAGEN ANGEBAUT. DIE „VITIS ALBA" ODER ELBLING, WIE SICH DIE (WEISSE TRAUBE) INZWISCHEN NENNT, WIRD ALS ÄLTESTE WEISSWEINSORTE AN DER MOSEL ÜBERWIEGEND AN DER OBERMOSEL GEERNTET. DIE ROTWEINSORTE SPÄTBURGUNDER LIEBT EBENSO WIE DER RIESLING BESONDERS DIE STEILLAGEN DES SCHIEFERGEBIRGES UND WIRD SEIT EINIGEN JAHREN WIEDER AN DER MOSEL ANGEBAUT (▶ SEITE 20).

Top
Tipp

„SCHAU MIR IN DIE AUGEN, KLEINES..."
SIE SIND DER BLICKFANG DER SCHÖNEN, WILDEN LANDSCHAFT ZWISCHEN BAD BERTRICH UND ORMONT: DIE MAARE

Der Eifel
in die tiefblauen
Augen
geschaut

„Augen der Eifel", so nannte die Heimatdichterin Clara Viebig die wassergefüllten Maarkessel vulkanischen Ursprungs, geboren aus dem Aufeinanderprallen der Elemente. Umgeben von Wäldern, Wiesen, Weiden und den typischen Apfelbäumen, strahlen sie an stillen Tagen majestätische Ruhe aus. Etwas Uraltes, Urgewaltiges scheint dann unter der spiegelglatten Oberfläche in unergründlicher Tiefe zu schlummern.

C5 TOP TIPP

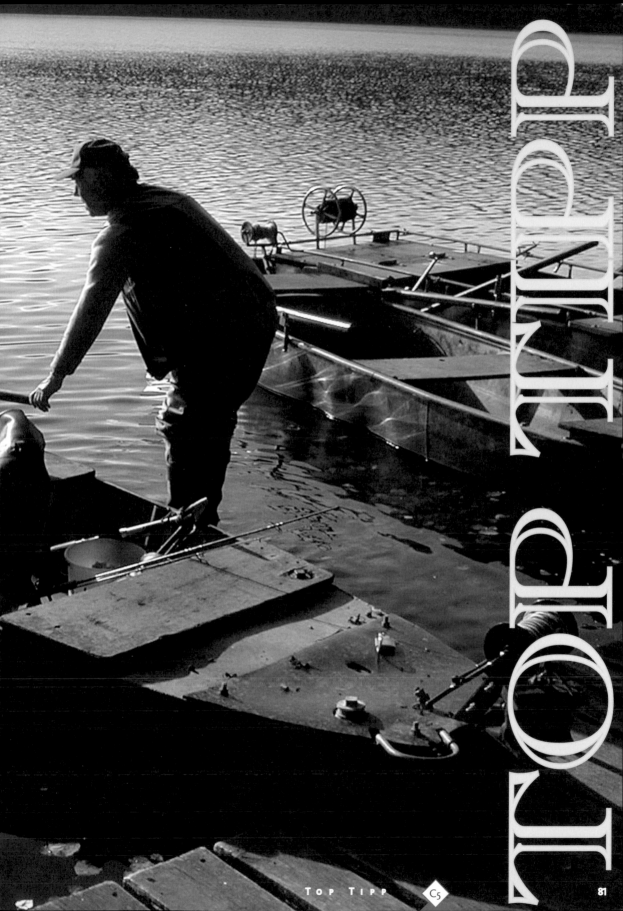

TOP TIPP

och die Maare können auch anders: Brennt im Sommer die Sonne vom Himmel, zeigen sie ihr zweites Gesicht, verwandeln sich die mysteriösen Naturschönheiten in pulsierende Bade- und Freizeitparadiese. Naturliebhaber, Wanderer, Radfahrer, Angler, Ballonfahrer und Wasserratten, sie alle kommen im Reich der Maare zu ihrem Recht.

Entstanden sind die azurblauen Zeugen unserer bewegten Vergangenheit vor durchschnittlich zehn- bis zwanzigtausend Jahren – fast 70 sind es insgesamt im Vulkanfeld der Westeifel. In der Mehrzahl sind die Kessel jedoch lediglich den Geologen bekannt.

Wie blaue Augen in einer tiefgrünen Landschaft: Die Maare.

Gewaltige Wasserdampfexplosionen ereigneten sich damals, in der ausgehenden letzten Eiszeit, wenn kühles Nass und glühend heiße Masse aufeinander prallten. Traf versickerndes Wasser, etwa von Bächen oder heftigen Gewitterfluten, auf durch Erdklüfte aufsteigendes, weit über eintausend Grad heißes Magma, kam es zum Knall. Der ungeheure Druck zersprengte das Gestein. Enge Schlote katapultierten Lavabomben und brennende Brocken kilometerweit in die umliegende Landschaft. Schließlich stürzte das Dach der entleerten Explosionskammer ein – ein neues Maar entstand. Je nach der Menge des Wassers und der Tiefe, in der die Reaktion stattfand, sind die Kessel unterschiedlich groß. Die größten „Eifelaugen" sind das Meerfelder Maar mit einem Kessel von 1200 mal 1500 Meter Durchmesser, der Dreiser Weiher mit 1350 mal 1200 Metern und das westliche Schalkenmehrener Maar, das einen Durchmesser von 1300 mal 1000 Metern aufweist. Der Methusalix, und damit vom Alter her die Ausnahme, ist das Eckfelder Maar, das sich bereits vor 50 Millionen Jahren bildete.

Beliebtes Fotomotiv: Der Dronketurm.

en mächtigsten Kessel hat das Pulvermaar. Mit fast 76 Meter Tiefe ist es nach dem Bodensee und den Voralpenseen der tiefste natürliche See Deutschlands. Kaum ein Betrachter wird sich der Schönheit der fast kreisrunden Form und der trichterförmigen Wände entziehen können. Wochentags im Winter zieht gewöhnlich meditative Ruhe die Besucher in den Bann.

Bei schönem Wetter aber geht's richtig rund an den Eifeler Maaren. Gleich drei davon versammelt das Städtchen Daun um sich: das Schalkenmehrener, das Gemündener und das Weinfelder Maar, auch Totenmaar genannt. Im wohl wollenden Blick des Schalkenmehrener „Eifelauges" kann man sich nicht nur spiegeln, sondern auch baden. Von Mai bis September ist das Naturschwimmbad geöffnet, je nach Wetterlage ab 10 oder 11 Uhr morgens bis in den Abend hinein. In dieser Zeit können Tret- und Ruderboote ausgeliehen werden. Auch wer ein eigenes Surfbrett hat, findet gute Bedingungen.

Sehr angenehm ins Eifelauge fallen kann man auch am Gemündener Maar. Das Naturfreibad hier ist ebenfalls von Mai bis September geöffnet, Boote können ausgeliehen werden. Im Meerfelder Maar ist innerhalb der Saison lediglich ein kleiner Bereich zum Schwimmen freigegeben.

Vor 10 000 Jahren füllten sich die Kratertrichter mit Wasser.

SO ENTSTANDEN DIE MAARE

Am Anfang waren es rund 70 Vulkane, die Sand und Gestein aus dem Inneren der Erde schleuderten, immer und immer wieder. Die Massen lagerten sich ringförmig um die Vulkantrichter ab. Nach den letzten Vulkanausbrüchen, also vor rund 10 000 Jahren, füllten sich die Trichter mit Regenwasser. Es entstanden die Maare – Binnenseen mit kristallklarem, weichem Wasser. Nicht alle der rund 70 Maare sind heute noch gefüllt. Viele verlandeten wie beispielsweise das „Dürre Maar" bei Gillenfeld. Aber ob Badesee oder Trockenmaar – alle aus den Vulkanen entstandenen Maare stehen unter Naturschutz. Wer mit offenen Ohren an den stillen Ufern vorbeiwandert, der hört die Erde immer noch sprechen: An vielen Stellen blubbert und sprudelt es, wenn kleine Gasbläschen aus dem Vulkaninnern nach oben steigen.

F

ür Freunde des Tret- und Ruderbootfahrens finden sich am Pulvermaar ideale Voraussetzungen, nicht aber für Surfer. Im Kessel fehlt der Wind. Geschwommen werden kann auch hier von Mai bis September, die Liegewiese lädt zum Träumen und Betrachten ein. Rundfahrten, Führungen, Info-Abende und ein beeindruckendes Wandernetz runden das Angebot rund um die Eifelmaare ab. Die meisten Glanzpunkte sind leicht

AUSKUNFT

Informationen allgemein rund um die
Maare bei der Tourist-Information
Kur- und Verkehrsamt Daun
Leopoldstrasse 5, 54550 Daun/
Vulkaneifel, ☎ 06592/939177
☏ 06592/939189 ✉ www.daun.de
oder bei der Eifeltouristik GmbH
unter ☎ 06551/8996560
Zum Pulvermaar: Gemeinde- und
Verkehrsbüro Gillenfeld, ☎ 06573/720
✉ touristinfo@gillenfeld.de
Schalkenmehrener Maar:
Tourist-Information Schalkenmehren
☎ 06592/981160. Meerfelder Maar:
Kurverwaltung Manderscheid
☎ 06572/921549
✉ touristinfo.manderscheid
@t-online.de
Gemündener Maar:
Tourist-Information Kur- und
Verkehrsamt Daun, ☎ 06592/939177

ANFAHRT
Über die A 48, Abfahrt Daun
(Dreieck Vulkaneifel), in Daun der
Beschilderung folgen.

TOUR-TIPP
Der Maare-Mosel-Radweg bietet über
50 Kilometer Radelspaß auf einer ehemaligen Bahntrasse. Ausgangspunkt
ist der ehemalige Bahnhof in Daun,
von dort geht's weiter an zahlreichen
Maaren und anderen Attraktionen
vorbei bis Bernkastel-Kues. Infos bei
der Touristeninformation Daun oder
ausführlich beschrieben auch unter
✉ www.daun.de

EINKEHR-TIPP
Gutbürgerliches und mehr gibt's im
Landgasthof Michels in
Schalkenmehren, ☎ 06592/9280
✉ www.michels.landidyll.de/michels
Kein Ruhetag.

schilderten Parkplätze stehen lassen, losstiefeln und genießen. Nicht „nur" die blauen Hingucker sind einen Besuch wert, längs des Wegs werden Sie auch auf verlandende oder bereits verlandete, so genannte Trockenmaare stoßen, in denen seltene Pflanzen und Tiere zu Hause sind, wie zum Beispiel im Dürren Maar. Nur noch acht Maare der Westeifel sind mit Wasser gefüllt.

Aussichtstürme bieten Rundum-Blicke auf die Schönheit der Eifel. Besonders beliebt ist der Dronke-Turm auf dem Mäuseberg, benannt nach Adolf Dronke, dem Begründer des Eifelvereins. Vom Weinfelder Maar aus ist er über idyllische und gut beschilderte Wege erreichbar. Allerdings gilt: Gutes Schuhwerk mitbringen, manchmal geht's recht steil bergauf. Im Winter übrigens lockt hier die vergnügliche Abfahrt. Auf dem Mäuseberg kann Ski gefahren werden – Lift ist vorhanden.

Ein beeindruckendes Panorama präsentiert auch beispielsweise der Höhenpfad rund ums Meerfelder Maar. Wer noch höher hinaus will, dem sei das Ballonfahren über der Eifel empfohlen – nachfragen bei der Tourist-Info Daun – oder ein Rundflug mit dem Sportflugzeug. Hier gilt abheben und staunen: Gestartet wird vom Sportflugplatz Senheld am Weinfelder Maar.

Fantastische Aussichten schließlich bieten sich auch Radfahrern. Der brand-neue Maare-Mosel-Radweg (▶ SEITE 26), eine ehemalige Bahntrasse, ist eine echte Attraktion für alle Freunde des Zweirads. Ausgehend vom ehemaligen Bahnhof in Daun, geht es rund 50 Kilometer weit nach Bernkastel-Kues, vorbei an Gemündener, Weinfelder, Schalkenmehrener und Eckfelder Maar. Über Viadukte, Brücken und durch Tunnel führt der Weg. Zwölf Erlebnisschleifen zeigen dem rollenden Reisenden Sehenswertes links und rechts des Wegs, wie das Kloster Buch-holz oder die romanti-schen Mühlen in der Wittlicher Senke. Eine Tour, die mit gerade ein-mal 2,5 Prozent Stei-gung auch für wenig Geübte geeignet ist. Also: Nichts wie los.

Stille Tage am See: Genießer locken die Maare zu jeder Jahreszeit.

Mythen

&

Museen

Zurück in

Wer auf den Spuren des vor rund 600 Jahren geborenen Universalgelehrten wandeln möchte, steuert zunächst dessen an der Mosel gelegenes, schiefergedeckte Geburtshaus an. Ein vor Jahren restauriertes, architektonisches Schmuckstück erwartet den Besucher. Das Wappen am Haus zeigt einen Krebs, deutet auf den Namen hin: Der 1401 in Kues geborene Nikolaus war Sohn des Winzers, Fischers und Moselspediteurs „Krebse Hennes". „Insignien des Hochwürdigsten Herrn Nikolaus Cusanus, Kardinals und Bischofs von Brixen, angebracht im Jahr des Herrn 1570" steht hier geschrieben – das Wappen wurde also erst mehr als 100 Jahre nach seinem Tod (1464) angebracht. Das Leben und Wirken des klugen Mannes wird im Geburtshaus in Schautafeln, Bildern, Fotos, Stichen, Zeichnungen, Büchern, Reisekarten und -plänen belegt. Meister Cusanus war halt häufig unterwegs. (► *AUCH SEITE 98*). Viel hat er gesagt, getan, geschrieben. Sein Denken war ausgesprochen „modern": Antworten gab er auf Fragen, die wir heute noch stellen. Als Urvater der Ökumene versuchte er, Frieden zwischen allen Gläubigen – vom Juden bis hin zum Mohammedaner – zu schließen.. Alle, sagte er, haben ihren Gott, nur dieser hat verschiedene Namen. Cusanus, Reformer bereits vor der Reformation, propagierte Einheit in der Vielfalt. Gegensätze verschwinden danach auf höchster Ebene. Und das fordert auf zu weltweiter Toleranz. Hinter allem sieht Nikolaus eine absolute Größe, den Vermittler von Ewigem und Zeitlichem – den unfassbaren Gott.

Wer Bernkastel-Kues besucht,

kommt an ihm nicht vorbei:

An dem Philosophen, Bischof,

Kirchenrechtler, der eigentlich

Nikolaus Chrypffs (=Krebs)

hieß, der als Cusanus oder auch

Nikolaus von Kues berühmt

wurde.

Lange vor Kopernikus kam der große „Europäer" von der Mosel auf rein spekulative Weise auf die Idee, dass die Erde sich im unendlichen Universum bewegt. Das brachte einem Galilei noch 1633 die kirchliche Inquisition an den Hals. Cusanus´ geistiges Erbe fußt in kirchlichem und weltlichem Recht, in Philosophie, Mystik, Geschichte und Geografie, Medizin und Astronomie. Seiner moselländischen Heimat hat er mit dem St. Nikolaus-Hospital ein heute noch sichtbares Erbe hinterlassen. 1458 gab er sein Vermögen in eine Stiftung, die 33 Männern aus allen Ständen des Volkes einen Alterssitz bot. Dieses Heim für Not leidende Mitbürger erfüllt seine Aufgabe nun seit mehr als einem halben Jahrtausend.

Zu Fuß nimmt der Bernkastel-Besucher den Weg an der Mosel entlang vom Geburtshaus zum Cusanusstift. Die spätgotische Anlage birgt neben Kirche und Kreuzgang mit Refektorium (Speisesaal) sowie Bewohnerzellen die bedeutendste Privatbibliothek eines frühneuzeitlichen Gelehrten. Wer eine Führung gebucht hat, darf den Staub rieseln lassen. Insgesamt 314 Handschriften aus dem 9. bis 15. Jahrhundert, 160 Urkunden, deutsche und lateinische Bibeln (Gutenberg lässt grüßen), Schriften der Kirchenväter sowie wissenschaftliche Werke finden sich hier. Auch die „Scivias" betitelte Visionsschrift der Hildegard von Bingen steht im Bücher-Regal. Jeder darf mal blättern und ein Gänsekiel-beschriftetes Stück alten Ziegenleders anfassen. Oder auf gut Moselfränkisch in der Bibel lesen: „Jo, deine Wille sei gedon, un´dou, Mensch, muss dat ‚Und` sein zwischen der Erd´ un dem

die Zukunft

Hiemel." Alle Säulen im Hospital sind übrigens eckig. Nur hier in der Bibliothek ist der tragende Pfeiler rund: Damit ließ der berühmte Kueser symbolisieren, dass in diesem Reich des Geistes Vieleck und Kreis zusammenfallen – Gegensätze aufgelöst sind. Ein Stück Stein gewordener Philosophie!

Der Rundgang führt Besucher in den gotischen Saal, ehemals Hospizküche, heute Konferenz- und Ausstellungsraum liturgischer Geräte und Liturgienschreine. Weiter geht es dann in den Konventsaal mit seiner barocken Stuckdecke und Gemälden, die wichtige Stationen aus Cusanus´ Leben zeigen. Das Stift öffnet heute Türen und Tore für die Künste, für Veranstaltungen des Kultursommers, der Mosel-Festwochen. Gleich nebenan lockt die Vinothek (mit angegliedertem Bistro). Dort geht es um moselländische Weinkultur. Im Weinmuseum sind alte Geräte und Werkzeuge der Winzer zu sehen. Zum Finale gibt es ein Glas Rebensaft. Und ein Prost auf den großen Denker, der gegen derlei irdische Genüsse sicher nichts einzuwenden hätte. Schließlich war er der Sohn eines Winzers.

INFORMATIONEN

AUSKUNFT
Touristinformation, Gestade 5
54470 Bernkastel-Kues
✆ 06531/4023 ✆ 7953
Mittelmoseltouristik, Schanzstr. 35
54470 Bernkastel-Kues
✆ 3075 ✆ 3077
@ www.bernkastel-kues.de
Cusanus-Geburtshaus , Nikolausufer 49
(Ortsausgang Kues,
Richtung Lieser/Trier),
✆ 06531/2831
@ www.nikolaus-von-kues.de
Ruhetag Montag.

ANFAHRT
A 48 Koblenz-Trier bis Wittlich, dann
über die B 50 nach Bernkastel-Kues.
An der Mosel entlang von Koblenz
nach Trier.

TOUR-TIPP
St. Nikolaus-Hospital Cusanusstift
(Führungen, Kulturprogramm/
Moselfestwochen), Cusanusstr. 2
✆ 06531/2260 ✆ 94087
Weinkulturelles Zentrum (Vinothek,
✆ 06531/4141).
Wandern von Bernkastel vorbei
an bekannten Weinlagen wie
„Bernkasteler Doktor" nach
Traben-Trarbach

EINKEHR-TIPP
Waldschenke
„Zur eisernen Weinkarte"
✆ 06531/6633
Im Sommer kein Ruhetag.

Geschichtsträchtig: Ein Bummel durch Bernkastel-Kues.

Rote Erde

Reise in die Erde: Erzmuseum Neufchef.

„Allez-hopp" ! So schickt der ehrenamtliche Museums-
präsident Antoine Bach seine Gäste auf die Reise. Auf eine
Reise durch fast zwei Jahrhunderte Eisenerzbergbaugeschichte
in Lothringen. Und schon geht´s los. Ex-Bergmann Claude
Lubnau drückt noch schnell seine Zigarette aus und nimmt
sich dann der Gruppe an, begrüßt jeden per Handschlag
und versorgt ihn mit einem Schutzhelm. Anderthalb Stunden
dauert der Rundgang durch die unterirdische Welt der
Grubenarbeiter. Auf 1,5 Kilometer Länge erlebt der Besucher die Geschichte und den
technischen Fortschritt des Erzabbaus von 1820 bis in die heutige Zeit.

Claude Lubnau weiß, wovon er spricht. Er war selbst 32 Jahre unter Tage. Der dunkle
Schlund des Stollens verschlingt die Besuchergruppe. Das Tageslicht verschwindet
schnell. Es ist kalt. Überall tropft Grundwasser von der Decke. Und es riecht nach
Eisen. Ja, wirklich, man kann das Eisen riechen. Der Bergmann erzählt von seiner
Bronchitis, die er mit fast all seinen ehemaligen Kollegen teilt: „Sommer wie Winter
haben wir dieselbe Temperatur, so zwischen 6 und 10 Grad." Verschwitzt und
ständig Luftzügen ausgesetzt, hat die knüppelharte Arbeit bei den Leuten Spuren
hinterlassen. Auch das Gehör tut´s nicht mehr so gut. Sprengungen, das Getöse der
Maschinen, verstärken sich in der akustischen Enge der Stollen. Wie lang die Gänge,
hintereinander gedacht, überhaupt sind, weiß Claude gar nicht. „Wahrscheinlich
bis nach Paris", vermutet er. „Vielleicht sogar bis nach Moskau", übertreibt Antoine
Bach schmunzelnd. Das Leben der Grubenarbeiter zu Beginn des Abbaus um 1820
war extrem hart. Mit Trage-Körben wurden die schweren Erzbrocken aus der Mine
geschafft. Väter schufteten mit ihren Kindern zwölf Stunden pro Tag und mehr.
Zwar hat der Fortschritt der Technik die Arbeit immer etwas mehr erleichtert, ein
Zuckerschlecken ist sie nie geworden.

30 Maschinen und Anlagen, von der Karussell-Wasserpumpe (1878) über einen
Schleuderlader (1935) bis zum modernen Eisenerz-Zug mit E-Lok, können bestaunt
werden. Aber auch die technische Trickkiste kennen Claude Lubnau und seine
Kollegen aus dem Effeff. Wurde anfangs noch mit Schwarzpulver „geschossen", so
sprengte man später mit Luft. Wie bitte? Na ja, mit flüssigem Sauerstoff, mit dem
eine Mischung aus Sägemehl und Torf getränkt wurde. Die leichten Patronen kamen
in die Bohrungen im Fels. Lunte dran, angezündet. Bumm! Besonders spektakulär für
Kinder ist die Simulation einer Sprengung. In einer Außenausstellung sind weitere
schwere Fahrzeuge und Maschinen zu besichtigen, ein kleines Museum bringt
dem Gast viele Facetten des Eisenerzabbaus näher. Ein Teil präsentiert die geologischen Grundlagen des Materials Eisenerz und seine Verarbeitung, ein zweiter das
Handwerkszeug des Minenarbeiters und ein dritter sein Leben in der Gesellschaft.
Und „allez-hopp", schon geht´s mit Verve zum nächsten Exponat.

INFORMATIONEN

AUSKUNFT

*Ecomusée des Mines de Fer de Lorraine
Musée de Neufchef
Lieu dit Haméviller, 57700 Neufchef
☏ 0033/3828/44510 ☏ 3828/57655
@ www.musee-minesdefer-
lorraine.com, geöffnet ganzjährig,
außer montags täglich von 14 bis
18 Uhr. Führungen in Deutsch auf
Anfrage, Kinderspielplatz am Haus.*

ANFAHRT

*Über die A 31 die Abfahrt Nr. 42
„Hayange", dann Richtung Neufchef*

TOUR-TIPP

*Le Musée d´ Aumetz (an der A
30 Richtung Longwy): gehört zum
Eisenerzmuseum, steht auf früherem
Grubengelände mit intakten
Förderanlagen und Maschinen,
Infos siehe oben,
Entspannungsbad „Thermapolis" in
Amnéville (▶ SEITE 38).*

EINKEHR-TIPP

*Restaurant „Relais du Musée"
☏ 0033/382847437, direkt im Museum
in Neufchef, gutbürgerlich.
Ruhetag Montag.*

Wo einst „Sosies Lies" lebte

Schmieden live.

Mit dem großen Blasebalg hat er das Feuer ange-facht. Jetzt greift der alte Schmied zur Zange, nimmt das rot glühende Stück Eisen aus den Flammen, legt es auf den Amboss und formt mit gleichmäßi-gen, hellklingenden Hammerschlägen ein kleines Hufeisen ... Wenn Nikolaus Schiffer (75) in der alten Nagelschmiede arbeitet, dann scheint die Zeit ste-hen geblieben zu sein. Ein Gefühl, das einen im Freilichtmuseum Roscheider Hof in Konz immer wieder packt: Hier wird ein Ferientag schnell zu einer Reise in die Vergangenheit. Rund um den schiefergedeckten Roscheider Hof, ein Gut, dessen Ursprünge im 14. Jahrhundert liegen, wurden Häuser und Gehöfte originalgetreu wieder aufgebaut, die an ihrem alten Standort keine Zukunft mehr hatten. Und genauso, wie es früher war, gibt es rund um Rathaus, Schule oder Backhaus viele Obstgärten, Felder und Wege.

Die Häuser sind eingerichtet, und alles ist wieder da, wo es hingehört: Das Butterfass in der Küche und die Wärmeflasche im Bett. Vor allem aber ist dieses Museum belebt. In der Backstube wird Teig geknetet, und in der Schmiede arbeitet immer noch emsig der alte Hof- und Wagenschmied Nikolaus Schiffer, denn heute sind viele Kinder da, die alle ein frisch geschmiedetes Hufeisen zur Erinnerung mitnehmen möchten. Das kleine Haus, das die alte Hunsrücker Schmiede beherbergt, wurde 1807 in Irmenach erbaut. Hier lebte der Tagelöhner Michel Franz, dessen Tochter Susanna drei uneheliche Töchter auf die Welt brachte. Auch ihre älteste Tochter bekam eine uneheliche Tochter, die – kaum zwanzigjährig und unverheiratet – Mutter einer Tochter wurde. Sie nannte das Mädchen Susanna Elisabetha Franz, die Leute in Irmenach riefen sie „Sosies Lies". Bis 1918 lebte Sosies Lies in dem kleinen Fachwerkhaus und verdiente ihr Brot als Botenfrau. Jede Woche ging die fleißige, kleine Frau mit einem Handkarren nach Trarbach und verkaufte Butter.

Getreu der Familientradition bekam Sosies Lies einen Sohn und trug niemals einen Ehering. Erst nach ihrem Tod wurde ihr Haus zur Schmiede umgebaut. Das vielfältige Freilichtmuseum gibt keinen Moment vor, die „gute alte Zeit" im rosig verklärten Licht der Erinnerung wieder auferstehen zu lassen. Statt romantischer Nostalgiegefühle bekommt der Besucher ein deutliches Bild davon, wie mühsam und karg das Leben in vergangenen Tagen für die meisten Menschen war. Für die meisten – nicht für alle.

Der verspielte kleine Pavillon, der jetzt im Rosengarten steht, erzählt von den Mußestunden, die ein paar Glückliche darin einst verträumen durften. Auf dem Dach der verschnörkelten Laube schwingt ein kleiner Narr seine blau-weiß-rote Pritsche und zeigt noch immer ganz diskret, dass sein Besitzer einst viel von den Idealen der französischen Revolution hielt.

INFORMATIONEN

AUSKUNFT

Volkskunde- und Freilichtmuseum Roscheider Hof, 54329 Konz
☎ 06501/9271-0 🖷 9271-11
Es gibt Führungen zu verschiedenen Themen, unbedingt vorher anmelden.
📧 www.RoscheiderHof.de
Das Museum ist ganzjährig von Dienstag bis Freitag 9 bis 18 Uhr, Samstag, Sonntag und feiertags von 10 bis 18 Uhr geöffnet.

ANFAHRT

Von Trier über die B 419 Richtung Konz, kurz hinter dem Ortseingang den (kleinen) Schildern folgen. Das Freilichtmuseum liegt auf einer Anhöhe hinter dem Neubaugebiet Konz-Roscheid.

TOUR-TIPP

In Konz kann man bei der Kirche St. Nikolaus die Ruinenreste einer spätrömischen Kaiservilla ansehen. Am Ortsausgang Richtung Trier lohnt sich ein Halt bei dem ehemaligen Kloster Karthaus. Auf der anderen Moselseite liegt Schloss Monaise.
📧 www.schloss-monaise.de

EINKEHR-TIPP

Die Museumsgaststätte „Hofschänke" im Freilichtmuseum bietet landestypische Spezialitäten
☎ 06501/600876, kein Ruhetag.

AUSKUNFT

Rheinisches Landesmuseum
Weimarer Allee 1, 54290 Trier
℡ 0651/97740 ℡ 9774222
@ www.landesmuseum-trier.de

ANFAHRT

Von Koblenz auf der A 48 Richtung
Trier, Trier Verteilerkreis Richtung
Alleenring. Auf die Südallee, dem
Parkleitsystem folgen ins Parkhaus
Mustor. Vor dem Museum nur
beschränkte Parkfläche.

TOUR-TIPP

Durch den idyllischen Palastgarten
mit dem kurfürstlichen Rokoko-Palais
und seinem seidig-schimmernden
Schieferdach zu den Kaiserthermen
(▶ SEITE 70), der jüngsten
Thermenanlage Triers, schlendern.

EINKEHR-TIPP

Café im Landesmuseum. Bei schönem
Wetter kann man draußen unter
Palmen und Sonnenschirmen Kaffee,
Kuchen und kleine Snacks genießen.
Spezialität: Eifler Beerentorte.
℡ 0651/73465. Öffnungszeiten:
11 bis 18.30 Uhr.
Im Winter Montag Ruhetag.

Goldige Schätze

Es war einmal ein Baggerfahrer, der eines schönen Tages, genau gesagt am 9. 9. 1993, zum Goldgräber wurde – ohne dass er es merkte. Denn wie in Trier fast schon üblich, – entwickeln Bauarbeiten mitunter eine ungeahnte Eigendynamik, so auch in diesem Falle. Als in der Feldstraße die Erde für ein Parkdeck aufgebuddelt wurde, riss die Baggerschaufel ein bauchiges Bronzegefäß, randvoll mit Goldmünzen gefüllt, auseinander. Ein Teil des Aushubs inklusive der goldigen Schätze landete am Rand der Baugrube, der andere erst auf einem Lastwagen und dann als Aushubmaterial bei einem Berghotel am gegenüberliegenden Moselufer.

Schon ein paar Stunden später wähnten sich Hobby-Archäologen als wahrhaftige Schatzsucher, als sie Hunderte von römischen Goldmünzen, so genannte „Aurei", in den schlammverschmierten Händen hielten. Abends wurden in der Baugrube selbst das Unterteil des Bronzegefäßes und mehr als 2000 Goldmünzen gefunden. Das Rheinische Landesmuseum wurde informiert. Das Goldfieber hatte sich wohl rumgesprochen, denn 14 Tage dauerte es, bis 2517 Aurei von insgesamt 19 Personen wieder zusammengetragen werden konnten. Knapp 50 der güldenen Münzen sind wahrscheinlich immer noch in privatem Besitz. Damit ist der spektakulärste und größte Goldfund in Münzen aber immerhin zu 98 Prozent in öffentlicher Hand. Der umfangreichste Aureus Schatz der römischen Kaiserzeit, der je gefunden wurde, ist von „unschätzbarem" Wert und ruht jetzt sicher hinter Panzerglas im Münzkabinett des Landesmuseums in Trier. Deutlich zu sehen: die blankpolierten Goldstücke in erstaunlich gutem Zustand sowie der zerbrochene Krug aus Bronze, dekorativ auf einem Erdhügel platziert. Doch die güldenen Münzen sind mitnichten die einzigen Schätze, die sich in den Vitrinen des Trierer Museums am Palastgarten tummeln. Von der Vorgeschichte bis heute wandern Funde aus dem Trierer Land hinter die Museumsmauern. Der Schwerpunkt liegt dabei klar auf Stücken aus der Römerzeit. Gläser, Tassen, Töpfe, eherne Fibeln, Kämme aus Knochen, Dachbedeckungen aus Schiefer und Modellanlagen geben einen Einblick in das Leben von Caesar und Co. Dass sich die Römer schon am Rebensaft labten, haben findige Mitarbeiter des Landesmuseums 1986 nachgewiesen – mit Traubenkernen (▶ SEITE 78). Zwar wurden schon rund zehn Jahre früher in Maring-Noviand in den Überresten eines römischen Gutshofes Kelteranlagen entdeckt, doch erst in Piesport fand man als letzten Beweis die verkohlten Kerne, die eine Weinherstellung zu Römerzeiten auch wissenschaftlich belegen. In der eigenen „Weinausstellung" findet man Kelche und Karaffen, die besagten steinigen Keltersteine und sogar Sarkophagdeckel mit Motiven aus dem Weinbau. Über all dem wacht Succellus, der keltische Weingott, der angesichts des Treibens rund um die Trauben ein zufriedenes Lächeln aufgesetzt hat.

Ein Goldschatz: Aurei in Trier.

FLUGZEUG MUSEUM
HERMESKEIL

Parade der Himmels-Giganten

Technik zum Anfassen im Flugzeugmuseum.

Die Fliegerei hat schon immer fasziniert. Ob es das erste selbst gebastelte Modellflugzeug ist oder der fulminante Start in einer Boeing Richtung Urlaubsziel. Ein Dorado für Freunde der Fliegerei ist die Flugausstellung Junior in Hermeskeil. Auf einer Fläche von 75 000 Quadratmetern sind 105 komplette Fluggeräte und 80 Motoren aus verschiedenen Epochen und Ländern zu besichtigen. In vier großen Hallen präsentiert sich Luftfahrttechnik hautnah. Riesige Sternmotoren, Strahltriebwerke, Cockpits, Instrumente, Schleudersitze und vieles mehr ziehen den Besucher in ihren Bann. Den Wissensdurst stillt außerdem ein Querschnitt durch die Entwicklung des Flugzeugbaus und der Fliegerei. 1973 hat der Westerwälder Leo Junior die Ausstellung im Hochwald eröffnet. Mit einem Hubschrauber, einer Percival Pembroke (kleine Passagiermaschine) und einem 1:6-Modell der Saturn 5-Rakete hat alles angefangen. Zusammen mit Sohn Peter und Ehefrau Maria hat er im Laufe der Jahre und mit unbändigem Fleiß und Ehrgeiz eine Sammlung an aeronautischen Leckerbissen zusammengetragen, die heute als größte private flugtechnische Ausstellung in Westeuropa gelten kann. Erstaunlich, dass fast alle Exponate noch voll flugtauglich sind, haben sie doch schon viele tausend Starts hinter sich. So zum Beispiel die Junkers Ju 52, die als „Tante Ju" genauso in die Geschichte eingegangen ist wie die Douglas DC 3 als „Rosinenbomber" und meistgebautes Flugzeug der Welt. Die Älteren erinnern sich sicher auch noch an die Lockheed Super Constellation, mit der Adenauer 1955 zu Verhandlungen nach Moskau geflogen ist. Von außen und innen kann man das größte Flugzeug der Parade bestaunen: Die Vickers VC 10 eines Scheichs aus den Vereinigten Emiraten. Die Anfänge der Luftfahrtgeschichte dokumentieren Repliken von Otto Lilienthals „Normalsegelapparat", die Bleriot XI oder die Focke Harz I. Und obwohl das flugtechnische Museum an der Hunsrückhöhenstraße keine Waffenschau ist, stehen auch Kampfflugzeuge auf dem Programm. Die Lockheed F-104 G „Starfighter" ist dem fachkundigen Interessenten ebenso ein Begriff wie die McD F-4 C „Phantom II" oder die Dassault Mirage 5F. Und auch sowjetische Juwelen der Lüfte dürfen nicht fehlen. Die MiG 23 BN beispielsweise ist nur eine von zahlreichen Maschinen aus Osteuropa. Der Star jedoch ist ein Gigant: Ein Mil Mi-6, der bis 1985 größte, schnellste und schwerste Hubschrauber der Welt. 75 Mann Besatzung oder zwölf Tonnen Material passen hinein. Auf dem Überführungsflug von Sibirien in die Hochwaldmetropole (4500 km) verbrauchte der 42-Tonnen-Koloss 50 Tonnen Treibstoff. Voll gepackt mit all den Impressionen und Informationen möchte man sich zwischendurch auch mal entspannen und Energie tanken. Kein Problem, bietet die Flugausstellung Junior ihren Gästen doch ein Café an ungewohntem Ort, in einem Ausstellungsstück, das nie in der Luft war, im Innern einer Concorde. Aus 80 Tonnen Stahl hat der leider schon verstorbene Leo Junior das Überschall Flugzeug fast maßstabsgetreu nachgebaut. 150 Bistro-Gäste finden darin Platz. Und wenn der Hochwald-Wind den Vogel ein wenig schwingen lässt, fühlt man sich, als würde man tatsächlich fliegen.

INFORMATIONEN

AUSKUNFT
Flugausstellung Junior
Hunsrückhöhenstr.
54411 Hermeskeil II
☎ 06503/7693 ☏ 3410
@ www.flugausstellung.de
Öffnungszeiten: 1. April - 1. November
von 9 bis 18 Uhr, kein Ruhetag.

ANFAHRT
Über die A1, Abfahrt Reinsfeld,
über die B 327 (Hunsrückhöhenstraße)
direkt gegenüber der Abfahrt
Hermeskeil.

TOUR-TIPP
Informationszentrum Naturpark
Saar-Hunsrück, Erlebnismuseum
„Mensch & Landschaft"
Trierer Str. 51, Hermeskeil
☎ 06503/95172 ☏ 95173
@ www.naturpark.org
Pony reiten, Boot fahren, wandern
rund um den Keller See.
Besuch des Dampflock-Museums in
54411 Hermeskeil
☎ 06503/1204

EINKEHR-TIPP
Restaurant „Zum Erbeskopf"
Langer Markt 4, Hermeskeil
☎ 06503/1222
Gut bürgerliche Küche,
Ruhetag Samstag.

Alte Schätze im Weinmuseum.

Rund um die Rebe

Der Wein – seit Generationen prägt er die Landschaft und die Menschen an der Mosel. Gute Weine sind keine Getränke, die man einfach konsumiert, sondern gute Weine sind Genuss. Farbe, Geruch und Geschmack – die simple Formel des Horaz gilt heute noch für alle Kenner. Die Weingeschichte an Mosel, Saar und Ruwer ist 2000 Jahre alt, und wer auf einen Blick alles über Wein und seine Herstellung erfahren möchte, der geht bei Dieter Schlagkamp in Senheim auf Entdeckungsreise: Mit einer „flüssigen Eintrittskarte" (dahinter verbirgt sich ein Glas Wein) in der Hand beginnt die kleine Museumstour. Vom fürstlich ausgestatteten, sprich möblierten, Hochzeits-, Theater- und auch Tanzsaal über weite rebenbestückte Gartenanlagen bis zum Keller mit hölzerner Weinleitung aus dem endenden 18. Jahrhundert dreht sich hier alles um Trauben- und Rebensaft. Seit fast 40 Jahren sammelt Dieter Schlagkamp Kulturelles wie Kurioses rund um den Wein. „Am Anfang war es eher willkürlich, dann erwachte der Ehrgeiz, und nun ist es der Wille zur vollständigen Sammlung", schmunzelt der Winzer. Mehr als 1000 Exponate hat der eifrige Sammler bisher zusammengetragen, von der Keltenzeit bis heute: Werkzeuge, Flaschen und Gläser, Etiketten, Bücher, historische Dokumente, Motoren, Keltern. Unter dem Altdeutschen Schieferdach ist nun alles liebevoll untergebracht, um von staunenden Besuchern entdeckt zu werden. Am besten, wenn der Chef des Hauses selber führt – denn seine Anekdoten, seine hintergründigen Geschichten und sein Sachverstand lassen die Zeitreise durch 2000 Jahre Weingeschichte zu einer kurzweiligen Tour werden. Vor allem im Keller erwarten die Gäste wahre Raritäten. Dazu zählt ein über 100 Jahre altes Glasfass. und eine alte, über den Boden führende Weinleitung, die es außer in Senheim nur noch in Würzburg auf der Marienburg zu bewundern gibt. Ein besonderes Erlebnis ist der Spaziergang durch den Garten: In der „Vin Arena" wurden alle alten Reben nachgepflanzt, die es jemals an der Mosel gab. Doch was wäre ein Weinmuseum ohne den Wein? Dieter Schlagkamp bietet gleich mehrere Erlebnisweinproben an mit erlesenen Tropfen des eigenen Gutes. Oder er lädt zur vergnüglichen Weinunterhaltung „Bacchus und Lukullus" ein.

INFORMATIONEN

AUSKUNFT

Weinmuseum Stiftung
Schlagkamp-Desoye, Zeller Str. 11 - 13
56820 Senheim
02673/4381 4351
www.schlagkamp-desoye.de

ANFAHRT

Von Cochem aus über die L 98 nach Senheim. Das Weinmuseum Schlagkamp-Desoye liegt mitten in Senheim und ist gut ausgeschildert.

TOUR-TIPP

Von Senheim aus Richtung Zell nach Alf. Dort auf die Burg Arras (► *SEITE 110*) mit Museum. Zu sehen sind alte Waffen, Rüstungen, mittelalterliche Gebrauchsgegenstände, Sammlung von historischen Moselansichten und der Nachlass des ehemaligen Bundespräsidenten Heinrich Lübke mit persönlichen Erinnerungsstücken und Geschenken ausländischer Staatsoberhäupter wie Charles de Gaulle, Elizabeth II. oder Sirikit.

EINKEHR-TIPP

Gasthaus Zum Schinkenkeller
Brunnenstr. 9, 56820 Senheim
02673/4270 02673/4601
www.schinkenkeller.de
Ruhetag Montag. Ab Ostern täglich ab 11.30 Uhr. Januar, Februar geschlossen.

◆

Moselweinstraßen

► „ELBLING-ROUTE": *OBERMOSEL ZWISCHEN PERL UND TRIER.*

► „SAAR-RIESLING-STRASSE": *VON SERRIG BIS KONZ.*

► „RUWER-RIESLING-WEINSTRASSE": *STEILLAGEN ZWISCHEN RUWER UND SOMMERAU.*

► „MOSELWEINSTRASSE": *MAL LINKS, MAL RECHTS VON PERL BIS KOBLENZ.*

Warm ums Herz

Brigitte und Kurt Bergen zeigen Puppengeschichte.

Geradezu magisch werden die Besucher des Moseldörfchens Neef von einem etwas windschiefen, aber hübsch restaurierten Fachwerkhäuschen angezogen. Angekommen vor der Tür, erkennt man den Grund: Ein schelmisch dreinblickender, kuscheliger Teddybär in Kleinkind-Größe lädt ins Puppen- und Ofenmuseum ein. Wer kann dieser herzigen Einladung schon widerstehen? Und es lohnt sich, die umfangreiche und vielfältige Privatsammlung von Brigitte und Kurt Bergen anzuschauen. Das Paar lebt nicht nur vom Herzeigen und teilweise Verkaufen der Exponate, es lebt auch mittendrin. Warm ums Herz wird es dem Besucher beim Anblick von rund 50 Gusseisenöfen aus drei Jahrhunderten, Hausgeräten und Spielzeug aus Urgroßmutters Zeiten und zirka 350 Puppen und 120 Teddybären, die sich im ganzen Haus verteilen. Bereits im Flur sind reich verzierte Gussöfen aus der Jahrhundertwende zu bestaunen, die im Winter das Haus beheizen. Und in der Küche „thront" ein prachtvoller Kochherd aus der Zeit um 1900 auf gedrechselten Füßen, rundherum gekachelt im seltenen Windmühlen-Dekor. Alte Kochtöpfe, Backbleche und -formen, Holztröge und Löffelbleche vermitteln den Eindruck, als würde die Köchin jeden Moment in ihr Reich zurückkehren, um die große Familie zu bekochen. Zu jedem Stück aus seiner Ofensammlung kann der Hausherr eine Geschichte erzählen. Im Laufe von 20 Jahren Sammelleidenschaft hat er sich ein umfassendes Wissen über traditionelle Heiztechniken angeeignet. Er erklärt die Funktion von Etagen- und Kanonenöfen, die Anwendung von Schüreisen, Schäufelchen und Aschkästen sowie die Bedeutung der verschiedenen Ofenrohre. Es gibt dekorative Schranköfen, aufwändig verarbeitete Stubenöfen aus ehemaligen Bürgerstuben, schlichte, gusseiserne Kochöfen aus dem 19. Jahrhundert und zierliche Schneideröfen.

Und, wie könnte es anders sein, eine Puppenmutter aus der Sammlung von Brigitte Bergen macht sich an einem seltenen, noch funktionstüchtigen Kinderherd von 1840 zu schaffen. Aus dieser Zeit stammt auch die älteste Puppe im Neefer Museum, eine Porzellan-Schönheit mit traurigen Augen. Faszinierend ist es, den nachgebildeten Kindern aus verschiedenen Epochen ins Gesicht zu schauen. Egal ob ihr Antlitz aus Porzellan, Schildkröt, Kunststoff oder Pappmaschee geformt wurde, jedes hat seine eigene Ausstrahlung: Frech, brav, aufmüpfig, nachdenklich oder überheblich. Genauso wie die sehr unterschiedlichen Teddybären, die – rauhaarig oder kuschelig – mit ihren dunklen Knopfaugen kleine und große Museumsbesucher verzaubern.

INFORMATIONEN

AUSKUNFT
Puppen- und Ofenmuseum
Neugartenstraße 6, 56856 Neef/Mosel
☎ 06542/22154
Öffnungszeiten: November bis März
nach Vereinbarung, April bis Juni
Samstag und Sonntag von 13 bis 17
Uhr, wochentags nach Vereinbarung,
Juni bis Oktober täglich von 10 bis 17
Uhr. Auskünfte über weitere Museen:
Kulturbüro, Endertplatz 2
56812 Cochem,
☎ 02671/61161
@ irmgard.zimmer.kv@lcoc.de

ANFAHRT
Über die A 48 Ausfahrt Kaisersesch
nach Cochem, B 49 Richtung Trier.
Oder über die Hunsrückhöhenstraße
bis Abzweigung B 421 nach Zell.

TOUR-TIPP
Eine Wanderung von
Neef zur Peterskapelle.
Von dem Friedhof
(12. Jahrhundert) weiter
zum Aussichtspunkt
„Eulenköpfchen".

EINKEHR-TIPP
Gaststätte „Remise"
(gegenüber
Puppenmuseum)
☎ 06542/1383
Von 14 bis 17 Uhr
geschlossen.
Kein Ruhetag.

Museums-Café: Die Klapperburg.

Beste Bohnen

Wie so vieles im Leben entstand das Kaffeemühlen-Museum im Café „Klapperburg" in Beilstein durch Zufall. Als Gertrud Ostermann 1977 eines der alten Häuser im historischen Moselort kaufte, dachte sie zunächst nur daran, dort ein Gästehaus einzurichten. Doch Freunde ermunterten sie, ein Café aufzumachen: „Du kannst doch so gut backen." Die gelernte Gastronomie-Fachfrau wagte den Schritt und wünschte sich zur Eröffnung statt Blumen „irgend etwas, das mit Kaffee zu tun hat". Als Gegenleistung durfte jeder Gast, der ein Geschenk mitbrachte, kostenlos Kaffee schlürfen und Kuchen schlemmen. Da Gertrud Ostermann seit ihrer Kindheit Antiquitäten und Flohmarktartikel sammelte, dachte sie an gemütliche Moccatassen, bauchige Kaffeekannen oder niedliche Milchkännchen. Diese dekorativen Dinge brachten die ersten Gäste auch mit. Sie zieren heute die Regale und liebevoll gedeckten Tische. Doch dann kam eine alte Frau aus der Nachbarschaft mit einer schlichten Kaffeemühle aus Holz. Leider habe sie sonst nichts zum Verschenken, bedauerte sie. „Dieses Mitbringsel rührte mich ganz besonders und ist deshalb mein Lieblingsstück", erinnert sich die Beschenkte. Später stellte sich heraus, dass das Sammelobjekt aus dem Jahr 1724 auch die älteste der rund 375 Kaffeemühlen im Café „Klapperburg" ist. Im Laufe der Jahre fanden die unterschiedlichsten Kaffeemühlen aus aller Herren Länder einen Platz in der Sammlung: kleine Schrankmühlchen, prächtige Caféhaus-Mühlen mit großem Schwungrad, aus Holz, Porzellan oder Gusseisen, mit Schnitzereien oder Kacheln verzierte Tisch- oder Wandmühlen und die „griffigen" Küchengeräte, die Oma zwischen die Knie klemmte, um Kaffeebohnen „klein zu kriegen". Es gibt russische und ungarische Mühlen in eigenwilligen Formen und solche aus der Türkei, die den berühmten Mocca herstellten. Natürlich hat sich Gertrud Ostermann die meisten Kaffeemühlen selbst gekauft oder gegen andere Antiquitäten getauscht. Ständig ist sie auf der Suche nach neuen, interessanten Stücken: „Es gibt immer noch welche, die ich gern hätte." Wenn sie Alter oder Herkunft eines wertvollen Stücks vergessen hat, öffnet sie einfach die kleinen Schubladen, in denen Zettel mit allen Informationen stecken. Inzwischen hat Tochter Elke Götz das Handwerk der Konditorin erlernt und die Leitung des gemütlichen Cafés übernommen. Übernommen hat sie auch die Liebe ihrer Mutter zu historischen Gebrauchsgegenständen. Sie hegt und pflegt die Kaffeemühlensammlung, würde die verbliebenen leeren Eckchen des Cafés aber gern anderweitig dekorativ ausfüllen. Sie greift die Idee der Mutter auf: „Wer Utensilien rund ums Backen wie Kuchenbleche, Siebe, Tortenplatten oder Rührlöffel mitbringt, der kann bei mir kostenlos Kaffee trinken."

INFORMATIONEN

AUSKUNFT

Café-Pension „Klapperburg"
Bachstraße 33, 56814 Beilstein
℡ 02673/1417 🖷 1399
✉ www.cafeklapperburg.de
Geöffnet vom 1. April bis 1. November,
9 bis 18.30 Uhr, Ruhetag Montag.

ANFAHRT

A 48, Abfahrt Kaisersesch nach
Cochem, B 49 Richtung
Trier bis Beilstein.

TOUR-TIPP

Rundgang durch Beilstein, Klosterkirche
mit alter Orgel und schwarzer
Madonna, berühmte Filmtreppe.
Ausflug zur Burg Metternich.

EINKEHR-TIPP

Restaurant „Gute Quelle"
℡ 02673/1437 ✉ www.gute-quelle.de
Öffnungszeiten vom
1. April bis 1. November
täglich von 8 bis 24 Uhr,
kein Ruhetag.

Tolle Technik: Bahnmuseum.

EISENBAHNMUSEUM IN KOBLENZ

Auf der Couch von Charles

Behutsam streicht Toni Baurhenn über die auf Hochglanz polierte Wurzelholzvertäfelung. „Alles original, im Zustand der 30er Jahre", erklärt der pensionierte Zugführer mit funkelnden Augen. Hier, in der Halle des ehemaligen Lützeler Güterwagenausbesserungswerkes, auf den insgesamt 150 Gleismetern unter einem fast 100 Jahre alten Glaskuppeldach, schlägt das Eisenbahnerherz von Baurhenn und seinen Freunden der Bahn-Sozialwerk Freizeitgruppe Koblenz (BSW) fast sichtbar höher. Seit 1996 betreibt das Nürnberger DB-Museum eine Außenstelle auf dem ehemaligen Güterbahnhof in Lützel, die von den rund 15 aktiven BSW-Mitgliedern betreut wird. Gemeinsam haben sie es sich zur Aufgabe gemacht, historische Eisenbahnfahrzeuge zu erhalten. Sichtbar stolz auf diesen wirklich kostbaren Schatz schreitet Baurhenn durch den trotz seines Alters noch immer äußerst exklusiv wirkenden Salonwagen mit der nichts sagenden Nr. 10 208, aber einer umso bewegteren Geschichte. 1938 gebaut, erzählt Wolfgang Ihrlich, Vorsitzender der BSW-Gruppe Koblenz, verkehrte der Wagen im Einzeldienst für den damaligen Reichsbahndirektor Julius Dorpmüller. „Nach Kriegsende, ab 1948, wurde er dann vom Generaldirektor der britischen Zone genutzt, bevor der Wagen in den Besitz der DB überging", ergänzt Baurhenn. Während dieser Zeit beförderte das edle Stück dann seinen wohl berühmtesten Fahrgast: Beim Staatsbesuch von Königin Elizabeth II. im Jahre 1965 diente der Salonwagen im Verbund eines Sonderzuges als Quartierwagen für Prinz Charles. „Und im vergangenen Jahr wurde er bei den Filmaufnahmen zu Enemy at the Gates genutzt", fügt Baurhenn hinzu, was dem guten Stück eine von der Filmfirma finanzierte Neulackierung bescherte. Nicht weniger aufregend ist die Historie des 1937 gebauten Salonwagens auf dem Nachbargleis. Bei der Reichsbahn ehemals unter der Nr. 10 207 registriert, ist er als privater Salonwagen von Josef Goebbels eng verwoben mit dem wohl traurigsten Kapitel der deutschen Geschichte. Doch mit den Exponaten, die die BSW-Gruppe fast ausschließlich in Eigenarbeit restauriert hat oder in Stand hält, sind auch weitaus erfreulichere Begebenheiten verbunden: So reiste Willi Brandt 1970 im nicht minder imposanten Salonwagen 10 241, der ebenfalls in Lützel steht, zu seinem historischen Besuch nach Erfurt. Die Lützeler Außenstelle des DB-Museums hat sich jedoch nicht nur auf Salonwagen spezialisiert. So konnte sich die BSW-Gruppe erst kurz vor dem Jahrtausendwechsel über eine preußische T 3 Dampflok Baujahr 1904 freuen, „wahrscheinlich die einzige original erhaltene Lok dieser Baureihe überhaupt", vermutet Ihrlich. In einigen Jahren soll das gute Stück wieder in altem Glanz erstrahlen. So lange wird die Restauration der Lok wohl dauern, die viele Jahre auf einem Spielplatz des Kölner Zoos vor sich hin gerostet war. Supermodern mutet im Kontrast dazu ein Exemplar der 1926 gebauten E 16 Lok an, die erste elektrische Schnellzuglokomotive überhaupt, „die zu ihrer Zeit mit einem innovativen Einzelradantrieb und einer Höchstgeschwindigkeit von 120 km/h für mächtig Furore sorgte." Um den Besuchern der Außenstelle die Antriebsvarianten der verschiedenen Loks anschaulich präsentieren zu können, plant die BSW-Gruppe eine ständige Ausstellung von Antriebsmodellen in einem Nebenraum der Halle. Ab Frühjahr sollen die Miniaturen dort zu sehen sein.

INFORMATIONEN

AUSKUNFT

Offizielle Außenstelle des DB-Museums in Nürnberg

56070 Koblenz-Lützel

Schönbornlusterstraße 2 (auf dem Gelände des alten Bahnbetriebswagenwerkes), Info:

☎ *02621/7975*

Ein weiteres Dampflok-Museum findet sich in Hermeskeil (▶ BAND 5)

☎ *06503/1204*

ANFAHRT

B 9 Richtung Koblenz, Ausfahrt Koblenz Lützel, Richtung alter Güterbahnhof.

TOUR-TIPP

Besuch des Mittelrheinmuseums in Koblenz. Oder eine geführte Stadttour durch Koblenz.

EINKEHR-TIPP

Restaurant „Enchilada", Gerichtsstr. 2 56068 Koblenz

☎ *0261/1004666*

@ *www.enchilada.de*

Kein Ruhetag.

Das Mittelrhein-Museum.

Himmlische Aussichten

Da liegen, da hocken sie, die olympischen Göttinnen und Götter inmitten von Wolken an einer gedeckten Tafel. Und lassen es sich himmlisch gut gehen. Der kurtrierische Hofmaler Januarius Zick schuf diesen Entwurf für ein Deckenbild um 1780. Zu sehen ist es im Koblenzer Mittelrhein-Museum. Besagter Zick, der Kirchen und Schlösser (so die Koblenzer Residenz) ausmalte, Gemälde und Zeichnungen schuf – er spielt im Museum am Florinsmarkt eine zentrale Rolle, ist sozusagen Hauskünstler Nummer eins. Das Mittelrhein-Museum befindet sich im spätgotischen Kauf- und Tanzhaus (vor 1430 errichtet). Mit dem angebauten Schöffenhaus (ca. 1530) bildet es eine der schönsten Baugruppen der Koblenzer Altstadt. Der „Augenroller" unter der Turmuhr erinnert der Sage nach an den 1536 hingerichteten Raubritter Johann Lutter von Kobern. Götter hier, Ritter da – und mittendrin lächelt den Besucher eine Madonna mit nacktem Jesuskind nach süßlichster Art an. Auf einer Mondsichel steht die bemalte Holzskulptur. Historie, wohin man schaut: Unter dem Altdeutschen Moselschieferdach reichen die Sammlungen von der Vor- wie Frühgeschichte und Römerzeit über die Kunst des Mittelalters bis zum 20. Jahrhundert.

Natürlich sind Bilder und Skulpturen des Rheinlands besonders stark vertreten. Engländer eroberten im letzten Jahrhundert bekanntlich Städte, Ortschaften, Burgen und Ruinen der Region zwischen Koblenz und Mainz. Ausgesprochen malerisch, dem Romantischen zugeneigt, hielten reisende Künstler ihre Eindrücke auf Leinwand fest. Beispiel für viele: Ein George Clarkson Stanfield malte die Koblenzer Moselfront mit Balduinbrücke und Blick auf Ehrenbreitstein 1858. Auch Künstler dieses Jahrhunderts hielten den Rhein, die hiesige Szenerie, in Bildern fest. Stellvertretend hierfür Emil Noldes Rheinansicht mit Marksburg (1906). Oder George Grosz und seine „Friedvolle Rheinlandschaft" von 1915. Da ist dann von Romantik keine Spur mehr, da geht es bissig-satirisch zur Sache, da werden Klischees auf die Schippe genommen.

Bei Museumsbesuchern besonders beliebt ist die Abteilung „Niederländische Malerei". Hier fällt Lucas van Valckenborchs „Turmbau zu Babel" (1595) als Symbol für menschliche Anmaßung ins Auge. Beim Herausgehen ein kurzer Blick auf Emil Hundriesers Modell des Reiterstandbilds fürs Kaiser-Wilhelm-Denkmal (um 1897). Gar nicht weit entfernt von diesem Zeugnis der wilhelminischen Zeit in ganzer Wucht und Macht: der „echte", der höchst umstrittene Reiter vom Deutschen Eck.

INFORMATIONEN

AUSKUNFT

Mittelrhein Museum
Am Florinsmarkt 15-17, 56068 Koblenz
☎ 0261/1292520 📠 1292500
@ www.mittelrhein-museum.de
Ruhetag Montag.

ANFAHRT

Über die B 9 nach Koblenz. Dort mit Bus Linie 1, Haltestelle Florinsmarkt.

TOUR-TIPP

Besuch im Ludwig Museum am Deutschen Eck (moderne französische Kunst, Infos ☎ 0261/304040) und im Landesmuseum auf der Festung Ehrenbreitstein (Sonderausstellungen, ☎ 0261/71987).

EINKEHR-TIPP

Alte Weinstube „Zum Hubertus" Florinsmarkt (Nähe Museum) ☎ 0261/31177. Ruhetag Dienstag.

Närrische Kulturgeschichte(n)

INFORMATIONEN

AUSKUNFT
Rheinisches Fastnachtsmuseum
im Kehlturm des Fort Konstantin
56073 Koblenz. Öffnungszeiten:
samstags und sonntags 14 bis 17 Uhr,
in der Woche auf Anfrage.
☎ 0261/84496 oder 491201

ANFAHRT
Über die A 48, Ausfahrt Koblenz, weiter
über die B 9. Das Fort Konstantin
liegt direkt gegenüber vom Koblenzer
Hauptbahnhof an der B9.

TOUR-TIPP
Vom Fastnachtsmuseum ins Rheinische
Landesmuseum auf der Festung
Ehrenbreitstein. Von dort aus herrlicher
Blick aufs Deutsche Eck und den
Zusammenfluss von Mosel und Rhein
(► SEITE 152 UND BAND 1).

EINKEHR-TIPP
Sehr schöne Einkehrmöglichkeiten am
Görres-Platz, z.B. Fellinis am
Görresplatz, ☎ 0261/1002230

„Rucki Zucki", „Helau", „Olau" oder „Alaaf": Wenn zwischen November und Februar fröhliche Schlachtrufe und eingängige Schunkelmelodien durch Rhein- und Moseltal schallen, dann ist für die Narren zwischen Trier und Koblenz, Mainz und Köln die fünfte Jahreszeit ausgebrochen. Carne vale – dem Fleisch soll es gut gehen! Und das seit Jahrhunderten. In der Rhein-Mosel-Stadt aber geht es nicht nur während der tollen Tage hoch her, sondern jetzt das ganze Jahr: Im Kehlturm des Fort Konstantin unweit (und unübersehbar) des Hauptbahnhofes empfängt das Rheinische Fastnachtsmuseum Jecke wie Närrinnen zur Brauchtumsschau.

Die Geschichte lässt sich nahezu 800 Jahre zurückverfolgen. Die Metzger waren es in Koblenz, die den Grundstein fürs ausgelassene Treiben legten: Am Tage vor Aschermittwoch organisierten sie, die von den strengen Fastenregeln besonders betroffen waren, noch einmal Feste und Umzüge vom Feinsten, um sich den Wams vor den folgenden kargen Tagen mit den flüssigen und festen Genüssen des Lebens richtig vollzuschlagen. Gebaut haben die meterdicken Mauern, hinter denen nun Fastnachtsgeschichte ausgestellt wird, pikanterweise die Preußen – jene Herrscher der Rheinprovinz, die mit Karneval eigentlich nichts am Hut hatten. König Friedrich Wilhelm III. fand es beispielsweise überhaupt nicht komisch, als er 1834 erfuhr, dass zu „Coblenz ein öffentlicher Aufzug" veranstaltet wurde, weil er höchstpersönlich sechs Jahre zuvor jegliche „Carnevals-Lustbarkeiten" verboten hatte. In Lutzerath, wo den lustigen Weibern an Fastnacht 160 Liter Wein als Trunk zustanden, ließen die preußischen Obrigkeiten bereits 1821 den Hahn zudrehen. Die Damen probten den Aufstand und zogen vor Gericht, die Herren nahmen das preußische Militär fortan mit Orden, Uniformen, Fahnen, Zeptern und Säbeln auf die Schippe. Die Persiflage hat bis heute Tradition.

Die schönsten Stücke närrischer Pracht hat der Verein Fastnachtsmuseum Koblenz zusammengetragen und sie finden sich jetzt hinter 1,50 Meter dicken Mauern und auf 350 Quadratmeter Ausstellungsfläche. Klar, dass vor allem den Koblenzer Narren (denen die Freunde des Rheinischen Karnevals übrigens auch die „Funkenmariechen" verdanken) besonders viel Raum eingeräumt wird. Aber auch Düsseldorf und Köln, Bonn und Mainz sowie die alemannische Fasnacht werden dokumentiert. Glitzernde Orden und gigantische Schwellköpp, Bilder aus vielen Jahrzehnten, Büttenreden und Originaltöne lassen im Fastnachtsmuseum 52 Wochen im Jahr Stimmung aufkommen. In den Preußenturm des teilrestaurierten Fort Konstantin kehrten sogar die Kanonen zurück – sie feuern allerdings nur Konfetti ...

Bunte Kostüme im Fastnachtsmuseum.

Mit „Petra" fing alles an

OB TRIER, TRABEN-TRARBACH, BERNKASTEL ODER WINNINGEN: IM SONNENLICHT SCHIMMERNDE SCHIEFERDÄCHER PRÄGEN DIE DÖRFER UND STÄDTE LÄNGS DER MOSEL. SCHON DIE RÖMER VERWENDETEN VOR 2000 JAHREN FÜR IHRE BAUTEN SCHIEFER. DIESE HINWEISE HABEN SICH BEI DEN AUSGRABUNGEN RÖMISCHER FUNDSTÄTTEN IN JÜNGSTER ZEIT IMMER WIEDER VERDICHTET. LANGE ZEIT HATTE MAN BEI AUSGRABUNGEN DIE SICHERUNG VON BEFUNDEN ÜBER DIE EINDECKUNG RÖMISCHER GEBÄUDERESTE VERNACHLÄSSIGT. ZUM EINEN, WEIL SICH DIE MAUERRESTE IM ERDREICH BESSER KONSERVIERTEN, UND ZUM ANDEREN, WEIL IHRE FREILEGUNG IM MITTELPUNKT DER AUSGRABUNGEN STAND. HINWEISE AUF DIE VERWENDUNG VON SCHIEFERPLATTEN WURDEN EHER BEILÄUFIG ERWÄHNT ODER FANDEN SICH IN DARSTELLUNGEN VON GRABMÄLERN, KULTGEGENSTÄNDEN ODER MONUMENTEN. HEUTE WEISS MAN, DASS GERADE AUCH AN DER MOSEL SCHIEFER ZUR EINDECKUNG VON GEBÄUDEN GENUTZT WURDE. DABEI VERWENDETEN DIE RÖMER ZUNÄCHST EINE SECHSECKIGE SCHIEFERPLATTE MIT EINEM GROSSEN NAGELLOCH. DIESE „PETRA" (STEINE), WIE SIE VON DEN RÖMERN GENANNT WURDEN, ÄHNELN DER NOCH HEUTE GEBRÄUCHLICHEN SECHSECK-SCHABLONE. BEISPIELE HIERFÜR SIND DIE STADTMAUER DER AUGUSTA TREVERORUM IN TRIER, DIE TEMPELANLAGE LONGUICH BEI TRIER (▶ SEITE 104) ODER AUCH DAS KASTELL BEI NEUWIED. SELBST AUSONIUS BESCHREIBT SCHON IN SEINEM BERÜHMTEN LIED „MOSELLA" 365 N. CHR. DIE „SCHROFFAUFTRAGENDEN DÄCHER" DER DÖRFER AN DER MOSEL UND MEINT DAMIT SEHR WAHRSCHEINLICH DIE SCHIEFERDÄCHER DER MOSELORTE. PARADEBEISPIEL FÜR EIN SOLCH „SCHROFFAUFTRAGENDES DACH" IST DIE IGELER SÄULE (▶ SEITE 104 UND ▶ BAND 1). DAGEGEN WURDEN DIE DÄCHER DER SPÄTRÖMISCHEN BEFESTIGUNG AUF DEM KATZENBERG BEI MAYEN (▶ FOTO UNTEN) MIT SCHUPPENFÖRMIGEN DECKSTEINEN, DIE BEREITS DIE SEITEN- UND HÖHENÜBERDECKUNG BEI DEN RUNDEN DÄCHERN ERMÖGLICHTEN, GEDECKT. HEUTE NOCH IST DER KATZENBERG STANDORT DER GRÖSSTEN MITTELEUROPÄISCHEN SCHIEFERPRODUKTION FÜR DÄCHER UND FASSADEN.

Burgen

Bauten

Stätten

Schäfchenwolken am blauen Himmel und saftig-grüne Reben rund um die Mauern: Kloster Machern liegt in der Nähe von Zeltingen-Rachtig malerisch am Moselufer. Ein Bauwerk ohne Kirchenleute – denn bereits vor 200 Jahren verließen die Zisterzienserinnen das Stift, das heute ein weit über die Grenzen der Region bekanntes Kultur- und Weinzentrum beherbergt. Machern gilt als steingewordenes Zeugnis einer mehr als 750jährigen Kulturgeschichte und als eines der Glanzlichter moselländischer Architektur.

Sie waren schon immer Refugien der Einkehr und Besinnung, der Kunst und der Kultur, gelegen mitten im Grünen, hinter dicken Mauern und abseits von der Hektik der Zeit: Klöster. Vier Vorschläge für besinnliche Touren nach Machern, Springiersbach, Maria Martental und Maria Engelport.

Bereits vor mehr als 900 Jahren sollen an diesem Ort die ersten Gläubigen gebetet haben, und urkundlich lässt sich der Klosterbetrieb bis ins Jahr 1238 zurückverfolgen. Ein Ort der schönen Künste ist Machern bis heute geblieben. Die Saalkirche wurde zu einem Konzertsaal umgebaut, und unter dem Schieferdach treffen sich heute internationale Künstler. Im Klostergebäude selbst entstanden ein Weinmuseum und ein Restaurant. Einige Kilometer flussabwärts findet sich im Alftal, am Saum des Kondelwaldes, oberhalb von Reil und in unmittelbarer Nachbarschaft des kleinen Dorfes Bengel das Kloster Springiersbach, vielen Musikliebhabern ebenfalls ein Begriff. Seit vielen Jahren gibt es in der Kirche wie auch dem spätromanischen Kapitelsaal Konzerte mit bekannten Solisten und Orchestern. Auch hier: Musikalischer Hochgenuss unter tradtionsreichen Dächern. Springiersbach ist ein kleiner Konvent der Karmeliter, gegründet bereits im 12. Jahrhundert als Keimzelle einer Fülle anderer Klosterniederlassungen. Heute leben nur noch vier Ordensleute im Kloster. Sehenswert ist die Ende des 18. Jahrhunderts im Stil des Barock und Rokoko erbaute Klosterkirche, deren Inneres mit wunderschönen Deckenfresken in erdigen Tönen durch Pracht und Ausstattung den Besucher beeindruckt. Zu den Besonderheiten gehört auch das perfekt erhaltene, geschnitzte Chorgestühl, das dem Kirchenraum eine ganz besondere Atmosphäre verleiht.

Dabei ist die Barockkirche von Springiersbach nicht alt: 1940 war sie durch einen Brand zerstört worden. Noch während der Kriegswirren begann ihr Wiederaufbau. Einzelexerzitien, geistliche Begleitung, Tage der Stille, Meditation: Auch das ist Springiersbach. Im Exerzitienhaus „Carmel Springiersbach" kommen Menschen zur Ruhe und gewinnen Abstand vom Alltag. Das gilt auch für das Kloster Maria Martental, nahe Kaisersesch. Gerade für Jugendliche ist dieses Kloster hoch über der Mosel zu einer wichtigen Stätte der Besinnung und Ruhe geworden. Der Jugendhof mit Tagungs- und Gruppenräumen lädt Schulklassen, Jugendgruppen, junge Familien, Studenten und junge Erwachsene zu Besinnung, Freizeit und Erholung ein. Doch nicht nur dafür ist Martental bekannt. Das Kloster ist eine alte Wallfahrtsstätte. Seit der Mitte des 15. Jahrhunderts wird hier die Pieta unter dem Titel „Königin der Märtyrer im Tal der Märtyrer" verehrt. 1934 wurde eine neue Wallfahrtskirche eingeweiht, die 1973 erweitert wurde. Seit 1927 betreuen die Herz-Jesu-Priester die

HINTER KLOSTERMAUERN

der Stille

AUSKUNFT

HOFGUT KLOSTER MACHERN GMBH
an der Zeltinger Brücke
54470 Bernkastel-Wehlen. Verwaltung:
📞 *0651/970640* 📠 *9706416*
@ *www.tbv-1864-ag.de*
Weinstube im Klosterhof
📞 *06532/953175* 📠 *953182*
Karmel Springiersbach
Karmelitenstr. 2, 54538 Bengel
📞 *06532/93950* 📠 *939580*
@ *Karmel.Springiersbach@t-online.de*
**Exerzitien- und Bildungshaus,
Wallfahrtsort, Oblatenkloster Maria
Engelport,** *Flaumbachtal 4*
56251 Treis-Karden, 📞 *02672/9350*
📠 *93540* @ *www.oblaten.de*
Kloster Maria Martental
56759 Kaisersesch
📞 *02653/98900* 📠 *989019*
@ *www.scj.de, Ruhetag Freitag.*

ANFAHRT

Kloster Machern *über die A 48, Abfahrt*
Wittlich auf die B 50 Richtung
Bernkastel-Kues, in Zeltingen-Rachtig
auf die B 53 Richtung Koblenz, erste
Ausfahrt ist Kloster Machern.
Kloster Springiersbach *über die A 48,*
Abfahrt Wittlich auf die B 49 Richtung
Zell, das Kloster ist ausgeschildert.
Kloster Maria Engelport *über die*
A 48 Abfahrt Kaifenheim Richtung
Treis-Karden, dort über die Moselbrücke
Richtung Mörsdorf, ab Treis-Karden ist
das Kloster ausgeschildert.
Kloster Maria Martental *über die*
A 48 Abfahrt Kaisersesch, dann
Richtung Cochem, das Kloster ist
ausgeschildert.

TOUR TIPP

Um die Klöster zahlreiche Wanderwege
mit schönen Strecken, so von Kloster
Martental aus durchs Tal der wilden
Endert oder bei Engelport durch das
Flaumbachtal.

EINKEHR TIPP

Restaurant Café Hotel Klostermühle
Siebenborn, Hofgut Keber
54484 Maring-Noviand
📞 *06535/7037* 📠 *943043*
@ *www.klostermuehle-siebenborn.de*
Dienstag Ruhetag.

Stille Stunden rund um das Kloster Springiersbach.

alte Wallfahrtsstätte. Wie nach Martental, so kamen auch nach Maria Engelport immer schon Menschen aus der ganzen Region zum Gnadenbild der Madonna mit dem Kind. Das Kloster, in einem Seitental der Mosel unweit von Treis gelegen, wurde bereits im 13. Jahrhundert als Damenstift gegründet, und während der französischen Revolution aufgelöst.

1903 erwarb die Gemeinschaft der Oblaten das Kloster. Zunächst als Noviziat der Ordenskandidaten genutzt, entwickelte sich Kloster Engelport auf Grund seiner ruhigen ländlichen Lage sowie seiner klösterlichen Atmosphäre zu einem beliebten Tagungs- und Exerzitienhaus. Das Flaumbachtal bietet zudem zahlreiche interessante Wanderwege durch eine wunderschöne Natur. Vier Klöster, alle unterschiedlich. Und doch haben sie eins gemeinsam: Sie sind steinerne Zeugen des religiösen Lebens der Moselregion. Und einzigartige Stätten der Stille.

Mit Adela geht´s auf Zeitreise.

Hightech bei Hofe

Vor uns steht Adela von Waldwisse im schlichten Kleid einer Hausdame – so wie die sympathische Grauhaarige auch vor 500 Jahren bei dem Erbauer von Schloss Malbrouck, Arnold VI. von Sierck, ihren Dienst versehen haben muss. Doch nicht nur die fesche Adela (im bürgerlichen Leben Renate Schmitt) hat sich gut gehalten angesichts ihres biblischen Alters, auch das Gemäuer mit dem seidig-glänzenden Schieferdach erscheint taufrisch. Ist es auch, denn nachdem das Schloss im 30-jährigen Krieg mächtig gelitten hatte und nach den Weltkriegen zur Ruine degradiert wurde, erstrahlt es seit 1998 in neuem Glanz. Nach überlieferten Zeichnungen wurde Stein auf Stein gesetzt und das Schloss originalgetreu wieder aufgebaut. Im Gegensatz zu anderen Gemäuern besticht auf Schloss Malbrouck zwischen Sierck lès-Bains und Merzig die Symbiose aus Alt und Neu. Waschbeton und Kalkstein gehen Hand in Hand, Hightech hat bei Hofe Einzug gehalten: Mit einer multimedialen Darbietung wird die Geschichte des Anwesens aufgearbeitet. Abgesehen von den Führern, die alle eine historische Person verkörpern, wird mit 3D, lebensechten Projektionen, Licht- und Toneffekten gearbeitet.

Mit unserer Zeitreise, die im 15. Jahrhundert startet und im 20. Jahrhundert endet, beginnen wir im Laternenturm, der uns die Geschichte der Familie von Sierck erschließt. Im mystisch klingenden Hexenturm erwartet uns ein modernes Stahlmodell des Schlosses und im Turm des kahlen Felsens der Marschall Luis Hector Villars, der plötzlich als Projektion mit Federkiel und Perücke an seinem Schreibpult erscheint und die legendäre Schlacht von Manderen, bei der es nie zum Kampf kam, aus seiner Sicht erzählt. Durch den plötzlichen und unerwarteten Rückzug des Herzogs von Malborough, der sich im Schloss einquartiert hatte, fiel Villars das Anwesen im Juni 1705 in die Hände. Auf dem Weg zum runden Turm stoßen wir auf ein leuchtendes und sprechendes Modell, das den Moselfeldzug noch mal detailliert in Szene setzt. Nur ganze zwölf Tage hatte sich der Herzog von Malborough, ein Vorfahr von Winston Churchill, im Schloss einquartiert, trotzdem gab er ihm seinen Namen. Und den kennt in Frankreich wirklich jedes Kind, schließlich ist das Kinderlied „Malbrouck s´en va ten guerre" (Malbrouck zieht in den Krieg) ihm und seinem zweifelhaften Schicksal gewidmet. Der vierte und höchste Turm bietet neben einer atemberaubenden Aussicht auch jede Menge Infos über den Wiederaufbau des schmucken Schlösschens. Voilà, wir sind im 20. Jahrhundert und damit am Ende unserer Tour retour. Adela verabschiedet sich. Für sie heißt es jetzt, wieder zurück in die Vergangenheit, denn die nächsten Zeitreisenden warten bereits.

INFORMATIONEN

AUSKUNFT
Château de Malbrouck, Rue du Château, 57480 Manderen
☎ *0033/38282/4292* 📠 *382824291*
📧 *www.moselle-france.com*
Öffnungszeiten: 4. März bis 22. Oktober, wochentags 10 bis 18 Uhr, am Wochenende von 10 bis 19 Uhr. 23. Oktober bis 3. Dezember: wochentags 10 bis 17 Uhr, am Wochenende 10 bis 18 Uhr. Dienstag geschlossen.

ANFAHRT
A 48 von Koblenz Richtung Trier, in Trier Bundesstraße Richtung Luxemburg/ Thionville/Metz, in Perl über die Grenze, nach Apach, Richtung Manderen.

TOUR-TIPP
Römische Villa zwischen Borg und Oberleuken (▶ AUCH SEITE 106), 15 Kilometer vom Schloss entfernt.
☎ *06865/1008* 📠 *1015*

EINKEHR-TIPP
„Le Clos de la Ravine" 16 Rue Nationale, 57480 Apach
☎ *0033/382836943* 📠 *382836931*
Öffnungszeiten: 12 bis 14, 18.30 bis 22.30 Uhr. Ruhetag Montag und Dienstag.

„Om Duhmstaan sei mer romgerötscht..."

Israel mag ja das Heilige Land und Rom die Ewige Stadt sein, der Heilige Rock jedenfalls ist im Dom zu Tier. Eingewickelt in Seide, liegt das wertvolle Stück in einer luftdicht verschlossenen Holzkiste in einer klimatisierten Kammer. Wann das viel diskutierte Stoffhemd der Öffentlichkeit gezeigt wird – und wahre Pilgerströme nach Trier zieht –, bestimmt allein der Bischof. Zuletzt wurde das nahtlose Hemd, das erwiesenermaßen aus der Zeit Jesu und auch der Region, wo sich Gottes Sohn aufgehalten hat, stammt, 1996 in einer Glasvitrine gezeigt. Ob Christus allerdings wirklich Besitzer des rot-braunen Stoffes war, ist unter Experten umstritten. Doch auch ohne Heiligen Rock ist der Dom mit seinen schiefergedeckten Türmen eine Reise wert. Präsentiert sich das eindrucksvolle Gemäuer von außen als kräftiges Bollwerk (mit Schießscharten), so gibt sich das Gotteshaus im Innern betont verspielt und pittoresk. Prunkvolle Pracht wie die 30 Tonnen schwere Schwalbennestorgel oder das wunderschöne Chorgestühl mit grünen Elfenbeinintarsien lassen Besucher in Glanz und Gloria schwelgen. Zahlreiche Altäre mit eindrucksvollen Skulpturen erzählen ihre eigene (Kirchen)-Geschichte. An der teils so unterschiedlichen Innenausstattung zeigt sich auch der Stilmix, dem der Dom mit seinen zahlreichen Baumeistern unterworfen ist. Vom 4. bis 18. Jahrhundert wurde gebaut und geändert, wie man beispielsweise an den ehemals breiten römischen Fenstern am Seitenschiff erkennen kann, die im Barock grazil verschmälert wurden. Mauer an Mauer mit der gotischen Liebfrauenkirche, dominieren die geschichtsträchtigen Gemäuer die Innenstadt von Trier. Apropos Geschichte: Wer sich am Eingangsportal des Domes über die liegende Granitsäule wundert, sollte einmal die Trierer nach ihrem „Domstein" fragen. Die meisten werden sofort die Anfangszeile des legendären Gedichtes rezitieren: „Om Duhmstaan sei mer romgerötscht ..." und dann die „wahre Geschichte" des teuflischen Brockens erzählen. So wollten die Trierer einen Dom bauen, kamen aber nicht so recht zu Rande. Also wurde der Teufel um Mithilfe gebeten. Sein Handel lautete: „Wenn ihr ein Wirtshaus baut, helfe ich Euch gern." Gesagt, getan, der Satan packte beim Bau fleißig mit an und merkte erst zum Schluss, dass statt der Biergläser klingende Glocken im Innern zu hören waren. Aus Wut über den Betrug schleuderte er die Granitsäule hernieder, um den Dom zu zerstören ... Doch schließlich waren es Kriege und Menschen, die den Dom teils in Schutt und Asche legten. Nach einer wechselvollen Geschichte und Restaurationen präsentiert sich das zähe Gemäuer heute als ältester Dom nördlich der Alpen – ob mit oder ohne Heiligen Rock.

Imposant und informativ: Der Dom zu Trier.

INFORMATIONEN

AUSKUNFT
Trierer Dom
☎ 0651/9790790 📠 9790799
@ www.trierer-dom.de
Führungen täglich um 14 Uhr.

ANFAHRT
Von Koblenz A 48 nach Trier,
Verteilerkreis Trier, dann dem
Parkleitsystem folgen.

TOUR-TIPP
Die berühmte Porta Nigra und die
Basilika, eine römische Palastaula, die
um 310 nach Christus wahrscheinlich
als Thronsaal diente und nun als erste
protestantische Kirche Triers genutzt
wird. Sie gilt als größter Einzelraum, der
aus der Antike erhalten ist.

EINKEHR-TIPP
Direkt gegenüber vom Dom:
Restaurant und Weinstube
„Zum Domstein"
(▶ SEITE 131)
☎ 0651/74490 oder 75565
Öffnungszeiten: 8.30 Uhr bis 24 Uhr.
Kein Ruhetag. Geschlossen vom 24. bis
26. Dezember und am 31. Dezember
ab abends. Spezialität: römisches Essen
(täglich ab 18 Uhr).

Römisches Grabmal: Igeler Säule

INFORMATIONEN

AUSKUNFT

Igel: Ferienregion Trierer Land e.V.

Moselstraße 1, 54308 Langsur

☎ 06501/602666 📠 605 984

@ www.vg-trier-land.de

Nehren: Kulturbüro officina

☎ 02675/255 📠 1625

@ www.Mosel-Event.de

Die Kammern können nach Abprache

besichtigt werden.

Bech-Kleinmacher: Entente Touristique

de la Moselle Luxembourgeoise

10 Route du Vin, L-6701 Grevenmacher

☎ 00352/758275 📠 758666

@ www.moselle-tourist.lu

ANFAHRT

Igel: Von Trier über die Römerbrücke,

links Richtung Wasserbillig, Luxemburg,

nach Igel. Die Säule liegt an der

Hauptstraße.

Nehren: Von Koblenz über die B 416

an Cochem vorbei, vor Nehren rechts

abbiegen Richtung Ulmen, Römergrab

ist ausgeschildert.

Bech-Kleinmacher: Von Trier Autobahn

Richtung Luxemburg, Ausfahrt

Wasserbillig, Richtung Remich, dann

Richtung Wellenstein.

Bech-Kleinmacher liegt zwischen

Remich und Wellenstein. Per Auto oder

zu Fuß geht es ganz hoch in die

Weinberge zum Grabtempel.

TOUR-TIPP

„A Possen" - Wein- und

Folkloremuseum in der Rue Sandt in

Bech-Kleinmacher: Winzerhäuser aus

dem 17. und 18. Jahrhundert dokumen-

tieren Leben rund um den Weinbau.

☎ 00352/697353. Öffnungszeiten:

1. Mai bis 31. Oktober von 14 bis 19

Uhr außer montags. Ansonsten freitags

und samstags, sonn- und feiertags von

14 bis 19 Uhr.

EINKEHR-TIPP

Haus Christoffel, Hochstraße 3

56814 Ediger Eller

☎ 02675/255 @ www.Mosel-Event.de

Öffnungszeiten: 11.30 bis 14,

17.30 bis 21.30 Uhr. Ruhetag Dienstag.

Zu bestimmten Terminen oder auf

Vorbestellung gibt es ein dreistündiges

römisches Festmahl.

Unsterbliche Römer

Die Römer wussten nicht nur das Leben zu genießen, sie haben es auch verstanden, ihrer Toten eindrucks- und würdevoll zu gedenken. Prächtige Grabkammern oder -tempel, in denen die Verstorbenen ihre letzte Ruhe fanden, zeugen noch heute davon. Eines der markantesten Relikte ist die Igeler Säule (▶ *SEITE 98 UND BAND 1, SEITE 119*), mit 23 Meter Höhe das größte erhaltene Pfeilergrab nördlich der Alpen und ein UNESCO-Weltkulturerbe. Ob die Tuchhändlerfamilie der Secundinier, die sich gegen 250 nach Christus schon zu Lebzeiten ein Denkmal setzte, auch unter dem prächtigen Pfeiler begraben liegt, ist nicht bekannt. Gebeine wurden nicht gefunden, wohl aber wurde bei Restaurierungsarbeiten um 1986 im Sockel an der Westseite eine kleine Gruft freigelegt, die mit je zwei Meter Höhe, Tiefe und Breite für Urnen hätte gedacht sein können. Dass die Säule so gut erhalten ist, verdankt sie der Legende, das Hauptbild stelle die Vermählung der Heiligen Helena mit Constantius Chlorus dar. Somit stand die Säule unter dem Schutz der Kirche.

Vom Grabmal zur Grabkammer: Beste Lage, denkt man, wenn man den Weg durch die Schieferweinberge oberhalb Nehrens zur Doppelgrabkammer einschlägt, die majestätisch über dem Moseltal thront. Die Grabtempel aus der zweiten Hälfte des 4. Jahrhunderts wurden aufwändig restauriert. Während eine Grabkammer einen Sarkophagtrog für einen Erwachsenen plus den Deckel eines Kindersarges beinhaltet (wahrscheinlich eine Familiengruft), ist die andere Kammer, der „Heidenkeller", der einzige erhaltene antike Raum im Rheinland, in dem die Wand- und Decken-Bemalung noch weitgehend vorhanden ist.

Nicht weit von den Tempeln, in denen die römischen Großgrundbesitzer bestattet sind, haben sie auch ihr Leben verbracht. Vermessungsarbeiten haben gezeigt, dass unter dem Weinberg zu Füßen der Kammern das Haupthaus verborgen liegt. Ebenfalls hoch im Weinberg (interessanterweise genau gegenüber der Villa von Nennig) steht die spätrömische Grabkammer des luxemburgischen Bech-Kleinmacher. Wie das Gebäude in Nehren gliedert sich das Denkmal in eine unterirdische Grabkammer und einen Aufbau eines kleinen Grabtempels mit Säulenvorhalle. Das Spektakuläre an der Anlage aus der ersten Hälfte des 4. Jahrhunderts sind die einzigartigen Funde. So kamen beispielsweise Fragmente von mehr als 100 verschiedenen Tongefäßen aus spätmerowingischer Zeit, zwei sehr seltene Silbermünzen aus der Zeit zwischen 680 und 720 (darunter eine angelsächsisch/friesische Handelsmünze aus der ersten Hälfte des 8. Jahrhunderts) und spätrömische Bronzemünzen zu Tage. Grabbeigaben – wie der Kreuzanhänger aus Bronze – belegen, dass das Christentum am Ende des 7. und Anfang des 8. Jahrhunderts im ländlichen Moselraum schon Fuß gefasst hatte.

Familienausflug:
Die Kaiserthermen.

IN DEN RUINEN DER
TRIERER THERMEN

Wo die Römer (nie) baden gingen

Feine römische Damen und durchtrainierte Herren, die sich Bad und Spiel hingeben. Man glaubt fast, sie zu sehen und zu hören, wenn sich die Füße durch die Trierer Kaiserthermen Schritt für Schritt der Vergangenheit nähern. Doch in der weitläufigen Badeanstalt, die unter Kaiser Konstantin im 4. Jahrhundert nach Christus begonnen und nie vollendet wurde, ging nie jemand baden. Als sich Konstantin nach Byzanz orientierte, verfiel der Rohbau des üppigen Badehauses, im Mittelalter musste er gar als Steinbruch herhalten. Doch auch die Ruinen des heutigen UNESCO Weltkulturerbes geben einen eindrucksvollen Einblick in die römische Badekultur, das, was wir heute Erlebnisbad nennen würden. Bilder von Tunika tragenden Menschen bei Sport und Vergnügen tauchen vor unserem geistigen Auge auf – und nicht zuletzt die Mosaike, die prachtvoll ondulierte Römer bei der Körperpflege zeigen und belegen, dass der Bikini mitnichten 1946 erfunden wurde ...

Dass sich die Römer als Architekten und Techniker auch nicht zu verstecken brauchten, belegen die Überreste des Caldariums (Warmwasserbades), der Kesselräume, Abwasserkanäle, Fußbodenheizung und Bediengänge. Und da man der Geschichte am besten am Ort des Geschehens nachspürt, lassen sich in den jüngsten Trierer Thermen heute Besucher bei Open-Air-Antikenfestspielen im stilechten Ambiente auf der Zeitachse zurückversetzen. Ein weiteres Zeitfenster öffnet sich mitten im Kopfsteinpflaster des Viehmarktplatzes. „Fenster in die Trierer Stadtgeschichte" wird der auffällige und umstrittene Glas-Kubus von Stararchitekt Oswald Ungers genannt, der die Fundamente römischer Thermen, mittelalterlicher Latrinen und die eines barocken Kapuzinerklosters wirkungsvoll in Szene setzt. Im Stil einer Tiefgarage wurde minimalistisch und steril mit Stahl und Beton der Rahmen für die steinige Zeitreise geschaffen. In den kulturhistorischen Kostbarkeiten, die bei Bauarbeiten entdeckt wurden, spiegelt sich die wechselvolle Geschichte des Viehmarktplatzes wider. Dort, wo jetzt Klosterruinen neben Latrinen und Thermen ein geschichtsträchtiges Zeugnis ablegen, herrschte im 1. Jahrhundert das rege Treiben eines römischen Wohnviertels, bevor dort im 3. und 4. Jahrhundert die Römer baden gingen. Im 13. Jahrhundert als Steinbruch missbraucht, schrumpfte die Therme zur Ruine – und einzig Latrinen zeugen von damaligen Anwesen. Der Friedhof einer jüdischen Gemeinde folgte im 15. Jahrhundert und schließlich im 17. und 18. Jahrhundert das besagte Kapuzinerkloster, das 1802 aufgelöst wurde: Der Viehmarktplatz entstand. Wer den Pfaden folgt, kann noch deutlich Heizanlagen und Gänge entdecken oder einen Blick (und Geld) in die brunnenartigen Latrinen werfen.

INFORMATIONEN

AUSKUNFT

Kaiserthermen:

☏ 0651/44262. Öffnungszeiten: 1. Januar bis Sonntag vor Ostern und 1. Oktober bis 30. November 9 bis 17 Uhr. Karwoche bis 30. September 9 bis 18 Uhr, Dezember 10 bis 16 Uhr. Spar-Tipp: Für Porta Nigra, Kaiserthermen, Amphitheater und Barbarathermen gibt es eine Sammelkarte.

Viehmarktthermen:

☏ 0651/9941057

@ www.viehmarktthermen.de
Öffnungszeiten: 9 bis 17 Uhr, letzter Einlass 16.30 Uhr.
Montags geschlossen.

ANFAHRT

Kaiserthermen: Von Koblenz A 48 nach Trier, Verteilerkreis Richtung Alleenring, Parkhaus Mustor.

Viehmarktthermen: Verteilerkreis Richtung Theater, dort parken oder ins Parkhaus Viehmarktthermen (Parkleitsystem).

TOUR-TIPP

Von den Kaiserthermen durch den Palastgarten zum schiefergedeckten kurfürstlichen Palais schlendern. Von den Viehmarktthermen zum Geburtshaus von Karl Marx mit Museum in der Brückenstraße 10, ☏ 0651/970680. Öffnungszeiten: November bis März Di bis So 10 bis 13, 14 bis 17 Uhr, April bis Oktober Mo 13 bis 18 Uhr, Di bis So 10 bis 18 Uhr.

EINKEHR-TIPP

Am Viehmarktplatz gibt es zahlreiche Cafés, Kneipen und Restaurants, wie z.B. das „Havanna"
☏ 0651/9942093. Kein Ruhetag.

Rekonstruierte Römische Villen.

VILLA URBANA UND VILLA RUSTICA

Schöner Wohnen mit den Römern

INFORMATIONEN

AUSKUNFT
Longuich:
☏ 06502/5795
@ www.longuich.de
Nennig und Borg:
Tourismusverband Merzig-Wadern
☏ 06861/73874 ☏ 73875
@ www.merzig-wadern-online.de
Römische Villa Borg
☏ 06865/1008 ☏ 1015
@ www.villa-borg.de
Mehring:
Touristinformation Römische Weinstraße
☏ 06502/93380 ☏ 933815
@ www.schweich.de/tourismus
Führungen: ☏ 06502/1413
ANFAHRT
Longuich: A 48 Richtung Trier,
Abfahrt Longuich.
Mehring:
A 48 Richtung Trier, Abfahrt Schweich.
Nennig: Von Trier in Richtung
Luxemburg/Metz auf B 51 nach Konz,
dann B 419 Richtung Wellen/Nennig.
BORG: Von Trier auf B 51 nach Konz,
nach Saarburg, an der Saar entlang
nach Mettlach, Orscholz, Oberleuken,
Villa zwischen Oberleuken und Borg.
TOUR-TIPP
Schiefer-Besucherbergwerk Fell (▶ BAND
1, SEITE 51), Burgstraße 3, 54341 Fell
☏ 06502/994019
@ www.besucherbergwerk-fell.de
EINKEHR-TIPP
Hotel zur Linde, Cerisierstraße 10
54340 Longuich, ☏ 06502/5582
☏ 7817. Öffnungszeiten: 10 bis 24 Uhr,
Küche von 14 bis 17.30 Uhr geschlossen.
Ruhetag Montag.

Welche kulturhistorischen Schätze der römischen Vergangenheit in den Weinbergen entlang der Mosel schlummern, kann man nur erahnen. Bei Flurbereinigungs- oder Vermessungsmaßnahmen im ehemals Römischen Reich tauchen immer wieder Mauerreste auf, die Aufschluss über das Leben und vor allem Wohnen der Römer geben. So fand man 1984 am Rande von Longuich (▶ *SEITE 98*) die Überreste einer repräsentativen Villa Urbana, die vermutlich einem hohen römischen Beamten als Alters- oder Wochenendsitz diente. Die weitläufige Anlage vom Ende des 2. Jahrhunderts lässt darauf schließen, dass 40 bis 80 Menschen dort lebten, darunter viele Bedienstete. Mit Schieferbruchstein wurde der Badetrakt der Villa rekonstruiert, zu sehen sind heute noch das Kaltbad mit fast vollständig erhaltener Badewanne, eine beheizbare Wanne, Reste der Fußboden- und Wandheizung sowie eine Latrine. Auch wieder aufgebaut wurden Säulengänge, die vom Bade- zum Haupthaus führten. Das ländliche Pendant zur Villa Urbana ist die Villa Rustica in Mehring, ebenso wie Longuich an einer ehemaligen römischen Fernstraße von Trier nach Neumagen gelegen. Das Herrenhaus eines römischen Gutshofes wurde freigelegt, konserviert und teils wieder aufgebaut. Der stattliche Gebäudekomplex aus dem 2. Jahrhundert gehörte mit seinen 34 Räumen, Kalt- und Warmbad sowie Latrinen zu den größeren Herrenhäusern des Trierer Landes. Der mit schwarzem Marmor verkleidete Hauptraum und Funde wie ein Goldglas mir Rebenmotiv lassen auf einen gewissen Wohlstand der ehemaligen Bewohner schließen. Ein reicher Trierer Großgrundbesitzer mit Faible für Gladiatorenkämpfe war wahrscheinlich Erbauer der palastartigen Nenniger Villa Suburbana, deren Prunkstück ein 161 Quadratmeter großes römisches Mosaik war. Als ein Nenniger Landwirt im Jahre 1852 bei Feldarbeiten auf bunte Steine stieß, ahnte er nicht, welch kulturhistorischen Schatz er entdeckt hatte: Das ornamental reich geschmückte Bildmosaik zählt zu den schönsten Schöpfungen römischer Mosaikkunst nördlich der Alpen. Während von der Villa nur noch die Grundmauern zu sehen sind, geben die detailgetreu dargestellten Szenen des Mosaiks eindrucksvoll Einblicke in die grausamen Spiele der Gladiatoren. Fast so, wie sie zu ihrer Blütezeit im 2. Jahrhundert aussah, präsentiert sich die größere Villenanlage in Borg ihren Besuchern. Dabei besticht wohl vor allem der funktionsfähig rekonstruierte Badetrakt, der faszinierende Einblicke in die Badekultur der Römer gibt. Im ehemaligen Wirtschaftsteil ist nun eine Taverne untergebracht, wo man nach Rezepten des römischen Feinschmeckers Apicius (▶ *SEITE 131*) speisen kann, und das Herrenhaus beherbergt ein Museum mit regionalen Fundstücken der gallorömischen Epoche.

FESTUNG MONT ROYAL

Batterien und Bastionen

Toller Blick ins Tal von „Mont Royal".

Wir schreiben das Ende des 17. Jahrhunderts. Die Moselregion ist Schauplatz vieler Kriege. Im Pfälzischen Erbfolgekrieg verwüsten französische Truppen die Region, die zur Sicherung ihrer Herrschaft im Rheinland militärische Anlagen errichten. Oberhalb von Traben-Trarbach und Kröv entsteht die größte französische Festung, Mont Royal. Heute ist das gewaltige Ausmaß nur noch in Ansätzen sichtbar. Denn erst in den 30er Jahren dieses Jahrhunderts begannen Ausgrabungen auf dem Hochplateau, wobei die Originalpläne aus den Pariser Archiven Grundlage waren. Zahlreiche ehemalige Kasematten und Gänge sind mittlerweile freigelegt und gewähren einen, wenn auch noch bescheidenen, Einblick in die imponierende Größe des Bau- und Bollwerkes.

Ein Spaziergang durch das „Festungsgrab" ist dennoch lohnend, nicht nur wegen der herrlichen Ausblicke über das Moseltal. Ein gut ausgeschilderter Rundwanderweg lässt die Größe der Anlage erahnen, und die freigelegten Reste der Festung, darunter ehemalige Batterien, Bastionen, Bollwerke, Wehrgänge und Keller, werden an Tafeln

beschrieben und helfen dem Besucher bei der Orientierung. Mont Royal – von hier aus wollte Frankreich die Rheingrenze sichern und das mittlere Rheinland beherrschen. Die Festung wurde unter Leitung des bekannten Baumeisters Vauban mit Millionen französischer Staatsmittel, aber auch mit deutschen Zwangsgeldern und dem Froneinsatz vieler Menschen von der Mosel sowie der Eifel und dem Hunsrück in den Jahren 1687 bis 1697 erbaut. Fünf Kilometer lang zog sich die Festung über das Hochplateau. Den Kern bildete eine 50 Hektar große und 200 Meter hohe Felszitadelle, die von mehreren Wällen, Bastionen, Bolltürmen, Gräben und Galerien umgeben war. Bis zu 12 000 Mann sollte die Festung fassen können, 155 Geschütze fanden Platz, Ställe für 300 Pferde waren vorgesehen. Die Vorratsräume umfassten neben Heu und Getreide rund 2000 Fuder Wein. Eingebunden in die Festungskonzeption waren auch die Grevenburg oberhalb von Traben-Trarbach und die Schanzen bei Starkenburg.

Doch dieser riesigen Anlage war nur ein kurzes Leben beschieden. Im Frieden von Rijswijck verlor Frankreich wieder das Rheinland und damit auch die Festung Mont Royal. Holland und England versuchten zwar, die Befestigung unzerstört zu erhalten. Doch Frankreich gönnte seinen Gegner nicht deren Besitz und sprengte sie vor dem Abzug ... Übrigens findet sich unweit des Mont Royal ein weiterer Versuch Frankreichs, im Rheinland Fuß zu fassen. Auf dem gegenüberliegenden Berg zwischen Trarbach und Bernkastel errichteten französische Revolutionstruppen hundert Jahre nach der Feste Mont Royal den Mont National, in dem 100 000 Soldaten Platz finden sollten und dessen Schanzen heute noch zu sehen sind.

INFORMATIONEN

AUSKUNFT
Tourist-Information, Bahnstraße 22
56841 Traben-Trarbach
☎ 06541/83980 ☎ 839839
@ www.traben-trarbach.de

ANFAHRT
A 48 Abfahrt Wittlich, B 50 Richtung Traben-Trarbach/Bernkastel-Kues. An der Mosel auf die B 53 Richtung Koblenz nach Kröv. In Kröv ist der Mont Royal ausgeschildert.

TOUR-TIPP
Stadtbesichtigungen in Traben-Trarbach (▸ SEITE 115) oder Besichtigung der mit schönen Schieferdächern gedeckten Häuser in Enkirch.

EINKEHR-TIPP
Parkrestaurant Landal Green Parks Mont Royal, 54536 Kröv
☎ 06541/700740 ☎ 700730
@ td.montroyal@landal.de
Kein Ruhetag.

Geister haben keine Pause

REICHSBURG
IN COCHEM

INFORMATIONEN

AUSKUNFT

Die Reichsburg ist vom 15. März bis Anfang Januar des folgenden Jahres geöffnet. Burgführungen sind täglich von 9 bis 17 Uhr nach Bedarf, ab 1. November 11 bis 15 Uhr. Für die Geisterführung mit Räubermahl wie für alle Gruppenführungen ist eine telefonische Anmeldung erforderlich:
☎ *02671/255* 📠 *5691*
@ *www.reichsburg-cochem.de*

ANFAHRT

Über die A 48, Abfahrten Ulmen und Kaisersesch oder mit der Bahn Koblenz/Trier.

TOUR-TIPP

Stadtführung durch Cochem und zahlreiche Aktivitäten rund um die Kreisstadt zu erfragen bei Tourist-Information Ferienland Cochem,
☎ *02671/60040* 📠 *600444*

EINKEHR-TIPP

In der Reichsburg befindet sich die „Burgschänke". Geöffnet täglich von Mitte März bis Anfang November
☎ *02671/255*
@ *www.reichsburg-cochem.de*
Kein Ruhetag.

Geisterstunde in der Reichsburg.

Robin hat keine Angst vor Geistern, Räubern oder dunklen Verliesen. Der Vierjährige läuft mutig vorneweg und trägt sogar die Taschenlampe von Marie-Luise Otto, die eine Gruppe von Familien mit Kindern zwischen drei und zwölf Jahren zu einer spannenden „Geisterführung" durch die 1000-jährige Cochemer Reichsburg begleitet wird. „Sind die Geister überhaupt mittags da?", zweifelt Julia. Die Frage ist berechtigt, denn im strahlenden Oktober-Sonnenschein vor einem Nebeneingang der Reichsburg kann sich kein rechtes Gruseln einstellen. Doch die Burgführerin weiß, wie sie ihre kritischen, kleinen Gäste auf den Rundgang einstimmt: „Wir stellen uns einfach vor, dass wir Räuber sind und uns in die Burg einschleichen." Alle sind auch ganz still, als sich das knarrende Holztor öffnet und den Blick auf eine düstere Wendeltreppe freigibt, die sich nach oben schlängelt. Robin führt mit der Taschenlampe in der einen Hand immer noch mutig die Gruppe an. Doch am Ende der Treppe, als es in einen dunklen, nur von einer Kerze beleuchteten Raum geht, greift der kleine Mann mit der anderen Hand ganz entschieden nach dem Hosenbein seines Vaters. „Papa, geh nicht weg!", piepst ein Stimmchen. Auch die größeren Kinder halten erst einmal die Luft an, denn über ihnen schwirrt eine „Fledermaus", hinter einem Gitter lehnt ein vergessener, zum Skelett „abgemagerter" Gefangener, aus einem Loch funkeln die Augen eines Bären. Doch schon bald haben sich die Kinder an die Dunkelheit gewöhnt und die Neugier siegt über die Angst: Schließlich befindet sich die Gruppe in einer Folterkammer mit höchst interessanten Geräten, die man unter Anleitung der Burgführerin ausprobieren darf. Alle wollen einmal an den Pranger, dem Freund die Daumenschrauben anlegen oder sich im vergitterten Rundkäfig drehen lassen. Dennoch scheinen „die Räuber" erleichtert, als sie wieder im hellen Sonnenschein in einem wunderschönen Burghof stehen, wo sich vor tausend Jahren die feinen Damen trafen, um über die schroffen, imposanten Schieferhänge des Moseltals nach ihren edlen Rittern Ausschau zu halten. Marie-Luise Otto erklärt die Funktion der verschiedenen Türme, die zur Abwehr von Feinden oder auch als Gefängnis für Hexen gebaut wurden. Weiter geht es durch die Räume der schiefergedeckten Reichsburg, während die Führerin den Kindern die Geschichte des alten Gemäuers so spannend erklärt, dass keine Langeweile aufkommt. Was kann es auch Aufregenderes für Kinder geben, wenn sie – unter dezenter Aufsicht – Geheimtüren öffnen, über Absperrungen klettern, in verbotene Turmzimmer schauen, sich auf Burgfräuleins Fensterbänke setzen, im Ballsaal tanzen, Steinchen in den tiefen Burgbrunnen werfen und sich schließlich beim Anfassen einer merkwürdigen, gehörnten Meerjungfrau etwas wünschen dürfen? Robin hat sich längst wieder selbstständig gemacht und baut sich mutig vor einer mächtigen Ritterrüstung auf. Sein Vater kann ihn gerade noch daran hindern, den eisernen Gesellen keck ins Schienbein zu treten, denn nach fast zwei Stunden Erkundungsgang durch die Reichsburg ist der kleine Räuber müde und hungrig. Kein Problem, denn auf die ganze Gruppe wartet im Burgkeller ein zünftiges Räubermahl mit Fladenbrot, Putenkeule, Eis und Saft.

BURG ELTZ

Per pedes durchs Mittelalter

Malerisch im Tal: Burg Eltz.

Sie ist die meistfotografierte Burg Deutschlands und zierte lange den 500-Mark-Schein: An Burg Eltz kommt eigentlich kein Moseltourist vorbei. Dabei versteckt sich das verträumte Bauwerk wie kaum ein anderes im felsigen Tal. Viele Wege führen zum Inbegriff der Romantik – an warmen Sommertagen gehört der rund einstündige Fußmarsch von Moselkern aus durch das kühle Elztal zu den schönsten Einstiegen in die Burgeroberung. Die Bequemvariante: Mit dem Auto geht´s über Münstermaifeld und Wierschem zum Parkplatz oberhalb der Burg – und von dort aus pendelt ein Kleinbus zum Burgtor. Egal, welchen Weg man nimmt, der Eindruck ist immer der gleiche: Plötzlich taucht sie – erst verstohlen hinter üppigem Grün, dann in der Lichtung mit ihrer vollen Pracht – auf: die Burg, deren Anblick schon Millionen gefangen nahm und nimmt. Die Burg Eltz hat eine Baugeschichte von mehr als 500 Jahren. Der natürlichen Form des Felsens folgend, entstanden im Tal der Elz acht Wohntürme mit Elementen von der Romanik bis zum Barock. Sie machen die Burg zu einem architektonischen Gesamtkunstwerk. Über all die Jahrhunderte hinweg blieb das Schloss von Kriegen verschont und gewährt einen unvergleichlichen Blick in die deutsche Burgengeschichte und das Mittelalter. Das Schieferdach ist teilweise mehr als 200 Jahre alt – und wurde in den vergangenen Jahren nur deshalb erneuert, weil die Dachnägel rostig wurden und die Platten damit an Halt verloren. Der herrliche Innenhof ist umgeben von den Geschlechterhäusern der drei Grafen-Linien Eltz-Rübenach, Eltz-Kempenich und Eltz-Bürresheim. Wohnräume mit üppigen Teppichen, Gemälden oder Möbeln, Schlafgemächer mit kurzen Betten, das Kurfürstenzimmer, der Fahnensaal oder die Burgküche – sie zeugen von mehr als 800 Jahren rheinisch-moselländischer Kulturgeschichte. Höhepunkt jeder Führung ist die Besichtigung des Rittersaals, des größten Raumes der Burg. Doch ein Besuch der Burg Eltz wäre ohne Visite in der Schatzkammer unvollständig. Die umfangreiche Kunstsammlung wurde 1981 der Öffentlichkeit zugänglich gemacht und ist einzigartig in ihrer Zusammenstellung und Vielfalt. 500 Exponate, alles Eigentum des gräflichen Hauses und alle für den tatsächlichen Gebrauch erworben. Im tiefsten Gewölbe des Rübenacher Hauses, in dem der Schatz aufbewahrt wird, finden sich die wertvollsten und seltensten Stücke der Sammlung: drei Tafelschiffe aus dem 17. Jahrhundert, die Jagdgöttin auf einem Hirsch und die allegorische Darstellung „Die Völlerei von der Trunksucht" in Form einer Schubkarre als Trinkgefäß.

INFORMATIONEN

AUSKUNFT
Gräflich Eltz'sche Kastellanei
56294 Burg Eltz/Münstermaifeld
℡ 02672/950500 📠 9505050
@ www.burg-eltz.de

ANFAHRT
Über A 48 Abfahrt Polch nach Münstermaifeld, von dort nach Wierschem. Die Burg Eltz ist ausgeschildert. Vom Parkplatz aus gibt es einen Pendelbus. Von der Mosel aus über Hatzenport nach Münstermaifeld.

TOUR-TIPP
Nach Besuch der Eltz zur benachbarten Burg Pyrmont bei Roes mit einem Museum mit mittelalterlichen Sammlungen und historischen Möbeln, Keramiken, Glas und Antiquitäten. Außerdem Streichelzoo mit Zwerghühnern, Zwergziegen und Häschen. Geöffnet vom 1. März bis 31. Oktober. Info: Burg Pyrmont, ℡ 02672/2345 (▶ BAND 1)
@ www.burg-pyrmont.de

EINKEHR-TIPP
Gastronomie auf der Burg Eltz. Öffnungszeiten wie die Burg.

AUF EINEN BLICK

WEITERE BURGEN LÄNGS DER MOSEL

IN SAARBURG: BURGRUINE SAARBURG. IN FREUDENBURG: BURGRUINE FREUDENBURG. IN SOMMERAU: BURGRUINE SOMMERAU. BEI KORDEL: BURGRUINE RAMSTEIN. IN BERNKASTEL-KUES: BURGRUINE LANDSHUT. IN TRABEN-TRARBACH: BURGRUINE GREVENBURG. IN ZELL: MARIENBURG. IN COCHEM: WINNEBURG.

Idylle: Burg Arras über Alf.

Moderner Ritter

Wer als „moderner Ritter" Burg Arras in Alf erobern möchte, hat allerhand zu tun. Schließlich sieht er sich nicht nur einer sehenswerten Anlage gegenüber, die zwischen 860 und 890 zum Schutz vor wilden Normannen errichtet wurde, sondern auch einem Restaurant, einem Museum, dem einzigen erhaltenen Burgverlies im Rheinland, einem 1000-jährigen salischen Turm und zugleich dem einzigen Hotel in einer Burg an der Mosel. Doch keine Angst. Alles befindet sich im sehr überschaubaren Rahmen. Zunächst gilt es, sich auf Schusters Rappen durch einen rauschenden Mischwald hinaufzukämpfen ins idyllische Gemäuer. Nicht weit, 500 Meter sind es vom Parkplatz aus. Und der Eroberer touristischen Neulandes betritt einen Innenhof, gemütlich mit Tischen und Stühlen versehen, der zum Kaffeetrinken und vor allem zum Betrachten einlädt. Was für ein Ausblick ins grüne Tal! Unser Feldzug geht weiter. Das Museum will „gestürmt" werden. Ritterrüstungen, Orientteppiche, prachtvolle Deckenleuchter, irgendwo dazwischen eine Modellburg aus Kork: Ein buntes Sammelsurium verschiedenster Exponate findet sich hier, verteilt auf fünf Räume – darunter Rittersaal und Meißenzimmer. Intim ist die Atmosphäre. Fast so, als beträte der Besucher repräsentativ gestaltete Privatgemächer. Und mit etwas Glück trifft er tatsächlich auf den Burgherrn höchstselbst, der ihn gern durch die Ausstellung begleitet.

„Als Zwölfjähriger wurde ich schon vom Interesse an unserer Geschichte und von Sammelleidenschaft ergriffen", lacht Otto Keuthen. „Jedes Museum, jede Kirche, jeden Friedhof musste ich besichtigen". „So eignete er sich nicht nur ein großes historisches Wissen an, sondern hortete auch „alles, was mit Kurtrier und der Geschichte der Mittelmosel zu tun hat". Besonders sehenswert: seine einzigartige Sammlung sämtlicher vor etwa zweihundert Jahren erschienener Grafiken des Mosellaufes. Und noch eine Besonderheit hat Arras zu bieten. Otto Keuthen ist der Burgherr mit dem berühmten Onkel. Im Pass seines Vorfahren, zu sehen in einer Museumsvitrine, steht´s geschrieben: „Beruf Bundespräsident". Beim Neffen von Heinrich Lübke sind wir in Alf zu Gast. Selbstredend ist ein ganzer Raum als Gedenkstätte gestaltet, die an den deutschen Politiker erinnert.

Von Staatsgeschenken bis zum Führerschein ist vieles zu bestaunen. „Mein Onkel hatte damals einen Bentley, in dem er mich ein paar Mal mitgenommen hat", weiß Otto Keuthen noch. Wir dringen weiter vor ins Herz der Burganlage: Der tausendjährige Turm lockt mit herrlichem Panoramablick, das Verlies mit einer Prise schwarzen Humors. Ein armer Sünder hockt in Form einer Puppe am Boden, einzig Ratten und Fledermäuse leisten ihm Gesellschaft. Nach so viel Action ist eine Stärkung gefällig? Kein Problem. Für die gute Küche des Restaurants ist Maria Keuthen zuständig. Ihre Spezialität: Wildgerichte. Und wer sein müdes Haupt in herrschaftlichem Ambiente betten möchte, kann auch dies auf Arras tun. „Wohnen wie die alten Rittersleut" lautet das Motto des Burghotels. Das dürfte im alten Gemäuer, das als berühmtesten Gast einst Kaiser Maximilian I. empfing, wohl genau das Richtige sein – auch für heutige Eroberer.

INFORMATIONEN

AUSKUNFT

Infos über Burg Arras in 56859 Alf/ Mosel gibt´s bei den Burgbesitzern Maria und Otto Keuthen

☎ *06542/22275* 🖷 *2595*

@ *www.arras.de*

ANFAHRT

Über die A 48, Abfahrt Ulmen, von hier über die B 259 nach Cochem, dann über die B 49 an der Mosel entlang nach Alf. Von hier aus Beschilderung Richtung Burg Arras folgen.

TOUR-TIPP

„Wandervögel" sind in Alf an der richtigen Adresse. Wer sich in Richtung Reil auf die Socken macht, stößt hinter der Marienburg auf den Aussichtsturm Prinzenkopf. Ein phänomenaler Blick auf mehrere Moselschleifen ist von hier aus zu genießen. Die Marienburg ist heute Jugendschulungsstätte des Bistums Trier. Zuvor war der 1145 gestiftete Bau bis 1515 ein Augustinerinnenkloster, das vom Kurfürsten wegen „gelockerter Zucht der Chorfrauen" aufgelöst wurde.

EINKEHR-TIPP

Das burgeigene Restaurant auf Arras ist jeden Tag von 9 bis 19 Uhr geöffnet, es kocht die Burgherrin, ☎ *06542/22275. Kein Ruhetag.*

Besuch bei „Fürstens"

Zwischen den Bäumen des Sayner Schlossparks schimmert es schon hell hindurch. Nur noch ein kleines Stück, dann wird dem Besucher der Atem geraubt. Wie aus dem Märchen liegt es da, verträumt und romantisch: Schloss Sayn. Im 14. Jahrhundert erbauten die Herren von Reiffenberg, Ministerialen der Sayner Grafen, ein Burghaus, das später zum barocken Herrenhaus umgebaut wurde. Als Fürst Ludwig zu Sayn-Wittgenstein-Sayn und seine Frau Leonilla 1848 aus Russland wieder in die alte Heimat der Familie zurückkehrten, kauften sie das Haus. Der Fürst ließ es vergrößern und zu einem Schloss im neugotischen Stil umbauen. Die Verantwortung übernahm der Architekt Alphonse F.J. Girard, der spätere Chefarchitekt des Pariser Louvre. 1945, kurz vor Kriegsende, wollten deutsche Truppen beim Anrücken der Alliierten eine Brücke über den nahe gelegenen Brexbach mit einer Fliegerbombe sprengen. Als sich der Rauch verzog, stand die Brücke noch, das Sayner Schloss jedoch war schwer beschädigt. Da kein Geld für einen Wiederaufbau da war, verfiel das Anwesen in den kommenden Jahrzehnten. Die heutigen Hausherren, Fürst Alexander zu Sayn-Wittgenstein-Sayn und Fürstin Gabriela, konnten das Schloss mit vielfältiger Unterstützung wieder aufbauen.

Nach vorheriger Anmeldung öffnen sich die schweren Portale zum Rundgang unter dem prächtig restaurierten Schieferdach. Ganz in Rot und Blau ist der Maurische Salon gehalten. Über eine Treppe geht's in den nächsten Stock, zu den fürstlichen Salons. Im so genannten Russischen Salon wird die russische Geschichte des Fürstenhauses lebendig, und vom Fenster aus genießen die Besucher den Blick hinunter auf den Schlosspark mit Teich, Wasserfontäne und Spazierwegen. Überlebensgroß sind die Porträts von Fürst Ludwig (von Franz Xaver Winterhalter) und Fürstin Leonilla, die im Großen Salon bestaunt werden können. „Das Bild der Fürstin ist ein Vernet", erläutert Cynthia Dazert während einer Führung. „Es hing bislang in der Neuen Pinakothek in München als Leihgabe." Ein romantischer Kamin – übrigens ein Original des alten Schlosses – lädt geradezu zum Verweilen und Platz nehmen ein. Und genau dieser Eindruck ist auch beabsichtigt. Die Besucher sollen nicht durch ein totes Museum geführt werden, sondern herumliegende Bücher und Gläser vermitteln die Illusion, man sei auf Besuch „bei Fürstens". Im Nebenraum befindet sich das Esszimmer im italienischen Stil mit der Elefantensammlung der Fürstenmutter. Der französische Salon hebt sich durch eine dezente Farbgebung von den übrigen Räumen ab, die in kräftigen Grün-, Rot- und Blautönen strahlen. Der Gobelinsaal bildet den Übergang zum modernen Trakt des Schlosses. Hier gibt es Tagungsräume und hier ist die Heimat der Europäischen Wirtschaftsakademie. Und bald sollen zwei weitere Schmuckstücke restauriert werden: die Schlosskapelle sowie die Freitreppe in den Schlosspark,

INFORMATIONEN

AUSKUNFT
Das Schloss Sayn ist nach telefonischer Anmeldung mit einer Führung zu besichtigen
℡ 02622/90240
Tourist-Info der Stadt Bendorf
Abteistraße 1
℡ 02622/902913 ℻ 902917
@ www.bendorf.de

ANFAHRT
B 42, Ausfahrt Bendorf/Stadtteile, in Richtung Bendorf-Sayn fahren und dort der Beschilderung folgen.

TOUR-TIPP
Rheinisches Eisengussmuseum im Schloss Sayn mit wertvollem Eisenkunstguss der Sayner Hütte (offen von Mitte März bis Ende Oktober täglich von 10 bis 18 Uhr; außerhalb der Saison zahlreiche Sonderausstellungen);
℡ 02622/902918
Garten der lebenden Schmetterlinge Sayn (von Frühlingsanfang bis 1. November täglich von 9 bis 18 Uhr
▶ BAND 2, SEITE 53);
Burgruine Sayn mit Turmuhrenmuseum (täglich 14 bis 17 Uhr, außer Montag und Dienstag); Romanische Abteikirche mit einmaligem Kreuzgang (täglich offen); Wanderung durchs Brexbachtal.

EINKEHR-TIPP
Schlossrestaurant, gehobene Küche
℡ 02622/889683 @ www.sayn.de
Ruhetag Montag.

Schmuckstücke der Dachdeckkunst

WENN DIE SONNE AUF DEN SCHIEFERDÄCHERN GLITZERT, DAS WASSER DEN SCHIMMER DES GESTEINS REFLEKTIERT, ERLEBT MAN DIE VOLLE SCHÖNHEIT DES MOSELTALS. AUCH DEM MOSELWEIN KOMMT DIE DOPPELTE PORTION LICHT UND WÄRME, DIE DURCH DEN SCHIEFER GESPEICHERT WIRD, ZUGUTE. ABER NICHT NUR IN FORM VON FELSEN, SONDERN AUCH ALS DACHBELAG GIBT DER SCHIEFER AN DER MOSEL DEN TON AN. FACHWERK, MEIST FRÄNKISCHER ART, PRÄGT VIELE DER KLEINEN ORTSCHAFTEN ENTLANG DER GELIEBTEN „MOSELLA", VON DEREN SCHIMMER SCHON DER RÖMISCHE DICHTER DECIUS MAGNUS AUSONIUS SCHWÄRMTE. MOSELSCHIEFER SETZT DABEI VIELEN DER SCHMUCKEN HÄUSER WORTWÖRTLICH DIE KRONE AUF: ALS DACHBELAG, DER NAHEZU ALLE DER MOSELSTÄDTCHEN ZIERT, TRÄGT ER ZUM GLANZ DES TALES BEI. DOCH SEIN NAME KANN LEICHT IN DIE IRRE FÜHREN: DIE VORSILBE „MOSEL" BEZEICHNET NÄMLICH KEINESWEGS DEN HERKUNFTSORT DES BLAUGRAUEN GESTEINS, SONDERN NUR DESSEN TRANSPORTWEG. DER MOSELSCHIEFER WURDE UND WIRD IM RHEINISCHEN SCHIEFERGEBIRGE GEWONNEN UND WURDE TRADITIONELL ÜBER DIE MOSEL ABTRANSPORTIERT. NACHGEWIESEN IST, DASS DAS SCHON UM 1830 GESCHAH. SO ENTSTAND DER NAME MOSELSCHIEFER, WEIL NÄMLICH DIE EMPFÄNGER BEISPIELSWEISE IN NORDFRANKEN (MAIN-TRANSPORT) ODER AM NIEDERRHEIN (MOSEL-/RHEIN-TRANSPORT) DAVON SPRACHEN, DASS DER SCHIEFER „VON DER MOSEL" KAM (► AUCH SEITE 64). HEUTE WIRD DAS QUALITÄTSPRODUKT NUR NOCH IN ZWEI BERGWERKEN IN DER NÄHE VON MAYEN ABGEBAUT. DER WOHL ROMANTISCHSTE ALLER KLEINEN, VERWINKELTEN MOSELORTE IST BEILSTEIN (► SEITE 8F) AN DER MITTELMOSEL, DAS VOLLKOMMEN UNTER DENKMALSCHUTZ STEHT. FACHWERK UND KUNSTVOLL GESTALTETE MITTELALTERLICHE SCHIEFERFASSADEN PRÄGEN DEN ORT, DER IN EINEM DURCH SCHIEFERKUPPEN GEBILDETEN TALKESSEL LIEGT. UNTER DEN HÄUSERN, DIE SICH ZWISCHEN STEILEN TREPPEN UND SCHMALEN GÄSSCHEN ENG ANEINANDER SCHMIEGEN, GIBT ES SO MANCHES SCHMUCKSTÜCK DER DACHDECKKUNST ZU ENTDECKEN: RATHAUS, AMTSHAUS MIT WUNDERSCHÖNEM BAROCKPORTAL UND ZAHLREICHE KUNSTVOLLE SCHIEFERFASSADEN MIT MUSTERN UND ORNAMENTEN LASSEN DEN BESUCHER ÜBER DIE SCHIMMERNDE WIRKUNG DES GRAUBLAUEN GESTEINS STAUNEN. VIELE DER SCHÖNSTEN FACHWERKHÄUSER SIND IN NÄHE DES MARKTPLATZES ANGESIEDELT. DEM ABWECHSLUNGSREICHTUM DER DACHLANDSCHAFT SIND MIT DEM NATURMATERIAL KAUM GRENZEN GESETZT: TRADITIONELLE ALTDEUTSCHE DECKUNG ÜBERWIEGT BEI VIELEN DER MITTELALTERLICHEN FACHWERKHÄUSER - WIE BEISPIELSWEISE BEI DEN BÜRGERHÄUSERN IN BOPPARD ODER BEIM HISTORISCHEN RATHAUS IN RHENS. FASSADEN MIT DEKORATIVER DECKUNG, DIE BESONDERS FÜR KOMPLIZIERTE MUSTER WIE GESCHAFFEN SIND, SCHMÜCKEN SO MANCHEN ORTSKERN. GIEBEL UND ERKER, AUF DENEN DIE SCHIMMERNDEN PLATTEN ZU KLEINEN PLÄTTCHEN WERDEN, SORGEN DETAILREICH FÜR DEN LETZTEN SCHLIFF. IN KRÖV AN DER MOSEL BEEINDRUCKT BESONDERS DAS 1658 ALS RATHAUS GEBAUTE „DREIGIEBELHAUS", DAS HEUTE ALS STRAUSSWIRTSCHAFT (► SEITE 137) GENUTZT WIRD. ES FÄLLT DURCH AUFWÄNDIGE FACHWERK-VERZIERUNG UND DIE GESTALTUNG SEINES WALMDACHES INS AUGE: DREI ALTDEUTSCH GEDECKTE GIEBEL, DIE MIT ABSCHLIESSENDEN TURMSPITZEN GESCHMÜCKT SIND, MACHEN ES ZUM WAHRZEICHEN VON KRÖV.

Kunst & Kultur

Wo der

Der bekannte Baumeister Bruno Möhring hat etliche Spuren hinterlassen. Wer die schönsten Vorzeige-Objekte der Belle Époque betrachten möchte, lässt sein Auto auf der Trarbacher Seite stehen und nimmt die Ende letzten Jahrhunderts erbaute Brücke, die beide Stadtteile verbindet, per pedes. Die einst vierteilige, von Möhring entworfene Bogenkonstruktion wurde im Zweiten Weltkrieg zerstört. Erhalten ist der Torbau auf dem Trarbacher Ufer, der aus Sandstein, Schiefer und Putz besteht. Zwei verschieden hohe Türme und eine über die Fahrbahn reichende Galerie formen ein prächtiges Tor. Zwei rebengeschmückte Frauenköpfe markieren Lust und Frust der Winzer: Hier blickt ein heiteres Gesicht moselaufwärts auf die guten Weinlagen. Dort äußern eher finstere Züge von weniger ergiebigem Ertrag. Zusammen mit den angrenzenden, in den Formen der „deutschen Renaissance" gehaltenen Häusern des frühen 20. Jahrhunderts bildet dieser Brückenturm ein wirkungsvolles Ensemble.

Ein bisschen Stadt, viel Land drum herum. Wunderschöne Architektur, viel Kultur. Berge und Täler, Wein und Wald. Alles zusammengenommen: das Kurstädtchen Traben-Trarbach (► SEITE 98) und seine ins Auge fallenden Vorzüge. Besonderes Kennzeichen: Häuser aus der Zeit des Jugendstils zeigen Form-Vollendung.

Über die Brücke zum Moselufer von Traben. Dort fällt das Hotel Bellevue, 1903 als Haus „Clauss-Feist" erbaut und 1989 aufwändig mit einem Schieferdach in Altdeutscher Deckung restauriert, besonders ins Auge. Hier blüht der Jugendstil in schönsten Formen. Der malerische Außenbau mit seinen Fachwerk-Aufbauten ist der örtlichen Architekturtradition nachempfunden. Elemente der „schönen Epoche" finden sich in ornamentalen Details, speziell auch in der Eingangspartie. An der Ausstattung war neben Möhring auch der Jugendstil-Künstler Joseph Olbrich beteiligt. Ein paar hundert Meter weiter dann „Haus Hüsgen" (Am Bahnhof 20) – ein im Park gelegenes Prachtexemplar schlechthin. Die symmetrische Hauptfassade, zu der eine Freitreppe führt, zeigt einen steilen Giebel überm Bruchstein-Sockel. Der zentrale Fenstererker weist skulpturenhafte Brüstungen auf, wird von einem schmiedeeisernen Balkongeländer verziert. Auch „Haus Breucker" (An der Mosel 7), im Jahre 1905 erbaut, ist ein Werk Möhrings. Der aus kubischen Elementen asymmetrisch zusammengesetzte Bau weist einen neoklassizistischen Gesamtcharakter mit ostasiatischen Zitaten auf. Markant auch die stark überstehenden Dächer.

Auf den Pfaden der Architektur durch das Moselstädtchen: Ein Stadtbrand vernichtete 1857 zwar etliche alte Häuser, so besonders viel Fachwerk – doch einiges ist noch übrig geblieben. Bestes Beispiel: das im Stadtteil Trarbach direkt am Fluss gelegene Haus Böcking – heute Mittelmosel-Museum und mit Moselansichten, Sammlungen zur neueren Geschichte sowie Gegenständen der bürgerlichen wie bäuerlichen Wohnkultur gefüllt. Der mächtige Barockbau entstand 1760. Schmiedeeiserne Gitter zieren Balkon und Treppe. Ein paar Jahrhunderte weiter zurück datiert die Ruine Grevenburg, um 1350 in Verbindung mit der Stadtbefestigung ausgebaut und 1735 von den Franzosen gesprengt. Steil, auf halber Höhe über der Stadt gelegen, setzt sie innerhalb der Moselschleife ein markantes Zeichen. Neben Fundamentteilen ist nur die Westseite der „Kommandantenwohnung" erhalten. Die ehemalige Festung

Jugendstil blüht

Schönes unter Schiefer.

Per pedes oder per Pedale auf Kul-Tour.

Mont Royal in Traben (► *SEITE 107*), auf einem von der Mosel umflossenen Bergrücken gelegen, wurde auf Befehl König Ludwig XIV. 1687 erbaut und bereits 1697 geschleift. Grabungen legten Teile der Bastionen, Keller und Fundamente des Zeughauses wieder frei.

Prachtvolle Bürgerhäuser, Jugendstilbauten, Ruine und Festung – da darf auch die sakrale Seite nicht fehlen. Die evangelische Kirche in Traben bildet eine im Wesentlichen spätgotische Baugruppe, St. Peter und Paul trägt neuromanische Züge. Auch die Trarbacher Gegenseite wartet mit zwei Gotteshäusern auf. Die katholische Pfarrkirche St. Nikolaus bildet einen neugotischen Saalbau. Das evangelische Pendant, auf dem höchsten Punkt der Stadt nahe der Stadtmauer gelegen, verknüpft verschiedene Stile. Es vereint sich in dieser Doppelstadt (sie gibt's seit 1904) eben so einiges. Einmal besagte Stilelemente verschiedener Epochen. Dann aber auch zwei Landschaften: Eine Brücke verbindet die Eifel (Traben) mit dem Hunsrück (Trarbach).

INFORMATIONEN

AUSKUNFT

Touristinformation Traben-Trarbach
Bahnstr. 22, 56841 Traben-Trarbach
☎ 06541/83980 ☎ 839839
@ www.traben-trarbach.de

ANFAHRT

A 48 Koblenz-Trier, Abf. Wittlich.
Hunsrückhöhenstr. B 327 bis
Irmenach/Traben-Trarbach.
Moselstrecke Koblenz-Trier.

Tour-Tipp

Ikonenzentrum Alexej Saweljew
Graacher Str., Traben-Trarbach
☎ 06541/9963. Geöffnet Mi, Sa
14.30-16.30, So 11-12 Uhr und nach
Vereinbarung, Eintritt frei.
Mittelmosel-Museum, Casinostr. 2
☎ 06541/9480. Geöffnet Di -Fr 9.30-12,
13.30-17, Sa/So 10-13 Uhr.
Ruhetag Montag.
Thermalbad im Stadtteil Bad Wildstein.
Wandern auf dem Moselhöhenweg
rund um Starkenburg zur „Alten
Mühle" im Ahringstal.

EINKEHR-TIPP

Restaurant Moselschlösschen, Neue
Rathausstraße (Traben, direkt an der
Mosel)
☎ 06541/8320 ☎ 832255
@ www.moselschloesschen.de
Kein Ruhetag.
Romantik-Jugendstil-Hotel Bellevue
Am Moselufer
☎ 06541/7030 ☎ 703400
@ bellevue@net-art.de
Kein Ruhetag.

Erinnerungen in rotem Stein

Sagenhafte Ausblicke von der Klause.

Stätte heidnisch-christlicher Kulte und Kultur – mit diesem Attribut können sich nicht viele Saar-Ortschaften schmücken. Kastel-Staadt kann es, denn ganz in der Nähe verbreiteten schon Römer ihre Sitten, übten frühe Christen ihr Brauchtum aus, hausten Einsiedler, und fand ein König seine letzte Ruhestätte.

Wer lebendige Zeugen dieser wechselvollen Geschichte mit eigenen Augen sehen will, geht per pedes auf Kult-Tour. Abgeschiedenheit und meditative Ruhe in der Natur suchte Ende des 16. Jahrhunderts ein Franziskanermönch an der Saar und fand beides hoch über dem Flusstal, auf einem Felsvorsprung beim heutigen Örtchen Kastel-Staadt. Dort grub er eigenhändig seine zweistöckige Einsiedlerklause in den weichen Sandsteinfelsen. Auch heute noch ist seine Wahl einsichtig: Den Besucher erwarten faszinierende Blicke vom Hochplateau über die Saar und eine beeindruckende Felsenlandschaft, die in steilen Schluchten zum Fluss hin abfällt. Doch der Eremit, in dessen Nachfolge viele weitere Einsiedler die Klause bewohnten, war nicht der Erste, der einen Blick für den idealen Aussichtspunkt hatte: Schon Römer nutzten die außergewöhnliche Lage und gründeten eine Siedlung am Fuße des Berges, die Stadtgröße erreichte. Den ersten Christen in dieser Gegend dienten Kammern im Felsen als religiöse Stätten, die sie den Heiligtümern von Jerusalem nachempfanden. Dank König Friedrich Wilhelm IV., dem die Klause 1833 geschenkt worden war, ist der außergewöhnliche Ort erhalten geblieben und bietet sich zu Wanderungen oder Radtouren rund um Kastel-Staadt an. Der berühmte Baumeister Karl Friedrich Schinkel restaurierte und erweiterte im Auftrag des Staatsoberhauptes die schiefergedeckte Kapelle, die die Mönche neben ihrer Behausung errichtet hatten, zur letzten Ruhestätte für den blinden König Johann von Böhmen. Besonders beeindruckend ist die Grabkammer mit dem – allerdings leeren – Sarkophag aus schwarzem Marmor, der von vier bronzenen Löwen überragt wird. Aber zurück in die Gegenwart – von der Kult-Tour zur Entdeckungsreise: „In der Nähe der Klause gibt es zahlreiche Ausflugsziele, die leicht zu Fuß erreichbar sind", schlägt Klausenwärter Hans Dieter Kees vor. Unterwegs bietet sich eine beeindruckende Aussicht ins Saartal, das vom Hochplateau aus weithin zu überblicken ist. Die Wanderwege der Region sind angebunden an den Europäischen Fernwanderweg Atlantik – Böhmerwald und den grenzüberschreitenden Deu-Fra-Lux-Weg. Erwandern oder erradeln lässt sich in der näheren Umgebung beispielsweise die „romantisch-märchenhafte Ruine der Burg Freudenburg", rät der Klausenwärter weiter, „das ehemalige St. Maximiner Weingut Staadt mit seinem liebevoll restaurierten Hofhaus und dem Keltergebäude, oder der Weinort Serrig mit Schloss Saarfels".

INFORMATIONEN

AUSKUNFT

Tourist-Information Kastel-Staadt
König-Johann-Straße 35 a
54441 Kastel
☎ 06582/7137 ✆ 991191
Saar-Obermosel Touristik, Graf-
Siegfried-Straße 32, 54439 Saarburg
☎ 06581/19433 ✆ 81290
@ www.saarburgerland.de
Klause bei Kastel: Öffnungszeiten
1. April - 30. September, 9 - 18 Uhr,
1. Oktober - 31. März, 9 - 17 Uhr
(letzter Einlass eine halbe Stunde vor
Schluss, Mittagspause 13 - 14 Uhr), am
ersten Werktag einer Woche sowie im
Dezember geschlossen.

ANFAHRT

Von Saarburg aus die B 407 bis nach
Trassem. Ab Trassem ist die Klause
ausgeschildert. Parkplätze direkt
vor der Klause.

TOUR-TIPP

Wanderung zum Altfels und das
Felsplateau Kastel über den Felsenweg
(ist ausgeschildert)

EINKEHR-TIPP

Gasthof Zur Klause
König-Johann-Str. 35 a
54441 Kastel-Staadt
☎ 06582/7137 ✆ 991191
Ruhetag Dienstag.

Geschichte mit Weitblick

Spuren der Römer und Kelten.

So bauten die Römer: Tempel in Tawern.

Schon die Kelten wussten es: Die Obermosel zwischen Treis-Karden und Cochem ist einfach ein ideales Fleckchen Erde. Auf einem Hochplateau, 180 Meter über dem heutigen Dorf Pommern, gründeten sie bereits im letzten Jahrhundert vor Christus eine Siedlung samt Stadtbefestigung und Kultstätten. Ihrem Beispiel folgten die Römer, die später auf Grundlage der alten Gebäude eine Tempelanlage errichteten. Vor einigen Jahren wurden erneut Ausgrabungen auf dem Martberg gemacht, die erstaunliche Funde aus seiner über 2000-jährigen Siedlungsgeschichte zu Tage förderten. Über drei Kilometer lang soll sie gewesen sein, die Mauer, die die keltische Stadt auf dem Martberg vor Feinden schützte, etwa 5000 Menschen sollen hier um das Jahr 100 v. Chr. auf einer Fläche von circa 70 Hektar gelebt haben. Gigantische Zahlen für die damalige Zeit. Kein Wunder also, dass die Siedlung bald zum „Oppidum", einer Hauptstadt der Treverer (Mosellaner Kelten) wurde. Sie war nicht nur Zentrum von Handel und Verwaltung, sondern auch kultureller und religiöser Mittelpunkt des Gebietes. Die hölzernen Tempel auf dem schiefrigen Martberg, in denen „Levus", der wichtigste Gott der Treverer, verehrte wurde, hatten sogar überregionale Bedeutung. Nur 300 Jahre später hatte sich an gleicher Stelle bereits eine andere Kultur etabliert. Wo heute Wanderer einen herrlichen Moselblick erleben, übernahmen die Römer nach ihrem Einzug ins Moseltal die religiösen Stätten der Treverer. Die ehemaligen Tempel des keltischen „Levus" wurden nun dem römischen Kriegsgott Mars geweiht, der dem Martberg seinen Namen gab. Vom Wohlstand dieser Zeit zeugen die letzten Ausgrabungen von 1998, die Überreste von religiösen Opfergaben oder auch Alltags-Gerätschaften zu Tage förderten. Zu sehen sind die Fundstücke teilweise in einer Ausstellung im Bürgerhaus „Alte Schule" in Pommern, wo Computeranimationen den Besuchern ein lebendiges Bild vom keltischen und römischen Leben auf dem Martberg vermitteln. Weitere Funde der Ausgrabungsstätte zeigt das Stiftsmuseum in Karden (▶ *SEITE 123*).

INFORMATIONEN

AUSKUNFT
Gemeindeverwaltung
56829 Pommern
☎ 02672/910133 📠 910134
@ porten-pommern@t-online.de

ANFAHRT
Von Cochem aus die B 49 Richtung Koblenz, erste Abfahrt Pommern, Parkmöglichkeiten vor dem Bürgerhaus Spilles, Wanderweg S1 und Wanderweg M führt auf den Martberg.

TOUR-TIPP
Wildpark in Klotten (▶ *SEITE 60*). Die B 49 Richtung Cochem. In Klotten ist die Anfahrt zum Wildpark ausgeschildert.

EINKEHR-TIPP
Hotel-Restaurant Gasthaus Onkel Otto Lindenstr. 13, 56829 Pommern
☎ 02672/2407 📠 8828. November bis Ostern dienstags Ruhetag, ansonsten ganztägig geöffnet.

AUF EINEN BLICK

ZEUGNISSE DER RÖMER AN DER MOSEL

IN **PERL-BORG**: *RÖMISCHE VILLA BORG* (▶ *SEITE 106*). IN **NENNIG**: *RÖMISCHES MOSAIK* (▶ *SEITE 106*). IN **TAWERN**: *RÖMISCHER TEMPELBEZIRK* (▶ *SEITE 117*). IN **TRIER**: *PORTA NIRGRA, KAISERTHERMEN* (▶ *SEITE 105*), *AMPHITHEATER* (▶ *SEITE 16*), *BASILIKA* (▶ *SEITE 103*), *RÖMERBRÜCKE, BARBARATHERMEN, THERMEN AM VIEHMARKT* (▶ *SEITE 105*). IN **LONGUICH**: *VILLA URBANA* (▶ *SEITE 106*). IN **MEHRING**: *VILLA RUSTICA* (▶ *SEITE 106*). IN **PIESPORT**: *RÖMISCHE KELTERANLAGE* (▶ *SEITE 147*). IN **POMMERN**: *TEMPELBEZIRK* (▶ *SEITE 117*). IN **VELDENZ**: *VILLA ROMANA*. IN **MARING-NOVIAND**: *RÖMISCHE KELTERANLAGE*. IN **ERDEN**: *RÖMISCHE KELTERANLAGE*.

Christoph Anders: Kunst rund um den Rebstock.

Wein und Kunst im (Über-)Fluss

Bunte Weinberge – wo gibt´s denn das? Ein kunterbuntes Museum voller Utensilien rund um den Rebenstock – auch das gibt´s. Im Moselort Senheim, zwischen Alf und Cochem gelegen, lohnt es sich ganz besonders, ein paar Stunden Station zu machen. Kultur ist hier gleich doppelt im Fluss. Und die Kunst zeigt sich sehr vielseitig. Wie Leit-Linien wachsen sie aus dem Grün der Weinberge, die vielen farbigen Pfähle. Zwischendrin: ein großer steinerner Kopf. Landschaftsmarkierungen dieser Art sollen Blicke anlocken, Zusammen-Hänge erkennbar machen und sind Teil einer Kunst-Aktion des Zeichners und Bildhauers Christoph Anders. Der äußerst rührige Künstler ist das ganze Jahr über an vielen Kultur-Fronten aktiv. In den Sommermonaten, speziell im Juli, stehen Open-Air-Symposien auf dem Programm. Direkt am Moselufer, aber eben auch in den Wingerten arbeiten dann Bildhauer, die sich über jeden Besucher, Betrachter ihrer Arbeiten freuen und gerne zu ihren Werken Stellung nehmen. Im kleinen Senheimer Skulpturenpark gibt es Jahr für Jahr mehr zu sehen. Großobjekte aus Stahl, Holz, verschiedenen Steinarten setzen Zeichen und Akzente. Stimmungen werden erzeugt, neue Sichtweisen vermittelt, Reflexionen angeregt. Beispiel: Initiator Christoph Anders hat Figuren-Fragmente (so Hände, Gesichter) in Basaltlava gefasst. Zwei gen Himmel ragende Blöcke vermitteln im wahrsten Sinne des Wortes ganz neue Durchblicke. Ort, Weinberge, Straße werden ebenso einbezogen wie der Betrachter, der sich und das Werk des Künstlers in einem dort montierten Spiegel erkennt. Christoph Anders ist auch Herr – sprich Besitzer – der mächtig aufragenden ehemaligen Senheimer Vogtei (um 1200 erbaut). Einst wurden hier Zinsen abgeliefert, heute ist der mehrgeschossige Turm mit dem steilen Satteldach ein Haus der Kunst. Dort wohnen und arbeiten Maler oder Bildhauer, dort finden auch Wechsel-Ausstellungen statt. Nur wenige hundert Meter weiter rummelt es mitunter kräftig. Das Weinmuseum Schlagkamp-Desoye bildet eine Touristenattraktion erster Güte und wird Jahr für Jahr von rund 50 000 Touristen aus aller Welt besucht (▶ SEITE 92).

INFORMATIONEN

AUSKUNFT

Tourist-Info Cochem-Land
Ravenéstr 1, 56812 Cochem
☎ 02671/608143 ☏ 600444
Vogtei Senheim, erreichbar über
Christoph Anders, Brunnenstr. 16
56820 Senheim
☎ 02673/4635 ☏ 4515. Weinmuseum
Schlagkamp-Desoye, Zellerstr. 11
☎ 02673/4381 ☏ 4351
@ www.schlagkamp-desoye.de

ANFAHRT

B 49 Cochem-Trier. 14 km von Alf/Bullay
entfernt. Über die A 48 Koblenz-Trier,
Abf. Cochem oder Kaisersesch. Über die
Hunsrückhöhenstr. B 327 Abf. Kappel,
B 421 Richtung Mosel

TOUR-TIPP

Radtour über Nehren nach Alf.
Unterwegs das Inbild moselländischer
Frömmigkeit, das berühmte Reliefbild
„Christus in der Kelter" (Kreuzkapelle
bei Ediger-Eller), besichtigen. „Haus
Waldfrieden" in Alf bietet an
Wochenenden Kulturprogramme
nach telefonischer Vereinbarung,
☎ 06542/2608 @ www.stein-weine.de

EINKEHR-TIPP

Sunderhof am Senheimer Moselufer
☎ 02673/4070
Schinkenkeller, Brunnenstr. 9, Senheim
☎ 02673/4270. Ruhetag Montag.

Beflügelt von der
Flügelschraube

Es sieht aus, als würde eine elegante Dame gerade im Kopfsprung ins Gestrüpp des naturbelassenen Gartens abtauchen. „Eintauchend" heißt die Skulptur des schlanken Beinpaares, das mit den Füßen nach oben gen Himmel ragt und dem Besucher des Ateliers von Walter Mangold in Bengel als verblüffender Blickfang ins Auge springt. Ganz in der Nähe des Klosters Springiersbach und in unmittelbarer Nachbarschaft der Springiersbacher Mühle lebt und arbeitet der Künstler Walter Mangold. Einen weiteren Arbeitsplatz hat er als Lehrer für Kunsterziehung, Sport und evangelische Theologie am Gymnasium in Traben-Trarbach und als Lehrbeauftragter am Fachbereich Bildende Kunst der Johannes Gutenberg Universität in Mainz. Viele bemerkenswerte Schülerarbeiten, unter anderem auch aus dem Grundmaterial des bekannten Moselschiefers,

Walter Mangold spielt gerne mit Strukturen.

sind im Ausstellungsraum, den Werkstätten und im Wohnhaus des Künstlers zu sehen. Vielseitig ist das Schaffen Mangolds, der, wie er selbst sagt, nach Stimmungslage und kreativer Idee als Bildhauer grobe Steine oder abgelagertes Holz bearbeitet, filigrane Papierarbeiten herstellt, Keramiken brennt oder farbig intensive Landschaftsbilder malt. Große Worte macht Walter Mangold nicht, wenn er Besucher durch sein Atelier führt. „Wer sich auf die Arbeiten einlässt und offen dafür ist, findet in seiner eigenen Sprache die Erklärungen", meint er lächelnd. Im vermeintlich unbearbeiteten Stein entdeckt man beim genauen Betrachten angedeutete Gesichter, Hände, Füße oder andere Körperteile. Mangold liebt das Spiel mit Typen und das Suchen von Strukturen im Verborgenen, verrät er. Aus bestimmten Anordnungen von Steinskulpturen entstehen „sitzendende" oder „liegende" Landschaften. Weich und zärtlich wirkt harter Stein, wenn aus ihm ein Lieblingsmotiv entstand: ineinander verschlungene Paare. Eine ganz profane Flügelschraube beflügelte Mangold zur Skulptur, die ein Rasenstück vor seinem Haus ziert. Der Gegensatz in sich faszinierte den Künstler: „Eine Schraube hält fest, während ein Flügel Freiheit bedeutet." Das Flüchtige und Veränderbare drückt Mangold mit seinen filigranen Mobiles aus, auf der Suche nach Spuren geht er mit Arbeiten aus verschieden strukturiertem Papier. Wer durch die Räume des Künstlers geht, entdeckt in der Sammlung von schönen Gitarren dessen Liebe zur Musik. Einige der Zupfinstrumente hat er aus altem Holz selbst gebaut und spielt auch darauf. Mangold wurde mit bedeutenden Kunstpreisen ausgezeichnet und hat internationale Ausstellungen bestückt.

INFORMATIONEN

AUSKUNFT
Das Atelier Walter Mangold Springiersbacher Mühle 1 in 54538 Bengel kann nach telefonischer Anmeldung besucht werden. Anrufe am besten ab 15 Uhr
☎ 06532/9539905

ANFAHRT
Ab Cochem B 49, Abzweigung Alf Richtung Wittlich bis Bengel.

TOUR-TIPP
Besuch des Klosters Springiersbach mit Kirche (▶ SEITE 119).

EINKEHR-TIPP
Gasthaus Pütz in Bengel, Trierer Str. 10
☎ 06532/2291, Ruhetag Mittwoch.

Kunst entlang der Stiege: Galerie Steib.

Große Kunst in kleinem Haus

„Als ich zum ersten Mal in dieses Haus kam, verschlug es mir fast die Sprache", bekannte die rheinland-pfälzische Kulturministerin, als sie die Galerie Steib in Cochem eröffnete. Sprachlos und überwältigt von der ungewöhnlich großen und vor allem vielschichtigen Kunstsammlung, erklimmen auch die meisten Besucher die schmalen Stiegen des kleinen Hauses an der Moselpromenade. Vom Parterre bis unters Dach drängen sich rund 500 Bilder mit den unterschiedlichsten Motiven, Stilen und Formaten dicht an dicht an allen Wänden des Treppenhauses und der Zimmerchen. Zu den Bildern gesellen sich außerdem exotische Mitbringsel von den Fernreisen des Künstlers. Dabei zeigt die ständige Ausstellung nur einen Bruchteil der Arbeiten Josef Steibs, der von 1948 bis zu seinem Tod 1957 in Cochem lebte. Der gesamte Nachlass umfasst rund 2000 Werke, den die Witwe des Künstlers, Brundhilde Steib vor ihrem Tod 1994 der Kulturstiftung des Landes Rheinland-Pfalz vermachte. Gleichzeitig bestimmte sie, das Haus an der Moselpromenade mit allen darin untergebrachten Gemälden und Malutensilien in seinem ursprünglichen Zustand zu erhalten und der Öffentlichkeit zugänglich zu machen.

Das alte Gebäude wurde mit viel Aufwand umgebaut und renoviert, bevor es als Galerie eröffnet werden konnte. Der Museumsbetrieb liegt in der Hand der Reichsburg Cochem GmbH. Alle Exponate sind unverkäuflich, doch im Galerie-Shop kann man Kunstdrucke erwerben. Landschaften hat Josef Steib in hundertfacher Art auf Leinwand oder Papier gebracht: Eifelhöhen und -dörfer, Moseltäler, Weinberge und Cochemer Gassen, aber auch farbenprächtige Impressionen aus Nordafrika und der Karibik. Blumen, Tiere und Stillleben gehörten ebenso zu seinen Motiven wie philosophische und metaphysische Aussagen.

Von den vielen Porträts unbekannter Menschen und bekannter Persönlichkeiten heben sich immer wieder die Bildnisse seiner schönen Frau Brunhilde ab. Ölgemälde, Radierungen, Tuschezeichnungen und Bleistiftskizzen, Aquarelle, ja sogar Ikonenmalerei hat Josef Steib hinterlassen. Der Künstler wurde 1898 in München geboren. Schon als Kind zeigte sich seine hohe Begabung fürs Malen und Zeichnen. Seine künstlerische Ausbildung erhielt er bei Professor Herberholtz in Düsseldorf und als freier Schüler der Kunstakademie. Zusätzlich arbeitete er unermüdlich im Selbststudium, um Maltechnik und Farbmischung zu erlernen. 1929 kam er erstmals nach Cochem, wo er sich mit einem Hotelier und dem damaligen Besitzer der Reichsburg, Jakob Louis Ravené, anfreundete. Nach vielen Künstlerreisen mit seiner zweiten Ehefrau Brunhilde ließ sich das Paar 1948 endgültig an der Mosel nieder. Josef Steib starb im September 1957.

INFORMATIONEN

AUSKUNFT
Galerie Steib, Moselpromenade 22
56812 Cochem
☏ 02671/8627. Führungen täglich 14 Uhr, Gruppen bis 12 Personen nach Vereinbarung. Öffnungszeiten Galerie-Shop: 1. April bis 31. Oktober, täglich 11 bis 17 Uhr.

ANFAHRT
A 48 Abfahrt Kaisersesch, Richtung Cochem oder Bahn Koblenz-Trier.

TOUR-TIPP
Auf dem Josef Steib-Platz ist eine Gedenktafel des Künstlers zu sehen. Ganz in der Nähe kann man ein großes Mosaik eines weiteren Cochemer Künstlers, Carlfritz Nicolay, bewundern, nach dem der dortige Platz benannt ist.

EINKEHR-TIPP
Traditionelles Cochemer Restaurant „Zom Stüffje", Oberbachstraße 14
☏ 02671/7260. Ruhetag Dienstag, im Winter auch montagabends.

Orgeln im Silberglanz

Die Königin der Instrumente hielt unter schiefergedeckten Kirchtürmen den Dornröschenschlaf, bis Anfang der 90er Jahre der international renommierte deutsche Organist und Musikforscher Wilhelm Krumbach öffentlich vorführte, was bis dahin nur wenige Eingeweihte wussten: An der Mosel gab es Orgelschätze aus der Zeit zwischen 1728 und 1849 auf engstem Raum, die, was die Qualität der Instrumente angeht, ihresgleichen suchen. Krumbach

Orgelschätze hinter dicken Kirchenmauern.

gründete die „Festlichen Orgeltage im Moselland". Und seit 1993 treffen sich im Sommer Organistinnen und Organisten zum Spiel auf wertvollen Instrumenten. Wir starten zu unserer Orgelreise in Karden. In der Stiftskirche St. Castor steht die älteste Orgel der Region. Die Firma Stumm in Sulzbach-Rhaunen im Hunsrück baute sie 1728. Die Gebrüder Stumm waren bekannt für ihr handwerkliches Geschick, beste Qualität und den guten Klang ihrer Instrumente. Der „Stummische Silberglanz" war ein Begriff.

Die Kardener Orgel ist ein sehr beliebtes Konzertinstrument. In St. Martin in Cochem steht die jüngste, gleichzeitig die größte und wertvollste Orgel im Landkreis Cochem-Zell, auch optisch ein Kunstwerk. 1997 wurde sie von der Firma Oberlinger in Windesheim bei Bad Kreuznach gebaut. Sie besteht aus zwei Gehäusen, die auf eigenen Emporen stehen und dadurch quasi einen Stereo-Effekt auslösen und hat noch andere Besonderheiten. Manche Orgelbaumeister lieben es, kleine Gags einzubauen, etwa einen Kuckucksruf oder den sich drehenden Cymbelstern. Den hat die Orgel in Cochem auch, und als Überraschung ein Rieslingsregister. Wenn man dieses Register zieht, öffnet sich ein Schränkchen mit zwei Flaschen Moselriesling. Weiter moselaufwärts, in der Klosterkirche Beilstein, steht eine von Balthasar König aus Köln 1738 gebaute Orgel mit 20 Registern. Die Königs waren wie die Stumms bedeutende und typische Vertreter des rheinischen Orgelbaus. Demnächst werden Veränderungen und „Verbesserungen" der Vergangenheit rückgängig gemacht, und das Beilsteiner Instrument wird wieder in den Originalzustand gebracht. Dann wird es wie die Orgel in Karden wieder den vollen und kräftigen barocken Klang haben. Die Reise kann noch weitergehen, etwa zu den Orgeln von Ediger oder Pünderich oder in die Eifel nach Hambuch oder Wollmerath.

In Treis, auf der anderen Moselseite, steht ein ungewöhnliches, sehenswertes Instrument. Es ist in der Form dem von Johann Claudius von Lassaulx entworfenen neugotischen Kirchenbau angepasst. Man sollte keine Gelegenheit entgehen lassen, die wertvollen Instrumente zu hören. Die gibt es auch außerhalb der Orgeltage.

INFORMATIONEN

AUSKUNFT
Kreisverwaltung Cochem-Zell
Ravenéstr. 6, 56812 Cochem
☎ 02671/61165 ☎ 61160
@ oepnv.kv@lcoc.de

ANFAHRT
Über die A 61 Abfahrt Boppard, B 227
Richtung Koblenz bis zur Abzweigung
Alken. An der Mosel entlang bis Karden.
Über die A 48 Abfahrt Kaifenheim, über
Brohl nach Karden.

TOUR-TIPP
In Karden Stiftskirche St. Castor und
das Stiftsmuseum, in Cochem die
Reichsburg. Beilstein mit Burg
Metternich ist einer der
romantischsten Orte an der Mosel.

EINKEHR-TIPP
Winzerschänke „Wingertsbrünnchen"
Kirchberger Str. 39 in
56253 Treis-Karden
☎ 02672/1666
Ruhetag Mo; Di; Mi.
Schloss-Hotel Petry, St. Castorstr. 80
56253 Karden
☎ 02672/9340 ☎ 934440
@ www.schloss-hotel-petry.de
Kein Ruhetag.
Gute Küche mit regionalen und
internationalen Spezialitäten.

Piano im Park

Schriftsteller live: Literaturtage in Bad Betrich.

INFORMATIONEN

AUSKUNFT
Kurverwaltung, Kurfürstenstr. 32
56864 Bad Bertrich
☎ 02674/932-222 📠 932-220
@ www.bad-bertrich.de

ANFAHRT
Von der Mosel ab Alf Richtung
Lutzerath. Von der A 48 Abfahrt
Laubach über Lutzerath.

TOUR-TIPP
St. Aldegund, romantisches Winzerdorf,
Konzerte in der „Alten Kirche".

EINKEHR-TIPP
Kurhotel am Kurfürstlichen Schlösschen
Kurfürstenstr. 34, 56864 Bad Bertrich
☎ 02674-9440 📠 837
@ www.die-fuhrmanns.de
Stilvolle Atmosphäre in erlesenem
Ambiente, Wellness-Bereich wie in
„Tausend und einer Nacht", Beauty-
Farm, Kuranwendungen. Die Küche legt
besonderen Wert auf frische, möglichst
regionale Produkte der Saison und
erfüllt auch individuelle Wünsche.

Der hübsche kleine Kurort Bad Bertrich ist gut für Körper, Geist und Seele. Thermalbäder und eine schöne Landschaft, gute Hotels und jede Menge Kultur tun alles für Erholung und Wohlbefinden. Sind die kulturellen Ereignisse auch über das ganze Jahr verteilt, so sticht eines doch hervor: der „Internationale Klaviersommer" mit Spitzenpianisten aus der ganzen Welt. Im idyllischen Kurfürstlichen Schlösschen interpretieren renommierte Künstlerinnen und Künstler Werke großer Komponisten.

Immer am Sonntag nach den Sommerferien beginnt der internationale Klaviersommer; fünf oder sechs Konzerte folgen jeweils freitags und sonntags. Begehrt beim hochkarätigen pianistischen Nachwuchs aus verschiedenen Ländern ist der jedes Jahr angebotene Meisterkurs. Die jungen Leute zeigen ihr Talent und Können am Ende des Kurses in einem Konzert, in dem das Publikum einen Preis vergeben darf. Das Klavier ist nicht ausschließlich Soloinstrument, manchmal verbindet es sich mit Violine, Cello oder der menschlichen Stimme zum harmonischen Duo. Die letzten drei Konzerte verlegen ihren Schauplatz aus dem Ambiente des Kurfürstlichen Schlösschens in eine andere, nicht minder ansprechende Umgebung.

Das alte kleine Kirchlein in St. Aldegund, mitten in den Weinbergen über der Mosel gelegen, bietet zwischen seinen mit mittelalterlichen Fresken bemalten Mauern eine besonders gute Akustik. Das letzte Konzert verlässt den Landkreis Cochem-Zell, um den Besuchern aus anderen Regionen etwas „entgegen" zu kommen, und das Klavier erklingt in Mayen, in Daun oder sonst wo. Das andere kulturelle Ereignis von überregionalem Rang sind Ende Oktober oder Anfang November die „Bad Bertricher Literaturtage." Ein wissenschaftlicher Vortrag, der dem Schaffen Clara Viebigs gewidmet ist, leitet sie ein. Keine graue und trockene Theorie wird geboten, sondern die „Vorlesungen" deutscher und ausländischer Germanisten sind immer spannend und kurzweilig. Die im Stil des Naturalismus schreibende Erzählerin war zu ihrer Zeit (1860-1952) sehr erfolgreich, auch wenn sie ihren Erfolg zunächst einem Skandal verdankte.

Im 1900 erschienen Roman „Das Weiberdorf" fühlten sich die Eifeler diffamiert, denn das sündige Dorf „Eifelschmitt" war unschwer als das reale Eisenschmitt zu identifizieren. In unseren Tagen vergessen, wurde die Schriftstellerin von einer Initiative aus Bad Bertrich, wo sie oft zu Gast war, neu entdeckt. Veranstaltungen mit anderen Schwerpunkten, wie etwa Lesungen von Krimiautoren der Region, machen das literarische Wochenende jedes Jahr wieder reizvoll. Ein wichtiger Bestandteil der Literaturtage ist die Siegerehrung der Teilnehmer des Wettbewerbs für schreibende Jugendliche, „SchrittMacher". Die Texte der jungen Autoren sind oft von verblüffender Qualität.

Wo Castor den Weg weist

Der St. Castor-Schrein.

Was lockte den Geistlichen Castor aus Aquitanien, der Gegend um Bordeaux, ausgerechnet in den kleinen Moselort Karden? Zu seiner Zeit, etwa um das Jahr 400, galt Karden – das heute gemeinsam mit Treis eine ruhige Kleinstadt bildet – als das kulturelle und religiöse Zentrum der römischen Besatzungsmacht an der Mosel. Hier betreute Castor, der in einer Felshöhle lebte, eine kleine christliche Gemeinde, eine der ersten an der Obermosel. Zwei gewaltige schiefergedeckte Türme weisen den Weg heute zu Castors „Moseldom": Schon von ferne ragt die Stiftskirche St. Castor als weithin sichtbares Gedenksymbol an den Heiligen über die Schieferdachlandschaft von Karden. Als 1183 mit dem Bau des Gotteshauses begonnen wurde, beschlossen die Kardener, es nach dem ersten christlichen Priester ihres Ortes zu benennen, über dessen letzter Ruhestätte sie die Kirche errichteten. Aber nicht nur ihr Namenspatron macht die ehemalige Stiftskirche für Besucher interessant: Liebevoll als „Dom der Mosel" bezeichnet, ist sie wegen ihrer Ausstattung, die zu den wertvollsten in diesem Flusstal gehört, weithin bekannt. Romanische Kreuze aus dem 12. oder eine Strahlenmonstranz aus dem 18. Jahrhundert zeugen von ihrer prunkvollen Vergangenheit und sind heute im Stiftsmuseum zu sehen. Der spätgotische Altarschrein aus Terrakotta, der um 1420 aus heimischen Ton gebrannt wurde, ist zentrales Schmuckstück ihres Innenraums. Ein besonderes Augen- und vor allen Dingen Ohrenmerk verdient aber auch die Orgel, die 1728 von der Familie Stumm erbaut wurde und die älteste noch erhaltene Großorgel dieser bekannten Orgel-

Wertvoll: Alte Meßbücher.

bau-Familie ist: Auf Anfrage kann ein kurzes Konzert gebucht werden, bei dem sich die Atmosphäre im Kircheninnenraum doppelt so gut genießen lässt. Eine beeindruckende Übersicht über die mehr als 2000-jährige Geschichte Kardens bietet das Stiftsmuseum im früheren Refektorium (Speisesaal der Stiftsherren) des Zehnthauses: Hier wird die Zeit der Kelten (Treverer) wieder lebendig, in der sich nahe des Ortes eine große Siedlung auf dem Martberg befand. Quasi miterleben kann man auch die Jahre, als Karden Sitz eines der fünf kurtrierischen Archivdiakonate war und das Stift aufgebaut wurde. Wer durch Karden geht, um Moseldom und Stiftsmuseum zu besuchen, sollte die Augen auch unterwegs offen halten: Zahlreiche historische Bauten lohnen einen genaueren Blick. Das 800 Jahre alte Wohnhaus des Probstes, Korbisch genannt, oder die ehemalige Stiftsschule sind nur zwei von vielen, mit Liebe zum Detail erhaltenen Fachwerkgebäuden, deren Charme meist von Kleinigkeiten wie einer aufwendigen Schnitzerei oder einer zarten Madonnenfigur in einer Nische ausgeht.

INFORMATIONEN

AUSKUNFT

Verkehrsamt Treis-Karden
Hauptstr. 27, 56253 Treis-Karden
☎ 02672/6137 ☎ 2780
@ www.treis-karden.de
Öffnungszeiten für das
Stiftsmuseum in Karden: Mittwoch
bis Freitag von 14 bis 17 Uhr (Mai
bis Oktober), Wochenende 10 bis 12,
14 bis 17 Uhr.

ANFAHRT

A 48 Abfahrt Kaisersesch oder Abfahrt
Kaifenheim über die Landstraße. Der
Weg nach Treis-Karden ist gut
ausgeschildert.

TOUR-TIPP

Oberhalb von Treis-Karden bei Roes
die Schwanenkirche, historische
Wallfahrtskirche mit schönen
Bildwerken.

EINKEHR-TIPP

Schloss-Hotel Petry, St. Castor-Str. 80
56253 Treis-Karden (OT Karden)
☎ 02672/9340 ☎ 934440
@ info@schloss-hotel-petry.de
Kein Ruhetag.

Restauriert: Die Matthiaskapelle.

Wenn ein Kreuzritter zum Raubritter wird

INFORMATIONEN

AUSKUNFT

Touristik und Kultur Kobern-Gondorf
Abteihof St. Marien
56330 Kobern-Gondorf
☎ 02607/194-33 ☏ 4045
Führungen durch die
Matthiaskapelle anmelden:
☎ und ☏ 0180/5221360
Die Matthiaskapelle ist vom Sonntag
vor Ostern bis einschließlich 3. Oktober
an Sonn- und Feiertagen
von 11 bis 17 Uhr geöffnet.

ANFAHRT

Aus Richtung Koblenz über die B 416 bis
Kobern-Gondorf. Zur Matthiaskapelle
kommt man vom Mühlental aus, dass
in Kobern (hinter dem Friedhof) rechts
von der L 117 abzweigt.

TOUR-TIPP

Wandern im Ehrbachtal (▶ SEITE 66).

EINKEHR-TIPP

Restaurant Marais, in der
Oberburg über Kobern
☎ 02607/8611 ☏ 961807
@ www.jp-marais.de
Montag und Dienstag Ruhetag.
Alte Mühle, Thomas Höreth
(▶ SEITE 128).

Manche sagen, Kreuzritter Heinrich II. von Isenburg-Kobern habe den Kopf des Apostel Matthias 1221 aus Unterägypten „mitgebracht". Andere wollen wissen, dass der Kreuzritter zum Raubritter wurde und die kostbare Reliquie einfach entwendete. Wie auch immer. Kobern verdankt dem Relikt einen ebenso schönen wie seltenen Kirchenbau: die Matthiaskapelle. Sie thront auf einem langgestreckten Bergrücken über der Mosel, und so einmalig wie ihre Lage ist auch ihr Aussehen. Über die Entstehung der anmutigen Kapelle mit ihrem altdeutschen Schieferdach ist wenig bekannt, doch es scheint sehr wahrscheinlich, dass sie zwischen 1220 und 1240 als steinerner Reliquienschrein für das Apostelhaupt errichtet wurde. Der sechseckige, freistehende Grundriss findet sich so bei keiner anderen Kirche in Deutschland und gibt auch heute noch Rätsel auf. Die Reliquie blieb übrigens keine hundertfünfzig Jahre in der Kapelle, nach vielen Irrfahrten kam sie 1927 schließlich in die Abtei St.Matthias in Trier.

Die Matthiaskapelle über Kobern lag einst im Hof der mächtigen Oberburg, von der nur der Bergfried übrig blieb, doch der stämmige Turm bezeugt noch immer, wie gewaltig die ganze Anlage gewesen sein muss. Eine sehr schmale Straße führt zwar aus dem Mühlental fast bis zur Kapelle, viel schöner ist aber der Fußweg hinauf durch die Weinberge. Es geht vorbei an der romantischen Ruine der Niederburg, die mit ihren efeubewucherten Mauern eine zauberhafte Kulisse für alle erdenklichen Märchen und Spukgeschichten abgibt. Auch von dieser stolzen Burg blieb nur der Bergfried erhalten, und nur noch mit Fantasie lässt sich erahnen, wo einst edle Burgfräulein singend und spinnend am Kamin saßen. Zur Oberburg und zur Matthiaskapelle windet sich der schmale Weg von hier weiter durch die Weinberge. Er wird von Kreuzwegstationen gesäumt, deren schlichte Bildplatten Elisabeth Haas-Reck gestaltete. Nach dem Spaziergang zur Matthiaskapelle warten auf dem Marktplatz in Kobern verschiedene Straßencafés auf müde Wanderer. Fachwerkhäuser säumen den Platz, auf dem im Mittelalter Turniere und grausame Hexenverbrennungen stattfanden. Prächtige Höfe erinnern an vergangene Zeiten, so beispielsweise der Abteihof St. Marien, das älteste Fachwerkhaus in Deutschland, das um 1320 errichtet wurde. Wer den Sprung vom Mittelalter in die Zukunft wagen will, muss nur die Fotovoltaik-Anlage oberhalb von Kobern-Gondorf besuchen. Die Kraft der Sonne wird hier in nutzbare Energie verwandelt. Auch wenn das auf Anhieb schon wieder ein bisschen nach Hexerei klingt – das Solarkraftwerk produziert aber garantiert ganz ohne Hokuspokus in Spitzenzeiten bis zu 350 Kilowatt Strom.

WEINKULTURGUT LONGEN-SCHLÖDER

Appetit
auf mehr

Markus und Sabine Longen.

Inmitten warmer Terrakotta-Töne, frischem Gelb, Orange, zwischen Möbeln aus Nussbaum und dem Duft des Weines, dort hat die Kultur eine neue Heimat gefunden. Hier, im WeinKulturgut Longen-Schlöder, idyllisch ins Moseltal in Longuich bei Trier gebettet, gehen Wein-Kultur, Musik, Literatur und Kunst eine fruchtbare Symbiose ein. Im mediterranen Ambiente, vermischt mit römischem Erbe, sind Genuss und Lebensfreude zu Hause.

Als lebendiges Weinhaus, als Straußwirtschaft mit kulturellem Einschlag verstehen sich Jungwinzer Markus Longen und seine Frau Sabine mit ihrer gemütlichen Vinothek und angeschlossener Vineria. Bei zahlreichen Hoffesten, Lesungen oder Ausstellungen mit Werken regionaler Künstler finden Kultur und Lukull schnell zusammen. Wie bei „Alles Käse", wo edle Tropfen mit erlesenen Käsespezialitäten kombiniert werden. Oder literarische Leckerbissen in Verbindung mit Rebensaft ... In weinseliger Atmosphäre gibt sich die Kunst ein Stelldichein, und Tradition trifft auf Moderne.

Neue Wege sind für den experimentierfreudigen Markus Longen nicht fremd: Schon 1987 brachte er andere Rebsorten an die Mosel. Fortan konnten im Weingut neben dem moseltypischen Riesling auch Chardonnay, Weißburgunder und der Saft roter Reben verkostet werden: 1996 war er einer der Ersten, die Cabernet Sauvignon anpflanzten. Den jungen, modernen Weinen folgte die entsprechende Verpackung: verjüngte Flaschen, ansprechendere Etiketten veredelten das Produkt auch äußerlich. Letzter Schritt des „Faceliftings" war der umfassende Umbau des elterlichen Gutes in das jetzige WeinKulturgut inklusive der lauschigen Weinterrasse mit Blick auf die steilen, schieferdurchzogenen Rebflächen. Hier können die Gäste in gemütlicher Wohlfühlatmosphäre von den hochwertigen Rebsäften kosten, dazu gibt es eine kleine, aber feine Speisekarte mit Wingertskäse, Trestersteak und Bratkartoffeln, Lachsterrine, Lauchcremesuppe, Salate, Fisch oder Käsevariationen. Auch hierbei legt das Winzerpaar Wert auf regionale Produkte. Lukull und Kultur vereinen auch Dieter Portugall und Renate Kissel, die die Mosel nach kulinarischen und künstlerischen Gesichtspunkten bereisten. Kissels gesammelte Rezepte lassen die Mosellandschaft auf der Zunge zergehen, Portugalls farbenreiche Bilder fangen die ureigene Atmosphäre der Kulturlandschaft ein. „Zu Gast an der Mosel" – das macht Appetit auf mehr!

INFORMATIONEN

AUSKUNFT

*WeinKulturgut Longen-Schlöder
Kirchenweg 9, 54340 Longuich
☏ 06502/8345 ☏ 95166
@ www.longen-schloeder.de*

ANFAHRT

Von Koblenz auf der A 1 Richtung Trier, Abfahrt Fell/Longuich, links in den Ortsteil Longuich/Kirsch, zweite Straße rechts, auffälliges rotes Haus.

TOUR-TIPP

Mit dem Mountainbike durch den Wald von Longuich oder durch die Weinberge. Infos beim Verkehrsamt Schweich, ☏ 06502/933 80

EINKEHR-TIPP

*Stefan Andres Weinstube
Laurentiusstr. 17, 54349 Trittenheim
☏ 06507/5972 ☏ 6460
Ruhetag Dienstag, Öffnungszeiten: ab 18 Uhr, Open End. Gehoben bürgerlich mit regionaler Küche, kulinarische Weinerlebnisse.*

Märchenhafte
Moselfeste

INFORMATIONEN

AUSKUNFT

Reichsburg Cochem
☎ *02671/255, Tourist-Information*
Ferienland Cochem, Endertplatz 1
56812 Cochem
☎ *02671/600 40* ✆ *600444*
@ *www.cochem.de*
Burgfestspiele Mayen:
Verkehrsamt der Stadt Mayen
☎ *02651/90 30 04* ✆ *903009*
@ *www.mayen.de*
Zeltinger Operette: Verkehrsamt
Zeltingen-Rachtig, Uferallee 13
54492 Zeltingen-Rachtig
☎ *06532/2404* ✆ *3847*
@ *info.zeltingen-rachtig@t-online.de*

ANFAHRT

Cochem: Von Koblenz über die B 416
nach Cochem.
Mayen: Von Koblenz auf die A 48
Richtung Trier, Abfahrt Mayen, in die
Innenstadt fahren, an großer Kreuzung
links Richtung Burggarage, dort parken.
Zeltingen: Von Koblenz auf die
A 48 Richtung Trier, Abfahrt Wittlich,
Richtung Bernkastel-Kues
nach Zeltingen.

TOUR-TIPP

Mit der Sesselbahn im Stadtkern hoch
zum „Pinner Kreuz" mit fantastischem
Ausblick auf die schiefrige
Mosellandschaft. Café, ein kleiner
Märchenpark und ein Wildpark laden
zum Verweilen ein. Wer Lust zum
Wandern hat, hält sich Richtung
Klotten, dann mit der Fähre übersetzen
und zurück nach Cochem wandern.
Dauer: etwa 2 bis 3 Stunden. Infos bei
der Tourist-Info, Endertplatz 1,
56812 Cochem,
☎ *02671/60040* ✆ *600 444*

Einkehr-Tipp

Brasserie-Restaurant „Megina"
Am Neutor 2, 56727 Mayen
☎ *02651/902177* ✆ *90 03 95*
@ *brasseriemegina@aol.com*
Öffnungszeiten: 11 bis 14.30, 17 bis
24 Uhr, Ruhetag Montag.

„Erlauben Sie, dass ich mich vorstelle, mein Name ist Margret, Margret von Greifeneck." Das schöne junge Fräulein ist nach Burg Greifeneck gekommen, um das Erbe ihres Onkels Hugo anzutreten. Doch auf Greifeneck scheinen seltsame Dinge zu geschehen ... Historische Kostüme und eine zauberhaft-romantische Handlung lassen das Publikum schnell vergessen, dass die Feste Greifeneck in Wirklichkeit die prächtige, schiefergedeckte Reichsburg Cochem und Margret im reellen Leben Schauspielerin ist. Das Ensemble des „Burgenzaubers", das Schlössern und Burgen mit dem Lauftheater „Die schöne Margarita" und dem Musical „Die Erben der schönen Margarita" Leben aus längst vergangenen Zeiten einhauchte, ist nur ein Beispiel für die kulturellen Highlights, mit denen die Moselregion neben den Festivitäten rund um das Nationalgetränk Wein Gäste anlockt. So verwandelte sich der Burghof der Cochemer Reichsburg zu deren 1000-jährigen Bestehen in eine Filmbühne, und die Zuschauer wurden zu Statisten, um die Geschichte der Burg nachzuspielen. Die Genovevaburg setzt mit den Mayener Burgfestspielen hauptsächlich auf die Klassiker. Seit 1982 wird die historische Kulisse der Burg zum Bühnenbild für Shakespeare, Schiller und Co. Stücke wie „Was ihr wollt", „King Lear", „Kabale und Liebe" oder Dürrenmatts „Physiker" beleben die geschichtsträchtige Stätte. 50 bis 70 Aufführungen zwischen Ende Mai und Mitte August, besetzt mit Profischauspielern ziehen jährlich rund 30 000 Besucher in die Eifel-Stadt. Jeweils ein Märchen und zwei Stücke für Erwachsene sind im Programm, dazu kommt die Aufführung eines Austauschtheaters aus Neersen oder Eltville. Einziger Moselort mit eigener Operette darf sich Zeltingen-Rachtig nennen. Als in den 50er Jahren ein Werbelied für den Zeltinger Wein gesucht wurde, gewann der Solinger Komponist Werner Stamm („Wenn das Wasser im Rhein goldener Wein wär'") mit dem Lied „Zeltinger Himmelreich" den Wettbewerb. Preis: ein dreiwöchiger Urlaub in der Moselgemeinde. Beim abendlichen Wein entstand dort die Idee, aus dem Lied, das sich um eine fast wahre Begebenheit im Jahre 1780 rankt, eine Operette zu machen. 1955 folgte die Uraufführung, und noch zwei weitere Jahre ließ sich das Publikum ins Himmelreich ent-

führen, dann fiel der Vorhang. 1980 wurde die einmalige Operette wie-derbelebt. Erst jährlich und nun seit zehn Jahren alle zwei Jahre – mit wachsendem Erfolg. Rund 100 Laien – Chor, Tanzgruppe, Musiker und Solisten – sind jedes Mal Ende Juli bei fünf bis sechs Aufführungen mit unermüdlichem Eifer dabei, wenn die Geschichte um Liebe und Wein den Zeltinger Markplatz zum Leben erweckt.

Küche

Keller

Wohlfühlen

„Alte Steine sind sein Hobby", lacht Gudrun Höreth, „dafür gibt mein Mann ein kleines Vermögen aus." Barocke Buntsandstein-Türbögen aus Frankreich, 600 Jahre alte Brunnen und Tröge aus Basalt, ein kunstvoll in Stein getriebener Wasserspeier aus dem 12. Jahrhundert – sie alle hat Thomas Höreth („in teils romantischer Verklärtheit") aus ganz Europa zusammengetragen, um damit der „Alten Mühle" ein neues romantisch-nostalgisches Gesicht zu geben.

Es war ein melancholischer Spätherbstnachmittag vor mehr als 20 Jahren, als der Weinbauer Thomas Höreth an einem halb-verfallenen Anwesen vorbeispa-zierte. Beim Anblick von ver-moosten Bruchsteinmauern und schiefen Dächern hatte er eine Vision: Aus der Ruine könnte man was machen. Heute ist die Alte Mühle in Kobern-Gondorf ein Schmuckstück – optisch, atmosphärisch, gastronomisch.

Auf Schritt und Tritt begegnen Besuchern die dicken Brocken der Zeitgeschichte, zu denen der Hausherr dann bei einem guten Glas Wein unzählige Geschichten liefert. Auch die der „Alten Mühle", die er penibel bis ins Jahr 1026 zurückverfolgt hat. Gastfreundschaft hat dort Tradition, denn vom Jahr 1230 an pilgerten jedes Jahr Tausende vorbei zur Matthias-Kapelle, wo das in Gold und Edelsteine gefasste Haupt des Apostels Matthias aufbewahrt wurde. Kreuzritter Heinrich von Kobern-Isenburg hatte die kostbare Reliquie aus Jerusalem mitgebracht. Weil auch Wallfahrer Hunger und Durst stillen wollten, stellten die Müller der damaligen Burgmühle Tische und Bänke auf und servierten Wein, Brot, Wurst und Käse. Der Pilgerstrom ebbte erst Mitte des 19. Jahrhunderts ab, und auch mit der Wassermühle ging es nach der Einführung der elektrischen Mahlwerke nur noch bergab – bis zu jener Begegnung im Herbst 1980. Thomas Höreth: „Als ich durch das quietschende Tor in den Innenhof trat, da wusste ich: Die Mühle will ich haben."

Es war ein steiniger Weg, aus den naturbelassenen Gebäuden der alten Burgmühle eine Gutsschänke erster Güte zu machen. Angefangen hat alles 1982 mit einer kleinen Straußwirtschaft. Vier Monate im Jahr servierte Thomas Höreth in den ersten Jahren Wein und belegte Brote, war bekannt für seinen „Gerupften" (Frischkäse mit kräftig Knoblauch) und seinen trockenen Winninger Riesling. Wenn die Saison vorbei und die Kasse wieder halbwegs aufgefüllt war, wurde ein neuer Raum renoviert. Jedes Jahr wuchs die Schänke – und heute sind es zwölf urgemütliche Stuben, ein traumhafter Innenhof und ein schattiger Mühlengarten, in denen sich die Gäste abends beim Kerzenschein an blanken und liebevoll dekorierten Fichtenholztischen wohl fühlen sollen. Keine Musik stört die Kommunikation, „bei uns sollen die Menschen reden können", erklärt Gudrun Höreth ihre Philosophie.

Viele Tische sind bewusst viel schmaler als anderswo: „Wir haben 33 Zentimeter große Teller, aber nur 55 Zentimeter breite Tischplatten. Da kommen sich die Menschen zwangsläufig näher", verrät Gudrun Höreth das Erfolgsgeheimnis einer perfekten Gastgeberin. „Unsere Gäste sollen nicht nur zum Konsumieren kommen, sie sollen sich entspannen." Dafür sorgt natürlich insbesondere der Wein von den eigenen Hängen, stets schön trocken und säurearm ausgebaut: „Das ist fürs Bäuchlein wichtig", schmunzelt der Weinbauer, den es aus Franken über Lehr- und

beim Weinbauern

Wanderjahre an der französischen Côte d´Or an die Mosel verschlagen hat. Auf sonnigen und warmen Schieferterrassen baut der Chef des Hauses neben einem hervorragenden Riesling auch Chardonnay und Grauburgunder an, auf einen Löss-Lehm-Hang bei Lehmen pflanzte er rote Reben: Mosel-Merlot und Cabernet Sauvignon kommen demnächst ins Fass. Zum guten Tropfen im Glas (Bier gibt´s in der „Alten Mühle" konsequent nicht!) gehört gutes Essen — bodenständig, aber alles andere als hausbacken, pfiffig in der handgeschriebenen Speisekarte offeriert, hinter nostalgischen Mauern in der Hightech-Küche stets frisch zubereitet mit Produkten der Saison, schön angerichtet – und mit einem Lächeln serviert. Ob hausgemachte Weinbauernsülze oder Obatzter mit Bratkartoffeln, Lumpensteak, selbstgebeizter Lachs, Moselländische Winzerpfanne oder gerupfter Käse mit ofenfrischem Mühlenbrot – für zehn bis vierzig Mark wird hier jeder Liebhaber ländlicher Gaumenfreunden auf feinste Art satt. Und wer sich ein Stückchen „Alte Mühle" mit nach Hause nehmen möchte, kann sich im angeschlossenen Hoflädchen mit flüssigen und festen Moselspezialitäten eindecken. Die Restauration der „Alten Mühle" ist weitgehend abgeschlossen, Thomas Höreth hat aber schon wieder neue Träume. Seine Sammlung alter Traubenpressen und historischer Winzerwerkzeuge sprengt längst die rund um die „Alte Mühle" vorhandenen Räumlichkeiten. Und so beschäftigt er sich gerade mit der Sanierung eines weiteren Schmuckstückes, in dem Höreths Weinmuseum untergebracht werden soll.

Gudrun und Thomas Höreth: gute Tropfen bei Kerzenschimmer.

INFORMATIONEN

AUSKUNFT
Alte Mühle Thomas Höreth
Mühlental 17, 56330 Kobern-Gondorf
☎ 02607/6474 ☎ 6848
@ www.thomas-hoereth.de
Kein Ruhetag, im Februar
Betriebsferien.

ANFAHRT
Über die A 48, Ausfahrt Kobern-Gondorf. Aus Richtung Koblenz über die B 416 bis Kobern-Gondorf. Die Alte Mühle liegt am Aufgang zur Matthias-Kapelle und ist ausgeschildert.

TOUR-TIPP
Besichtigung der Matthias-Kapelle und Wanderung durch die Weinberge
(► SEITE 124).

Hausbrauerei Mannebach.

Bier vom Bauernhof

Beim Blick aus dem Autofenster glaubt man, im Allgäu zu sein. Saftige grüne Wiesen schmiegen sich an sanfte Hügel, „Vorsicht Traktor!" heißt es auf den kleinen Landstraßen – und irgendwie scheinen die Uhren hier ein wenig langsamer zu gehen. Gemütlicher. Ruhiger. Nur die Straßenschilder „Trier" und „Konz" zeigen, dass wir uns nicht im Süden, sondern am westlichen Rand Deutschlands befinden. Hier, mitten im Dreiländereck Deutschland-Luxemburg-Frankreich, liegt eine der kleinsten gewerblichen Brauereien Deutschlands. Mannebach heißt das schmucke Örtchen, im Seitental des gleichnamigen Baches gelegen. 320 Seelen leben hier, und die Mannebacher verstehen viel von Ackerbau und Viehzucht. Zwei alte Schmieden und eine Mühle zeigen, dass man auch als Handwerker seinen Lebensunterhalt verdienen konnte. Damals, als man noch zu Kurtrier gehörte. Dass Mannebach heute über seine Grenzen hinaus bekannt geworden ist, das verdankt es im Besonderen der Familie Felten und ihrem „Mannebacher Brauhaus". Rund hundert Jahre hat das historische Gebäude auf dem Buckel, der Urgroßvater der heutigen Besitzer hat es erbaut. Wer in Mannebach Hunger hatte, der ging zu den Feltens, das war von Anfang an so. Denn schließlich unterhielt die Familie auch eine eigene Landwirtschaft. Bis Sohn Hans-Günter auf die Idee kam, sich dem Bier zu verschreiben. „Er wollte sich immer schon selbstständig machen und lernte den Beruf von Grund auf", erzählt die Mutter. Das Diplom als Braumeister hatte er bald in der Tasche, und 1994 wagte er den ersten Versuch. Mit ein paar Freunden aus dem Ort wurde das erste selbstgebraute Bier verköstigt, und die Begeisterung muss sehr motivierend gewesen sein. „Es sprach sich schnell herum, wie gut das Bier meines Sohnes ist", lacht die stolze Mutter. Was den Moselanern der Wein von steilen Schieferhängen, ist den Mannebachern das Bier vom Bauernhof. So wuchs der Besucherstrom beständig, und Hans-Günter Felten beschloss, das alte Nebengebäude – einst Stall und Scheune – zur Brauerei umzufunktionieren. In bewährter Tradition wurde auch das Gasthaus fortgeführt, so dass die Besucher heute – wenn sie am Brautag kommen – nicht nur gutbürgerlich essen, sondern auch viel Interessantes übers Bier lernen können. „Wir brauen heute rund 4000 Liter Bier pro Woche", erklärt Viktor Oberdorfer, einer der Braumeister, beim Rundgang. Zwei große kupferfarbene Bottiche zu je 1000 Litern bilden den Eingang und das Wahrzeichen des Mannebacher Brauhauses. Was genau hier in der Würzepfanne und dem Läuterbottich geschieht, das wird auch dem Bier-Unkundigen anschaulich beigebracht. Weiter geht´s in den kühlen Gewölbekeller. Hier stehen die sechs Tanks, in denen die Nachgärung des Bieres stattfindet. „Hier gewinnen wir die Kostproben und testen, ob das Bier gut geworden ist", sagt Oberdorfer. Wenn das Okay des Braumeisters erfolgt ist, wird umgefüllt. Je nach Kundenwunsch in Zehn- bis Fünfzig-Liter-Fässer. Auf den Rundgang folgt der Höhepunkt des Besuches: Es gibt eine Kostprobe des Mannebacher Biers. Wer einmal einen Schluck des süffig-milden Gerstensaftes genossen hat, gibt den Krug nur ungern aus der Hand …

INFORMATIONEN

AUSKUNFT

Mannebacher Brauhaus
Hauptstraße 1
in 54441 Mannebach
℡ 06581/99277. Geöffnet ab 11 Uhr. Ruhetag Mittwoch. Rundgang mit Besichtigung der Brauerei nach telefonischer Anmeldung.

ANFAHRT

A 48 nach Trier, dann in Richtung Konz. Die Saarmündung überqueren, weiter Richtung Saarburg nach Konz-Könen. Hinter dem Ortsausgang nach rechts Richtung Tawern abbiegen. Weiter der Beschilderung Mannebach folgen. Das Brauhaus ist mitten im Dorf.

TOUR-TIPP

Römische Tempelanlage des Gottes Merkur in Tawern. Kein Eintritt, die Anlage ist ganzjährig zugänglich. Von Mannebach aus in Richtung Konz fahren, in Tawern ist die Anlage ausgeschildert.
Haus der Fischerei in Oberbillig bei Trier, an der Grenze zu Luxemburg (Wasserbillig) an der A 48 gelegen. ℡ 06501/946030 oder
@ www.haus-der-fischerei.de
Öffnungszeiten: wochentags von 8 bis 12 Uhr und Wochenende von 11 bis 16 Uhr.

AUF LUKULLISCHER
ZEITREISE

Essen wie die alten Römer

Was Caesar und Cicero gemundet hat, kann auch den heutigen Gaumen lukullische Genüsse bereiten. Nur einen (Dom-)Steinwurf vom Trierer Dom entfernt, unter der Altdeutschen Schieferhaube des Restaurants „Zum Domstein", geht es nicht nur eine Etage tiefer in den römischen Weinkeller,

Leckereien à la Caesar: Römisches Essen.

sondern auch zurück in die Römerzeit. Im Gewölbe, in dem bei Umbauarbeiten 1969/70 kulturgeschichtliche Schätze das Licht des Baggers erblickten, kann man heute schmausen wie die alten Römersleut´. Das verdanken Schleckermäuler Rosemarie Gracher, Seniorchefin des Hauses und erste Küchenmeisterin Deutschlands, die sich näher mit den Römern im Allgemeinen und deren Kochkunst im Speziellen befasste.

Jahrelang setzte sie sich mit den Rezepten aus „de re coquinaria" auseinander, dem Kochbuch des Marcus Gavius Apicius, berühmtester Koch und Gourmet des Römischen Reiches in der Regierungszeit von Kaiser Tiberius (14 bis 37 n. Chr.). Rosemarie Gracher las, übersetzte, probierte aus und machte sich nicht zuletzt in exotischen Ländern auf die Suche nach ebensolchen Zutaten. Heraus kamen römische Menüs, die munden wie zu alten Zeiten. Es fängt schon gut an, nämlich mit dem Mulsum, einem römischen Aperitif, bestehend aus herbem Weißwein, Gewürzen und Honig, stilecht serviert im tönernen Becher. Der Mulsum riecht ein wenig wie Sambucca, schmeckt aber eher wie Met. Zum Essen genau das Richtige, erfrischend und würzig. Dem tönernen Becher folgt sogleich der passende Teller mit den Vorspeisen: Lukanische Würstchen (schmecken ähnlich wie Frikadellen) mit grünen Bohnen und Weinbrötchen, so genannte Mustea. Diese Brötchen, übrigens das einzige Gericht, das nicht von Apicius, sondern vom Politiker Cato dem Älteren stammt, sehen nicht nur originell aus mit ihren teils herausragenden Lorbeerblättern, sie schmecken auch ganz köstlich. Gewürze wie Anis und die gestoßene Rinde vom Lorbeerzweig machen aus der Teigmasse ein würziges Brot, ideal für zwischendurch.

Apropos würzig: Schon bei der Vorspeise wird klar – gut gewürzt ist halb gewonnen. Auch wenn die Römer bei den Rezepten meistens auf Mengenangaben verzichteten, kannten sie die wohlschmeckende Wirkung der Kräuter recht gut. Nach den „Gustationes" – Vorspeisen – naht die „Mensa Prima", der Hauptgang. Beispielsweise gebratene Zucchini und Möhren mit Aprikosen und Mandeln. Dazu wieder obligatorische Weinbrötchen. Urteil: Lecker! Zucchini und Möhren zeigen nie gekannte Feurigkeit – von den süßen Aprikosen und Mandeln etwas entschärft. Den Abschluss der lukullischen Zeitreise bildet eine „Patina de Piris", gekochte Birne in gestockter Eiercreme. Essen wie Tiberius und seine Erben im alten Rom ...

INFORMATIONEN

AUSKUNFT

Restaurant und Weinstube „Zum Domstein", Hauptmarkt 5, 54290 Trier
℡ 0651/74490 📠 74499
@ www.domstein.de
Öffnungszeiten: 8.30 bis 24 Uhr. Kein Ruhetag. Geschlossen vom 24. bis 26. Dezember und am 31. Dezember ab abends.

ANFAHRT

Von Koblenz auf der A 48 Richtung Trier, Trier Verteilerkreis, dem Parkleitsystem folgen Richtung Parkhäuser Innenstadt.

TOUR-TIPP

Der Dom zu Trier (▶ SEITE 103) und die Liebfrauenkirche sind auf jeden Fall eine Besichtigung wert. Führungen gibt es täglich um 14 Uhr. Danach gemütlich durch die Innenstadt bummeln, auf dem Hauptmarkt die Steipe, das einstige Trink- und Festhaus der Trierer Bürgerschaft, und den bekannten Handwerkerbrunnen in der Nähe des Viehmarktplatzes anschauen.

Wilde Kräuter, sanfte Küche

Aus dem Mühlengarten frisch auf den Tisch.

INFORMATIONEN

AUSKUNFT

Hotel-Restaurant
„Historische Schlossmühle"
Anne & Rüdiger Liller
55483 Horbruch
☎ 06543/4041 📠 3178
@ info@historische-schlossmuehle.de
Öffnungszeiten: Di bis Sa 18 bis 23 Uhr,
Sonn- und Feiert. 12 bis 23 Uhr.
Ruhetag Montag.

ANFAHRT

Autobahn A 61, Ausfahrt Rheinböllen,
B 50/B 327, oder Ausfahrt
Emmelshausen B 327,
(Richtung Rhaunen) Hochscheid/
Horbruch oder
A 48, Ausfahrt Wittlich/Bernkastel-
Kues, oder Traben-Trarbach, Irmenach/
Hochscheid/Horbruch

TOUR-TIPP

Burgruine Grevenburg mit
Burgschänke Grevenburg. Herrlicher
Panorama-Blick über Traben-Trarbach
und ein langes Flussstück der Mosel.
Burgschänke rustikal, erreichbar von
Horbruch über Irmenach kurz vor
Traben-Trarbach rechts bergauf
(ausgeschildert), oder von
Traben-Trarbach aus nach
ausgeschilderten Wanderwegen.

Einen Müller gibt es hier schon lange nicht mehr, und das Mühlrad klappert nur noch für die Gäste. Dafür aber haben Anne, Rüdiger und Sohn Alexander Liller den Dreh raus, wie sie unter dem Altdeutschen Schieferdach die Freunde der Gaumenfreude zu Hochgenüssen führen. Die „Schlossmühle" gilt als Geheim-Tipp – und wer sie nach einer Entdeckungstour von Traben-Trarbach aus über Irmenach und Hochscheid endlich bei Horbruch im Wald gefunden hat, fühlt sich zurückversetzt in die Zeit von Feen, Rittern und Romantikern. Die Mühle stammt aus dem 17. Jahrhundert und hat eine wechselvolle Geschichte. Sie stand erst am Fuß der Kyrburg, die Napoleon, wie viele Adelssitze, 1804 konfiszierte. Von ihm kaufte Baumeister Peter Lietzenburger das Haus, ließ es Stein für Stein abtragen und rund 30 Kilometer bachaufwärts neu errichten. Vor 27 Jahren übernahm Familie Liller die Herrschaft über die Schlossmühle, die liebevoll restauriert und renoviert wurde. Der Zauber von Vergangenheit und Gegenwart ist allgegenwärtig – auch in der Küche: Die Saison bestimmt die Menükarte und die Wiesen vor der Haustür die Würze. „Kaufen, kochen komponieren" lautet die Devise der kreativen Küchencrew. Anne, gelernte Bankkauffrau aus Schlesien, und Rüdiger, gebürtiger Hesse und Küchenkünstler aus Passion, führen mit Sohn Alexander ein junges Team, dass sich von der Produktfrische inspirieren lässt.

Um seine Gäste mit ausgefallenen Ideen verwöhnen zu können, ist Rüdiger Liller weder der Weg in die Pariser Markthallen zu weit noch der Streifzug durch heimische Gärten zu beschwerlich. So finden sich auf der Speisekarte neben regionalen Spezialitäten auch so vielversprechende wie geheimnisvoll klingende „Schlossmühlen-" oder „Napoleon"-Menüs. Der Gast hat hier die Qual der Wahl zwischen verschiedenen 5-Gänge- oder sogar 8-Gänge-Menü-Zusammenstellungen. Egal, was auf den Tisch kommt, keinem Gast bleibt die Leidenschaft der Lillers für Wiesenkräuter verborgen. Gemeinsam mit Anita Büscher haben sie sogar das Buch „Wiesenkräuter-Märchen" herausgegeben. Liebevoll und romantisch ranken sich Märchen und Unterhaltungen rund um die Kräuter – und die Rezepte zum Nachkochen am heimischen Herd reichen von der Bowle vom echten Mädesüs über das Wiesenkrätersüppchen bis hin zum Kartoffelpüree mit Bärenklau. Die Kräuter für die eigene Küche finden Anne und Rüdiger Liller in den unmittelbar angrenzenden Wiesen der alten Mühle, von denen sie akribisch jeden Dünger fern halten. Das Ehepaar Liller versteht sich als Gastgeber der besonderen Art. Nichts wird dem Zufall überlassen, wenn es darum geht, die Gäste zu verwöhnen – nicht nur mit Gaumenfreuden, sondern auch mit Kunstgenuss: Über das Jahr verteilt, gibt es in der Schlossmühle Vernissagen, Soireen, Dichterlesungen, Musik passend zum Menü … „Wenn wir schon keine Zeit haben, auszugehen, holen wir uns halt die Kunst ins Haus", meint Anne Liller und zeigt gerne Erinnerungsfotos mit großen Namen aus aller Welt.

EDLE ÖKO-WEINE VON KLAUS STÜLB

Ein prickelndes Gefühl

Gefühl ist alles. Auch wenn es um einen edlen, feinperligen Sekt geht. Denn der erlebt gefühlvolle Momente nicht erst, wenn er im richtigen Augenblick hervorgezaubert wird, sondern schon lange zuvor im Keller des Winzers. Klaus Stülb, Winzer aus Zell-Kaimt an der Mosel, hat das richtige Gespür für den langen Weg, dessen Ziel ein delikater Riesling Sekt ist. Unzählige Male wird er jede Flasche in der Hand gehabt haben, bis die Agraffe, der spezielle Drahtbügel, über den Korken kommt. Denn Klaus Stülb setzt die traditionelle Flaschengärung ein, die klassische Champagner Methode.

Der junge Winzer favorisiert als Grundwein einen Riesling aus eigenem Anbau, dessen frisches, fruchtbetontes Aroma später den Sekt so anregend macht. Konsequent arbeitet er jedes Jahr den individuellen Sorten-Charakter heraus, die feinen Traubenaromen sind ein unverwechselbares Kennzeichen seines Riesling Brut. Zwei bis drei Jahre ruht bei Klaus Stülb der künftige Sekt in der Flasche. In dieser Zeit gibt es den intensiven Kontakt mit der Hefe, die bei der Gärung entsteht. Ein Garant für die extra feine Perlung. Nach dieser Ruhephase kommen die Flaschen ins Rüttelpult, ein Holzbrett mit vielen Löchern, von denen jedes besondere Einkerbungen hat. „Gerüttelt" wird dabei allerdings wenig. Jede Flasche wird vielmehr kopfüber in eine der Öffnungen gesteckt: Erst waagerecht, dann wird sie – die Einkerbungen im Brett geben den nötigen Halt – langsam in eine senkrechte Position gebracht. Von Hand natürlich.

Zwischen den einzelnen Etappen im Pult liegen zwei bis vier Wochen. In dieser Zeit sammelt sich die Hefe im Flaschenhals und setzt sich ab. Dann kommt ein Schritt, der – mal wieder – viel Gefühl verlangt: Flasche für Flasche wird „degorgiert", das heißt der Flaschenhals kommt kopfüber kurz in eine Kühlflüssigkeit, der Hefeanteil vereist. Die bislang fest verschlossene Flasche wird geöffnet, und die Hefe fliegt mit elegantem Schwung in einen bereitstehenden Behälter. Dann kann der Korken eingesetzt werden, der Drahtbügel folgt: Jetzt wartet ein edles Getränk auf Genießer, die schätzen und schmecken, welche Sorgfalt und welches Können hinter diesem Naturprodukt stehen. Klaus Stülb hat in Geisenheim studiert und ist Diplom-Ingenieur für Weinbau und Ökologie.

Der 35-Jährige gehört der Vereinigung „Eco-Vin" an und arbeitet konsequent ökologisch: Er verzichtet zum Beispiel auf Kunstdünger, Herbizide und Insektizide. Ein Vorgehen, das nicht nur die Freunde seiner fruchtigen Riesling-Weine oder seines kräftigen Rotweins mit dem zarten Vanillearoma zu schätzen wissen – in seinem Wingert fühlen sich sogar die sehr selten gewordenen Weinberg-Eidechsen wieder wohl.

INFORMATIONEN

AUSKUNFT
Weingut am Rosenborn
Untere Barlstraße 20
56856 Zell-Kaimt/Mosel
☎ *06542/41178* 🖷 *41244*
Kein Ruhetag.

ANFAHRT
Aus Richtung Trier über die A 1/A 48, Abfahrt Wittlich, aus Richtung Mainz/ Bad Kreuznach über die A 61, Abfahrt Rheinböllen. Oder von Koblenz über die Moseluferstraße B 49.

TOUR-TIPP
Ein einmaliges Erlebnis: Ballonfahrten über dem Moseltal (► SEITE 57). Oder: Besuch im Tropenzoo im Gewerbegebiet Barl in Zell, in der Saison täglich geöffnet von 10 bis 18 Uhr, ☎ 0171/3653498 🖷 06542/41545 Lohnenswert: ein Besuch im Erlebnisbad am Ortsrand des Zeller Stadtteils Kaimt,
☎ *06542/4830* @ *www.zell-mosel.de*

EINKEHR-TIPP
Hotel-Restaurant Schloss Zell
Schlossstraße 8 a, 56856 Zell/Mosel
☎ *06542/98860* 🖷 *900515*
@ *www.schlosszell.de*
Ruhetag Dienstag.

Schlemmen unterm Schieferdach im Moselstübchen.

Essen wie bei Oma

Züge halten in vielen alten Bahnhöfen schon lange nicht mehr. Sie wurden, um wenigstens die historischen Bauten zu erhalten, Zug um Zug in Museen, Galerien oder Restaurants umgewandelt. Am historischen Bahnhof von Moselkern, einem Schmuckstück der Baukunst um die Jahrhundertwende, an der Linie Koblenz – Trier dagegen fahren nicht nur noch heute Züge, sondern auch die Freunde regionaler Spezialitäten auf Omas Küche ab. Im urgemütlichen „Moselstübchen" serviert seit 1989 Wirtsfamilie Umbach den Gästen moseltypische Speisen und Getränke. Der alte Bahnhof des Winzerdorfes wurde 1875 bis 1879 mit dem Bau der Moselbahn in der Ortsmitte errichtet. Im Jahr 1912 nahm die Bahn den neuen Bahnhof am unteren Ortsausgang in Betrieb. Eine Besonderheit: Mit dem Bahnhofsgebäude wurden gleichzeitig Friedhofskapelle und -mauer gebaut.

Da Baurat Franz Schunck, der im Auftrag der preußischen Regierung den Bahnhof plante, selbst in Moselkern wohnte, stattete er das mit Altdeutschem Schiefer gedeckte Bahngebäude besonders komfortabel und großzügig aus. Auffallend sind aufwändige Basaltbogen am Portal und kunstvolle Schnitzarbeiten am Fachwerk. Das Haus wurde bereits mit einer Dampfheizung warm gehalten und mit modernen Neonlampen beleuchtet. Der erste Bahnhofswirt fuhr noch mit einem Proviantwagen an die haltenden Züge, um den Fahrgästen Erfrischungen anzubieten, und die Gaststätte florierte. 1977 allerdings musste sie wegen Unrentabilität geschlossen werden, und 12 Jahre nagte nur der Zahn der Zeit am historischen Gemäuer. „Altbewährtes neu entdecken" lautet die Devise des neuen Bahnhofswirtes, der nicht nur mit der Einrichtung der alten Räume mit liebenswertem Trödel und wertvollen Antiquitäten die Tradition der Moselregion charmant hochhält, sondern vor allem mit dem, was seine Frau in der Küche zaubert. Schließlich haben die Moselaner lange bevor es Jägerschnitzel, Hawaii-Toast, Pommes oder Pizza gab, auch gut gegessen – vor allem das, was Ackerbau und Viehzucht in den schmalen Seitentälern und auf den Höhen hergaben.

Einfach sind die Rezepte und regional die Zutaten – dennoch haben die Gerichte nichts mit der hausbacken angehauchten „gutbürgerlichen Küche" gemein. Geschmortes Schweinefleisch, saure Bohnen und Weinbratkartoffeln, Tresterfleisch mit Sahnesoße, Kasseler mit Weinsauerkraut und hausgemachtes Kartoffelpüree schmecken im „Moselstübchen" wie früher bei Oma. Die Gäste erfahren mit Genuss, dass die Kartoffel nicht nur als fade Beilage in einer Soße schwimmen muss. Vor allem in Kombination mit hervorragenden Rieslingweinen aus der schiefrigen Moselkerner Steillage bestreitet hier die tolle Knolle als Suppe, Braten, Torte oder gar als Pudding und Eis einen ganzen, köstlichen Schlemmerabend.

INFORMATIONEN

AUSKUNFT

Historischer Bahnhof Moselkern
„Moselstübchen"
℡ 02672/1299 ☏ 8949
Vom 1. Mai bis 31. Oktober täglich
ab 15 Uhr geöffnet,
Veranstaltungen oder Tafelrunden
auch im Winterhalbjahr
nach Anmeldung.

ANFAHRT

Per Bahn über Koblenz oder Trier,
per Auto A 48 Abfahrt Kaisersesch,
Richtung Cochem, dann B 49
Richtung Koblenz.

TOUR-TIPP

Historischer Dorfrundgang mit
Verkostung verschiedener Moselkerner
Rieslingweine. Das „Moselstübchen"
mit „Gleisanschluss" bietet individuell
geplante Ausflüge per
Bahn oder Schiff an.

EXTRA-TIPP

„Altschmecker-Essen" nach Rezepten
von anno dazumal und nach Altväter
Sitte auf Platten gereicht. Zwischen
den Speisefolgen werden die Gäste mit
Anekdoten aus der
Moselregion unterhalten.

Renaissance für den Pfirsich

Vom Feld ins Glas: Edle Obstbrände.

„Dat sind ja eigentlich nur kleine graue Mäusjer!", sagt die Winzerin. Und: „Damit hat mer än Schaff!" Aber: „Gut sind die! Unheimlich gut!" Die roten Weinbergpfirsiche. Von außen machen sie wirklich nicht so viel her. Aber ihre inneren Werte! Saftiges Fruchtfleisch in einem unvergleichlichen Purpurrot und dann der Geschmack: herb fruchtig, sehr eigenwillig und absolut unwiderstehlich. Manche Supermarkt-Pfirsich-Schönheit wird neben diesem Aroma ganz traurig. Weinbergpfirsiche sind eine Delikatesse mit viel Tradition an der Terrassenmosel. Früher gehörten die niedrigen Pfirsichbäume mit ihren kleinen, pelzigen Früchten zum gewohnten Anblick vor allem in den Wingerten an den Steilhängen. Doch die Anbaumethoden änderten sich, und nach und nach verschwanden in den letzten dreißig Jahren die Obstbäume aus den Weinbergen. Bis jetzt. Seit ein paar Jahren erlebt die seltene Frucht, die bei uns fast nur noch an der Mosel zu finden ist, eine eindrucksvolle Renaissance. Viele Winzer bieten Weinbergpfirsich-Gelee oder – Marmelade an. Und es gibt aus diesem edlen Obst vor allem unvergleichlich geschmacksintensive Brände und Liköre, die jeden Kenner begeistern.

Die Rettung des Pfirsichs haben sich Hubertus Vallendar (Edelbranntweinbrennerei Vallendar in Pommern) und Reinhard Löwenstein (Weingut Heymann-Löwenstein in Winningen) zur Aufgabe gemacht. Ein Verein, „Der rote Weinbergpfirsich e.V.", wurde gegründet, und das erklärte Ziel heißt: Wir wollen die Zukunft dieser ganz besonderen Frucht an der Mosel sichern. Ein Anliegen, das nicht nur Genießern am Herzen liegt. Denn an diesem Projekt hängt noch viel mehr. So sind die kleinen Pfirsichbäume zum Beispiel auch ganz wichtige Wirtspflanzen für selten gewordene Schmetterlinge wie den prächtigen Segelfalter. Und wer einmal zeitig im Frühjahr an der Mosel war und die zartrosa blühenden Bäume gesehen hat, kennt einen weiteren wunderschönen Grund, warum der Weinbergpfirsich auf keinen Fall in Vergessenheit geraten darf. An der Mosel haben sich viele ganz eigene Spezialitäten über die Diktatur von Tiefkühlkost und Fertiggerichten hinweggerettet. Die typischen Gerichte präsentieren sich heute noch so, als hätten moderne Küchenchefs den Hausfrauen vor langer Zeit die Rezepte ins Kochbuch diktiert: Nehmt marktfrische Produkte aus der Region, vergesst die heimischen Kräuter nicht und vertraut eurer Fantasie. Genauso wird nämlich traditionell an der Mosel gekocht. Die Arbeit in den Weinbergen war schwer, da musste etwas Kräftiges in den Henkelmann, der in den Wingert mitgenommen wurde. Leckere Eintöpfe wie die „Löffelschesbohne" (Stangenbohnensuppe) schmecken aber auch Schreibtisch-Werkern. Ganz hervorragend dazu sind „Grumbernschnietscher" oder „Krebbelscher" – beide Male handelt es sich jedenfalls um „Reibekuchen". Die Kartoffeln müssen dafür – natürlich – frisch gerieben werden. Wer sich davor drückt, wird nie erleben, wie unvergleichlich diese handfesten Köstlichkeiten aus der Pfanne schmecken können. Überhaupt die Kartoffel. An der Mosel wird man ihrer Geschmacksvielfalt gerecht. „Jedämpte" (Gedämpfte Kartoffeln, die schön kross werden) sind ein Genuss. Und wenn es draußen richtig kalt ist, gehört ein „Döbbekoche" oder „Scholes" auf den Tisch .

INFORMATIONEN

AUSKUNFT

Informationen über „Der rote Weinbergpfirsich e.V." bei: Hubertus Vallendar, Hauptstraße 11, 56829 Kail bei Pommern

☎ 02672/2532 📠 7503

@ www.vallendar.de

Weingut Heymann-Löwenstein, Bahnhofstraße 10, 56333 Winningen

☎ 02606/1919 📠 1909

@ www.heymann-loewenstein.com

ANFAHRT

Kail: Über die B 49 Richtung Trier bis Pommern. Dort abfahren nach Kail. Winningen: Von Koblenz über die B 416 Richtung Trier bis Winningen.

TOUR-TIPP

In Pommern ein Spaziergang zum Martberg (▶ SEITE 117).

Gemütlich und genüßlich: Speisen im Seehotel.

Oase der Ruhe

Aus den Räumen des Restaurants, die so klangvolle Namen wie Rosengarten, Schilfbucht oder Seespiegel tragen, fällt der Blick des Feinschmeckers auf zwei mächtige Eichen. 250 Jahre alt die eine, über 600 Jahre die andere. Einen großen Teil der wechselvollen Geschichte der Benediktinerabtei mit ihrer romanischen Basilika haben sie überdauert. 1865 gebaut, hat sich das „Hotel Maria Laach" im Lauf von knapp anderthalb Jahrhunderten zu einer 4-Sterne-Herberge modernster Prägung entwickelt, die dennoch – und das ist in der heutigen hektischen Zeit längst nicht alltäglich – den Charme einer Oase der Ruhe nach außen trägt. Die Aussicht auf den See, umgeben von romantischen Wäldern, uralten Lavahügeln und grünen Auen, besitzt eine geradezu magische Ausstrahlung. Der können sich weder Tagungs- und Feriengäste noch Durchreisende und Wochenendtouristen entziehen.

Was die Küchenchefs Jörg Münsterberg und Ralf Daub an kulinarischen Genüssen auf die geschmackvoll gedeckte Tafel bringen, schöpft auch aus dem reichen Angebot an Bodenständigem aus Zucht, Feld, Garten und Obstanbau des Klosters und natürlich des Sees. Eine Spezialität des hünenhaften Fischliebhabers Münsterberg, der sich seine Meriten schon im Bonner „Venusberg" und im Steigenberger-Hotel „Quellenhof" verdient hat, ist neben Hecht und Zander das Laacher Seefelchen. Als Vorspeise gebeizt in Dill-Orangenmarinade, pochiert als Soufflé auf Hummerbisque oder in Zitronenbutter gebraten zu Schwenkkartoffeln, Gemüse der Saison und bunten Salaten. Feinsinnig und stilsicher ersinnt der gebürtige Bad Harzburger neue deliziöse Variationen der Früchte des Sees.

Die Interpretationen des Themas Eifel-Lamm beherrscht auch Ralf Daub aus dem Effeff. Wobei es als Entrée, gebraten auf Rote-Beete-Carpaccio mit Koriandervinaigrette, genauso für lukullische Furore sorgt wie der Hauptgang, die Cassolette vom Lammfilet und Frühlingslauch in Rosmarin-Knoblauchjus mit Radicchio-Marmelade, gelben Paprika und Rissolées-Kartoffeln. Und dann das Lamm-Carré mit einer Kruste aus frischem Ziegenkäse, der regelmäßig aus Gillenfeld geliefert wird. Grandios.

Den passenden Tropfen hat der experimentierfreudige Weinkenner Münsterberg schon in petto, vom trocken-fruchtigen Moselriesling bis zum Spätburgunder der Ahr-Region. Dass die Geologie in der Vulkan-Eifel um Maria Laach eine bedeutende Rolle spielt, merkt der Gast zuweilen auch an der Speisekarte. So heißt eine Dessertkreation lapidar „Ein Stück Erdkruste". Doch keine Angst. Was nach Hochleistungssport fürs Kauwerkzeug klingt, ist „Schokoladenkuchen und Haselnussparfait auf Himbeermagma und Marzipankiesel".

INFORMATIONEN

AUSKUNFT

Seehotel Maria Laach
56653 Maria Laach
☎ 02652-5840 📠 584522
@ www.maria-laach.de/seehotel
Ganzjährig geöffnet, kein Ruhetag.
Neun moderne Räume für Tagungen,
Konferenzen. Spezielle Wochen- und
Wochenendangebote,
Boots- und Fahrradverleih.

ANFAHRT

Über die A 61 Ausfahrt Mendig/Maria
Laach, dann 2 km Richtung Maria
Laach bis zum Hotel.

TOUR-TIPP

1. Gottesdienste in der Abteikirche: z.B.
Vesper um 17.30 Uhr, die Mönche
zelebrieren Gregorianische Gesänge.
2. Naturkundemuseum auf dem
Klostergelände (▶ BAND 2, SEITE 42).

Im Zeichen des Straußes

Romantik unterm Schieferdach: Dreigiebelhaus.

„Oh Mosella" schallt es von einer Vierergruppe lustiger Frauen, die schunkeln, was die Hüfte und die Holzbank unter ihnen hergeben. Zwischen den Strophen prosten sie sich immer wieder zu, natürlich mit einem Wein. Ob lieblich oder trocken, egal, Hauptsache, die Trauben sind in der Moselsonne gereift. Tatort des weinseligen Geschehens: der urig-gemütliche Innenhof der schiefergedeckten Winninger Winzerwirtschaft „Seng's". Will man das Geheimnis der so genannten Straußwirtschaften ergründen, muss man ein paar Seiten im Geschichtsbuch zurückblättern (▸ **KASTEN**). Aus so einer Straußwirtschaft hat sich auch „Seng's" vor 15 Jahren entwickelt. „Seng" alias Manfred Kröber, Winniger Original, schenkt den Gästen hin und wieder noch selbst seine edlen Tropfen aus, wenn nicht gerade der Weinberg ruft. Aus der Besen- ist längst eine Winzerwirtschaft geworden, die bis auf Dezember und Januar ganzjährig zur Geselligkeit verführt. Aber an der Mosel gibt es noch viele andere, die nur vom Sommer bis zum Herbst den Strauß vor die Türe hängen. Eine kleine Empfehlungsliste:

Weingut und Gästehaus Otto Knaup, Am Rathaus 6, 56253 Treis-Karden, ☏ 02672/2446, von Juni bis Oktober donnerstags bis sonntags ab 18 Uhr geöffnet, Spezialität: Treiser Trester-Fleisch (eingelegter Schweinebraten nach altem Familienrezept).

Weingut Ferienhof, Hauptstraße 78, 56862 Pünderich, ☏ 06542/2564, von Ende Mai bis Mitte Juni, August bis Ende Oktober ab 19 Uhr täglich. Spezialität: U.a. „Beschwipste Schnitzel" und „Käse zum Hobeln".

Dreigiebelhaus, Robert-Schumann-Str. 32, 54536 Kröv, ☏ 06541/2345, eine der ältesten Straußwirtschaften. Spezialität: Mit Rebenholz hausgebackenes Steinofenbrot (▸ **SEITE 112**).

Weingut Killian Klein, Moselweinstraße 32, 54536 Kröv, ☏ 06541/9378, von Ostern bis November ab 11 Uhr geöffnet, Spezialität „Original Rebfeuerbrot" (Ofen wird mit Reben geheizt) dazu selbst gemachten Griebenschmalz.

Weingut Manfred Thesen, Brückenstraße 52, 54338 Schweich, ☏ 06502/2613, Juni bis einschließlich September ab 15 Uhr geöffnet, montags Ruhetag. Spezialität: „Gerupfter Käse".

Weingut Ludwin Schmitt, Brotstraße 2-4, 54329 Konz, ☏ 06501/99790, von Mitte April bis Anfang Juni und Mitte September bis Anfang November, freitags und samstags ab 17 Uhr, an Sonn- und Feiertagen ab 16 Uhr. Spezialität: Schlemmer-Schmier" (überbackenes Brot).

Weingut Carlsfelsen, Familie Armand Frank, Obermoselstr. 2, 54339 Palzem, ☏ 06583/535, von 1. Juni bis 30. September, freitags von 18 Uhr, samstags und sonntags ab 16 Uhr.

INFORMATIONEN

AUSKUNFT

Seng´s Winzerwirtschaft
Bachstraße 19, 56333 Winningen
☏ und ℻ 02606/2312. Öffnungszeiten:
Anfang Februar bis Anfang Dezember Do und Fr 16.15 bis 24 Uhr, Sa 15.15 bis 24 Uhr. Feiertage 15 bis 24 Uhr.

ANFAHRT

Von Koblenz auf der B 416 Richtung Cochem, erste Abfahrt nach Winningen rechts, der Straße folgen, links Richtung Marktplatz dort parken.

TOUR-TIPP

Spaziergang durch den wunderschönen alten schiefergedeckten Ortskern von Winningen.
Ein Rundflug über den Laacher See oder das Deutsche Eck vom Winninger Flughafen aus
☏ 02606/866 ℻ 852
℮ www.rhein-mosel-flug.de

KURZ ERKLÄRT

KARL, DER GROSSE WEINFREUND

VON WEM DIE GUTE ALTE TRADITION DER STRAUSS-WIRTSCHAFT LETZTENDLICH STAMMT, DARÜBER STREITEN SICH DIE GELEHRTEN. DIE EINEN SA-GEN, ES WAR KARL DER GROSSE, ANDERE MEI-NEN, DEN BRAUCH, VIER MONATE IM JAHR DEN WEIN DIREKT BEIM WINZER ANZUBIETEN, GÄBE ES SCHON LÄNGER. FEST STEHT WOHL NUR, DASS KAISER KARL 813 ANORDNETE, AUF DEN KÖNIGLICHEN WEINBAUDOMÄNEN REBENSAFT AUSZUSCHENKEN - GEKENNZEICHNET WERDEN SOLLTE DER AUSSCHANK DURCH EINEN STRAUSS.

Feine-leichte Küche in der Halferschenke in Dieblich.

FRISCHE KÜCHE IM
HISTORISCHEN HAUS

Ausspannen wie einst die Halfer

Als in der Zeit, bevor das erste Dampfschiff die Mosel hinaufschipperte, die Treidler oder Halfer mit ihren Pferden vom Leinpfad aus die Lastkähne das Tal hinauf- zogen, waren die Halferschenken am Abend der rechte Ort, um nach des Tages Mühsal auszuspannen. Während heute auch nur noch alte Gemälde oder dörfliche Überlieferungen die Erinnerung an jenen Berufsstand wach halten, wird an der Mosel alten Halferschenken bisweilen neues, gastliches Leben eingehaucht. Ein Beispiel: das Landgasthaus „Halferschenke" in Dieblich. Landgasthaus im besten Sinne – und ausspannen kann man hier auch in unseren Tagen, nach des Tages Mühsal allemal. Hinter einer äußerlich eher unscheinbaren – weil typisch moselländischen – Bruchsteinfassade, erwartet den Gast ein gepflegtes, stilvolles und nicht überfrachtetes Interieur. Spürbar das Bekenntnis zur lokalen Historie, das vor einigen Jahren einen umfangreichen Umbauprozess, bei der das gesamte Gemäuer entkernt wurde, offenbar schadlos überstanden hat. In zwei Bereiche untergliedert sich das Restaurant. In den eher rustikalen Gastraum, der durch effizienten Lichteinsatz und Liebe zum Detail markant in Szene gesetzt wird, und in die zeitgemäß gestalteten Gasträume, die für Familienfeierlichkeiten das richtige Ambiente bieten.

Mit der „Halferschenke" haben sich Eva und Thomas Balmes im Juni 1990 ihren Wunsch nach Selbstständigkeit erfüllt. Ihren Beruf haben die beiden von der Pike auf gelernt. Der 38-jährige Layer hat in Bad Bertrich und in der Moselweißer „Traube" gelernt, bevor er sich in den Küchen des Hamburger „Elysee" und im „Interconti" weitere Sporen verdiente. In Hamburg lernte er auch seine Eva kennen – natürlich bei der Arbeit. Eva hatte zuvor in solch renommierten Häusern wie dem „Traube-Tonbach" in Baiersbronn oder dem „Alten Postamt" auf Föhr den Beruf der Hotelkauffrau erlernt. An die Mosel zurückgekehrt, machte sich das junge Gastronomenpaar auf die Suche nach einem Objekt, das es seinen Wünschen entsprechend ausbauen konnte. In der „Halferschenke" von Dieblich, einer ehemaligen Dorfkneipe, fanden sie es und investierten jede Menge Zeit und Geld.

Die Küche, das ist Thomas Balmes Reich. Frische, aus Grundprodukten der Saison zusammengestellte Speisen bestimmen die im Abstand von ein bis zwei Wochen wechselnde Karte, die nicht zu opulent ist, dafür das hält, was sie verspricht. „Man muss nicht jede Perversität mitmachen, die in den Küchen gerade en vogue ist", meint Balmes. Grundprodukte sollen ihre Identität bewahren, so lautet sein Credo. Und: „Alles zu seiner Saison!" Wie wäre es etwa mit Feldsalat mit gebratener Entenleber und Entenleberterrine zur Vorspeise, gefolgt von einer mit Blattspinat und Gorgonzola gefüllten Perlhuhnbrust und Gratin-Kartoffeln? Oder noch besser: Man lässt sich einfach überraschen: Ein viergängiges Überraschungsmenü einschließlich der passenden hochwertigen Weine ist sehr zu empfehlen. Großes Gespür für die Zusammenstellung der Weinkarte beweist Eva Balmes. Mit einer bewundernswerten Treffsicherheit sucht sie die besten Weingüter rund ums Deutsche Eck aus. Aber auch andere klassische Provenienzen sind würdig vertreten.

INFORMATIONEN

AUSKUNFT

Halferschenke
Eva und Thomas Balmes
Hauptstraße 63, 56332 Dieblich/Mosel
℡ 02607/1008 und 1009 ℡ 960294
@ www.halferschenke.de
Öffnungszeiten: Di bis So ab 17.30
bis 22 Uhr, an Sonn- und Feiertagen
zusätzlich von 11.30 Uhr bis 14 Uhr.
Romantische Freiterrasse.
Ruhetag Montag.

ANFAHRT

A 61 bis zur
Autobahnabfahrt Dieblich.

TOUR-TIPP

Besuch des Mittelrheinmuseums
in Koblenz.

FERRARIS
RESTAURANT

Auf dem Gipfel des Genusses

Sehen und genießen: Biergarten mit Blick aufs „Eck".

Beinahe sitzen wir mit unserem Gläschen Wein „über den Wolken", irgendwo zwischen Festung Ehrenbreitstein, Deutschem Eck, gähnendem Abgrund und dem Himmelszelt. Hoch erhaben über Koblenz und Kaiser Wilhelm. Abendlich beleuchtet, präsentiert sich die Stadt, als der Horizont den orangeroten Sonnenball verschluckt. Rhein und Mosel haben sich zu unseren Füßen in Leuchtketten verwandelt, auf denen Schiffe aufgewühlte Spuren hinterlassen. Winzig wie eine Modelleisenbahn zieht ein Güterzug weit unten seine Bahn. Ein Fest für alle Sinne. Wer bei Familie Ferrari auf der Festung Ehrenbreitstein „seinen Einzug hält", kann sich auf kulinarische wie optische Höhepunkte freuen. Warten Restaurant und Biergarten doch nicht nur mit einer durch und durch erfreulichen Speisekarte auf, sondern auch mit einem grandiosen Panoramablick, der seinesgleichen sucht.

Um aus Augenweide und Gaumenschmaus eine runde Sache zu machen, haben die Inhaber Rita und Gustel Ferrari ihre Kreativität spielen lassen. So kann der Besucher etwa beim Blick aufs Deutsche Eck nicht nur Klassisches wie Kaffee und Kuchen, sondern auch ein „Festungsschnitzel" genießen, gewürzt mit selbst gezogenen Kräutern, die dem Gärtchen hinterm Restaurant entstammen.

Ebenso verlockend: Das „Ehrenbreitsteiner Rieslingfleisch", mit Zwiebeln und Majoran in Weißwein gegart und mit gefüllten Kartoffelknödeln serviert. Dazu gibt´s edle Tropfen heimischer Winzer, aber auch italienischen oder französischen Rebensaft. Unter dem Motto „Ofenkartoffeln schmeckten schon den Preußen" lassen sich die tollen Knollen im Biergarten der Ferraris verzehren oder vielleicht noch stimmiger im ehemaligen Offizierscasino? Denn neben der Terrasse mit 180 Sitzplätzen verfügt „Ferraris Restaurant auf der Festung Ehrenbreitstein" noch über eine Gaststätte sowie den so genannten Helfensteinsaal für große Gesellschaften im ersten Stock des Gebäudes und das General, Aster-Zimmer für kleinere gesellige Runden.

Auch vom Inneren des Restaurants aus lässt sich der herrliche Blick aufs Eck genießen –in stilvollem Ambiente. Dunkles Holz und Terrakottafliesen harmonieren aufs Beste mit dem cremefarbenen Gewölbe des alten Gemäuers. „Uns war wichtig, dass der Raum als solcher noch wirkt, in dem bereits die alten Preußen speisten", erzählt Rita Ferrari. So hat jeder Dekorationsgegenstand, jedes Bild einen Bezug zur 1817 bis 1828 erbauten schiefergedeckten Festung. Das wissen auch die kulinarischen Gipfelstürmer zu schätzen, von den Stadträten bis zur japanischen Touristengruppe. „Wir haben ganz unterschiedliche Gäste. Da ist auf der Speisekarte für jeden Gaumen und Geldbeutel was dabei", ist Rita Ferrari überzeugt. „Für den eiligen Touristen, der noch viel von Koblenz sehen möchte, für Familien und für den Genießer, der extra heraufkommt, um bei uns den Sonnenuntergang zu erleben."

INFORMATIONEN

AUSKUNFT

Ferraris Restaurant auf der Festung Ehrenbreitstein" in 56077 Koblenz
☎ 0261/9730916 ☎ 9730917
@ ferrari-gastronomie@t-online.de
Ganzjährig geöffnet von 11 bis 24 Uhr, kein Ruhetag.

ANFAHRT

Über die A 48, Ausfahrt Koblenz, auf der B 9 über die Pfaffendorfer Brücke bis in den Stadtteil Ehrenbreitstein fahren, Beschilderung zur Festung folgen.

TOUR-TIPP

Auf der Festung Ehrenbreitstein gibt es eine Menge zu sehen. Neben der historischen Anlage selbst, in deren trutzigen Mauern bis zu 1200 Soldaten und 80 Kanonen Platz fanden, zum Beispiel das Landesmuseum

(▶ **BAND 1, SEITE 94**), geöffnet 9 bis 12.30 und 13 bis 17 Uhr, 18. März bis 19. November, mit einer Dauerausstellung zur Wirtschafts- und Sozialgeschichte sowie Wechselausstellungen. Im Sommer sorgen die Opernfestspiele, Open Air in der Festung, für Furore. Ein Pauschalarrangement dazu, das auch ein Essen beinhaltet, kann bei der Koblenz-Touristik gebucht werden (mindestens drei Monate im Voraus buchen,
☎ 0261/3038815): Dann gibt´s als I-Tüpfelchen vor der Oper ein dreigängiges Abendmenü bei Ferraris, das mit der Aufführung in Verbindung steht.

Kräuter Forelle à la „Alte Mühle"

ZUTATEN

4 MITTELGROSSE FORELLEN

(JE CA. 250 - 300 GRAMM)

JE 1 BUND SAUERAMPFER,

KERBEL, PETERSILIE

5 MITTELGROSSE TOMATEN

2 KNOBLAUCHZEHEN

2 SCHALOTTEN

150 GRAMM BUTTER

SALZ, PFEFFER

ALU - FOLIE

ZUBEREITUNG

DIE AUSGENOMMENEN FORELLEN WASCHEN. DIE KRÄUTER WASCHEN UND KLEIN HACKEN. TOMATEN IN KLEINE WÜRFEL SCHNEIDEN. SCHALOTTEN IN DÜNNE SCHEIBEN SCHNEIDEN. KNOBLAUCH PRESSEN ODER KLEIN HACKEN. MIT DER SEHR WEICHEN BUTTER VERMISCHEN. MIT DIESER PASTE DIE FORELLEN FÜLLEN. SALZEN, PFEFFERN UND EINZELN IN ALUFOLIE EINPACKEN. IM VORGEHEIZTEN OFEN BEI 180 GRAD CELSIUS (UMLUFT) CA. 20 MINUTEN GAREN. DAZU SCHMECKEN NEUE KARTOFFELN IN DER SCHALE GEGART. MIT DER SCHALE AUF DEN TISCH STELLEN.

Feste
Feiern

Strampeln,

Denn einmal im Jahr haben sie Vorfahrt vor den Autos, die auf dem Parkplatz oder ganz zu Hause in der Garage bleiben müssen. Insgesamt rund 150 Kilometer am Stück links und rechts der Mosel gehören ganz allein den Besuchern, die sich aus eigenem Antrieb, ohne Gestank, Abgase und Lärm durch die wunderschöne Flusslandschaft bewegen. Der autofreie Erlebnistag wird von der Moselland-Touristik organisiert, aber von den Winzern, Gastronomen, Vereinen und vielen Privatpersonen aus allen beteiligten Gemeinden getragen und gestaltet. Fast die gesamte Bevölkerung ist auf den Beinen, um den Gästen, die aufs Auto verzichten, den Tag so angenehm wie möglich zu machen. Events und Überraschungen der unterschiedlichsten Art warten in 50 Gemeinden und Städten an der Strecke. Zum Genuss von kulinarischen Spezialitäten aus der Region und zum Probieren der besten Sekte und Weine treten die Radler gerne auf die Bremse. Sportliche können bei Radturnieren und auf Geschicklichkeits-Parcours testen, wie gut sie sich mit ihrem Drahtesel verstehen. Verspielte finden jede Menge Möglichkeiten, ihrem Trieb zu frönen, und mit ein wenig Glück können sie auch noch Preise gewinnen.

Am Sonntag nach Pfingsten von 9 bis 19 Uhr erfährt die Moselweinstraße zwischen Schweich und Cochem eine wunderbare Verwandlung. „Happy Mosel", auch als Europas längste organisierte Straßensperre bekannt, macht Radler, Skater, Kickbord-Treter und Spaziergänger glücklich.

Waghalsige können ihren Mut beim Bungee-Sprung beweisen und Abgehobene mit dem Heißluftballon über das glückliche Moseltal schweben. Jedes Jahr lassen sich die Organisatoren neue Attraktionen einfallen. Wer´s weniger spektakulär mag, kommt auch auf seine Kosten, zum Beispiel beim bunten Kulturprogramm in den einzelnen Winzerdörfern, wo Museen, Klöster und Kirchen ihre Türen öffnen, Kunstausstellungen einladen oder Tanz- und Trachtengruppen ihre Traditionen pflegen.

Aber auch moderne Tanz- und Pop-Musik begleiten die Radler auf ihrer Happy Mosel-Tour. Radiosender bringen bekannte Moderatoren, Künstler und Sportler live auf die Bühne. In einigen Orten können die Pedalritter ihrem Drahtesel eine Ruhepause gönnen, um selbst eine heiße Sohle aufs Parkett zu legen. Fortgeschrittene Happy Mosel-Fans bringen übrigens den Ehrgeiz mit, das autofreie Fest nicht zu einer gewöhnlichen Radtour verkommen zu lassen. Immer wieder trifft man lustige Vereinsbrüder und -schwestern, die voll bepackte Anhänger mit Trink- und Essvorräten hinter sich herziehen. Paare versuchen auf Tandems den Gleichtritt, und wer gern auffällt, „eiert" mit einem Oldtimer-Rad durch das fröhliche Treiben.

Ein Fest für Familien ist Happy Mosel allemal. Stolz thronen Babys in ihren Sitzen vor strampelnden Mamas oder Papas, Kleinkinder lassen sich im Bollerwagen ziehen und kein gefährliches Auto stört Juniors erste Balanceakte auf seinem funkelnagelneuen Minirad. Platte Reifen, abgesprungene Ketten oder andere Wehwehchen am Fahrrad werden an Service-Stationen entlang der Strecke gleich behoben. Ebenso kümmern sich Rote-Kreuz-Helfer um wund gescheuerte Hinterteile, Wadenkrämpfe, Platzwunden und aufgeschlagene Knie von kleineren Unfällen.

staunen und genießen

Happy: Radler am autofreien Moselsonntag.

Trotz Straßensperrungen sind alle Orte im Tal mit dem Auto zu erreichen. Umleitungen sind ausgeschildert. Die Deutsche Bahn unterstützt Happy Mosel mit dem Einsatz von Sonderzügen, die zwischen Trier und Koblenz im Stundentakt fahren. Auch die Moselweinbahn zwischen Bullay und Traben-Trarbach ist mit Sonderzügen auf die Radler eingestellt. Die Fahrräder können in der Regel kostenlos transportiert werden. Ein Radelbus der Rhein-Mosel-Verkehrsgesellschaft bringt die Happy-Mosel-Ausflügler von Kaisersesch nach Cochem und umgekehrt.

INFORMATIONEN

AUSKUNFT
Mosellandtouristik, Im Kurpark
54470 Bernkastel-Kues
☎ 06531/2091 ☎ 2093
@ www.mosellandtouristik.de

ANFAHRT
A 48 Trier – Koblenz, Abfahrten
Schweich; Wittlich B 50 Zeltingen;
Kaisersesch Richtung Cochem oder mit
der Bahn Trier – Koblenz.

TOUR-TIPP
Spaziergänge durch alle Winzerorte an
der Strecke, Schiffstouren ab Cochem
oder Beilstein.

EINKEHR-TIPP
Eigens für Happy Mosel geöffnete
Winzerhöfe.

AUSKUNFT
Office de Tourisme de Metz, Place d'Armes, 57007 Metz Cedex 1
☏ *0033/38755/5375* ☏ *387365943*
@ *www.tourisme.mairie-metz.fr*

ANFAHRT
Von Koblenz A 48 Richtung Trier, Richtung Luxemburg, dann Richtung Thionville/ Metz.

TOUR-TIPP
Stadtbesichtigung mit Walkman (deutscher Text) oder mit einem Bähnchen, das von April bis Oktober um 10.30, 11.30 und ab 13 Uhr stündlich bis 18 Uhr an der Kathedrale abfährt. Infos beim Verkehrsamt.
Einkaufs-Tour im Factory Outlet in der Industriezone Talange (A 31 Richtung Thionville, Ausfahrt 35).

EINKEHR-TIPP
Direkt an der Mosel liegt das Restaurant Maire
1 Rue du Ponts des Morts
☏ *0033/387/324312* ☏ *-311675*
Öffnungszeiten: 9 bis 14, ab 18 Uhr. Ruhetag Dienstag und Mittwoch Vormittag.
Kartoffelgerichte und viel Käse gibt's im „La Robe des Champs"
14 en Nouvellereu
☏ *0033/387363219, Öffnungszeiten: 12 bis 14, ab 19 Uhr. Kein Ruhetag.*

Gelb ist der Genuss

Die Reblaus ist an allem Schuld. Zumindest daran, dass sich die Lothringer in der männer- und arbeitskraftarmen Kriegzeit, als eine Reblausplage fast 6000 Hektar Weinanbaugebiet zerstörte, nach einer widerstandsfähigeren Frucht umschauten. Schnell fiel die Wahl auf die heimische Mirabelle, die seitdem an den von Schiefer warmgehaltenen Weinbergen besonders viel Sonne tankt: Voilà, Metz hatte die Mirabelle für sich entdeckt, die sich zur regionalen Spezialität entwickeln sollte. „Pflaumen gibt es überall, Mirabellen nur bei uns," werben die ansässigen Erzeuger, Schnapsbrenner, Marmeladenhersteller, Café- und Hotelbesitzer für die heimischen gelben Früchte. Angeblich haben nur die Lothringer Exemplare das gewisse süße „Parfüm", wie die Lothringer den aromatischen Geschmack nennen. 1947 wurde in der Mosel-Metropole erstmals das „Mirabellen- und Blumenfest" gefeiert, um das leckere Obst auch über die Grenzen hinaus bekannt zu machen. Aus dem ganzen Metzer Land kamen die Dorfbewohner mit ihrer Ernte in die Hauptstadt gereist, um die Früchte unters Volk zu bringen. Prunkvoller Höhepunkt des Festes war der prächtige Umzug, dem niemand Geringeres als die Mirabellenkönigin auf einem festlich geschmückten Wagen ihre Aufwartung machte. Nachdem man die honigfarbenen Früchte erst nur alle zwei Jahre feierte, steht das Fest seit 1954 jedes Jahr im Programm.

Scharen von Touristen, denen das Wasser im Mund zusammenläuft angesichts der geballten Konzentration schmackhafter Vitaminbomben, pilgern in die Stadt sur la Moselle, wo sich eine Woche lang alles um das lothringische Obst dreht. Vor dem mächtigen Bahnhofsgebäude reiht sich Stand an Stand mit Mirabellen in allen Variationen, „Lothringer Originale" bieten im orange-gelben Samtkostüm „Tarte de Mirabelle" feil, ein paar Stände weiter locken lecker duftende, hauchzarte Crêpes, natürlich mit Mirabellenfüllung ... Doch nicht nur lukullisch, auch gesellschaftlich wird die gelbe Fruchtkugel gefeiert: Beim Ball gibt sich die Mirabellenkönigin samt Hofdamen die Ehre, klassische Konzerte erklingen am Moselsee, und alle Mädchen zwischen fünf und zehn Jahren haben die Chance, zur „kleinen Mirabelle" gekürt zu werden. Immer noch unumstrittener Höhepunkt der Feierlichkeiten rund um das pflaumige Obst ist der nächtliche Umzug durch die Straßen von Metz: Mit Blumen liebevoll gestaltete Themenwagen, Gaukler, Musikanten, Fackelträger und natürlich die Majestäten rund um Wein, Rosen und Mirabelle ziehen wie ein Lindwurm durch die Gassen, machen die Nacht zum Tag. Dicht gedrängt, stehen die Menschenmassen am Straßenrand, alle feiern die gelbe Frucht, die Metz und Lothringen so berühmt macht. Vive la mirabelle – es lebe die Mirabelle!

Ein Hoch auf die Mirabelle in Metz.

ANTIKES THEATER
IN TOGA UND
TUNIKA

Brot
und
Spiele

Alte Kunst neu verpackt: Die Antikenspiele.

Wo sich Gladiatoren und wilde Tiere bis aufs Blut bekämpften, stehen sich heute Akteure höchstens in Verbalkämpfen gegenüber. Dort, wo Geschichte gemacht wurde, werden Geschichten erzählt. In Toga und Tunika zwischen Trend und Tradition schicken die Antikenfestspiele Trier ihre Besucher auf eine spektakuläre Zeitreise in römischen Ruinen.

Was bietet sich besser für eine authentische Theaterkulisse an als urige, geschichtsträchtige Gemäuer – und dass Trier damit nicht geizen muss, ist bekannt. Verwunderlich nur, dass angesichts der geballten Konzentration von gelebter Geschichte erst 1998 schlaue Köpfe auf die Idee kamen, die Originalkulissen szenisch ins Bild zu setzen: Ecce (siehe da) – die Antikenfestspiele waren geboren. Dabei kann die älteste (Theater-)Stadt Deutschlands, das ehemalige Augusta Treverorum, schon auf eine römische Theatertradition zurückblicken. Indiz für Kunst und Kultur anno dazumal ist beispielsweise das Amphitheater mit seinen 18 000 Sitzplätzen, das Ende der zwanziger Jahre ausgegrabene Kulttheater im Tempelbezirk Altbachtal (1500 Plätze) oder das noch nicht freigelegte Lenus-Mars-Theater, das 15 000 Besucher fasste. Wie die Besucher, die heutzutage an lauen Sommerabenden auf der Tribüne des Amphitheaters zu Musik und Schauspiel applaudieren, bejubelte auch das Publikum vor rund 1800 Jahren das Geschehen in der Arena, nur dass es sich dabei um fantasievoll inszenierte Hinrichtungen handelte ... Dass nur mythologische Stoffe auf den berühmten Bühnenbrettern vorgetragen werden, ist Ehrensache. Aber, so Intendant Heinz Lukas-Kindermann, durchaus in zeitgenössischen Interpretationen – antike Stoffe, modern adaptiert.

Gespielt wird von Ende Juni bis Mitte Juli im Amphitheater, in den Kaiserthermen, vor der Porta Nigra und den Thermen am Viehmarkt – wenn das Wetter mitmacht. Sonst wird das Bühnengeschehen in die Ersatzspielstätten Theater Trier, Europahalle oder unter dem Schieferdach der ehemaligen Abteikirche St. Maximin verlagert. Die Bandbreite der künstlerischen Palette bei den Antikenfestspielen ist groß und reicht von Oper über Tragödie bis hin zur Komödie. Dafür standen schon renommierte Künstler wie Peter Ustinov, Hanna Schygulla oder Cornelia Froboess in den antiken Kulissen. In der Riege ausgewählter Stücke findet man Opern wie „Antigone" oder „Oedipus Rex", Schauspielproduktionen wie „Amphitryon" oder Woody Allens Komödie „God", ergänzt von seinem Mini Drama „Meine Apologie". Woody Allen der amerikanische Neurotiker schlechthin. Klar, schließlich dreht sich „God" um einen Dichterwettstreit, und in seiner Apologie wünscht sich Allen, in die Sandalen von niemand Geringerem als Sokrates zu schlüpfen ...

INFORMATIONEN

AUSKUNFT
Antikenfestspiele
Augustinerhof, 54294 Trier
☎ *0651/7183464* 🖷 *7181468*
🖳 *www.antikenfestspiele.de*
Oder bei der Tourist Information
54290 Trier
☎ *0651/978080* 🖳 *www.trier.de*

ANFAHRT
Von Koblenz A 48 Richtung Trier,
Verteilerkreis Richtung Alleenring, von
Moseluferstraße in Südallee, rechts hal-
ten, an Stadtbad und Polizeipräsidium
vorbei, rechts in die Spitzmühle, links
auf den Parkplatz.

TOUR-TIPP
Benediktinerabtei St. Matthias in der
Matthiasstraße 85. Im romanischen
Gotteshaus des 12. Jahrhunderts ist das
einzige Apostelgrab nördlich der Alpen.
Führungen zwischen 9 bis 12 Uhr nach
Anmeldung
☎ *0651/31079*

EINKEHR-TIPP
„La Gondola", Ristorante Café am
Weiher (mit Terrasse)
Auf der Weismark 1 a
☎ *0651/307961*
Kein Ruhetag.

Passion am „Großen Hergott"

Kreuzweg: Spiele in Wintrich.

INFORMATIONEN

AUSKUNFT

Touristinformation
54487 Wintrich/Mosel
℡ 06534/8628
@ www.Passionsspiele-Wintrich.de

ANFAHRT

Wintrich ist über die Autobahn Trier –
Koblenz (A 48), Ausfahrt Wittlich oder
Salmtal, zu erreichen. Oder über die
Moseluferstraße B 53.

TOUR-TIPP

Besichtigung der römischen
Kelteranlage in Piesport.

EINKEHR-TIPP

Gaststätte „Königschulte" in 54487
Wintrich, Moselweinstr. 54
℡ 06534/295. Ruhetag Montag.

Schöne Fachwerkhäuser gibt es in Wintrich und romantisch anmutende alte Gassen. Einen Weinlehrpfad, der zum „Großen Herrgott" führt, und verheißungsvolle Weinberge. Unverwechselbar wird der kleine Moselort aber durch eine große gemeinsame Leistung: die Wintricher Passionsspiele. In der Fastenzeit 2002 jährte sich diese Tradition zum hundersten Mal. Schon zwei Jahre zuvor begannen die Vorbereitungen für die „Wintricher Passion", an der sich ein Großteil der 1100 Einwohner dieser außergewöhnlichen Gemeinde beteiligt. Nicht Pest noch große Gefahr waren 1902 der Auslöser für die erste Aufführung. Die alte Wintricher Kirche war sehr renovierungsbedürftig, und damals hoffte man, mit der Vorstellung einen Teil der Sanierungskosten zu finanzieren. Der Plan glückte – und die Passions-Spiele gehörten von nun an zum Leben in Wintrich dazu. Alle fünf Jahre wurde das Spiel einstudiert, unterbrochen nur von den beiden Kriegen. Bis die Tradition 1952 einschlief. Doch vergessen waren die Aufführungen nicht – 1995 entschieden sich die Wintricher: Wir wagen einen neuen Anfang. Auf dem Dachboden des Pfarrhauses fanden sich sogar alte Kulissen und Kostüme. Buchstäblich Kartoffelsäcke, die man einst in der Not bemalt und zusammengenäht hatte. Die neuen Kostüme gestaltete man jetzt so originalgetreu wie möglich. Der ursprüngliche Text der „Wintricher Passion" wurde noch behutsam modernisiert, dann begannen die Proben.

Zwei Jahre später hatten die mehr als zweihundert Akteure ihr Ziel erreicht: In der mit einer Altdeutschen Schieferdeckung eingedeckten Kirche St. Stephanus wurden die Passionsspiele aufgeführt, und die Besucher waren so begeistert, dass zusätzliche Spieltage eingeplant werden mussten. Man war sich rasch einig, dass die Tradition nicht noch einmal einschlafen dürfe, und begann umgehend mit der Planung für eine neue Passion. Weitreichende Vorbereitungen müssen bewältigt werden, viele Menschen opfern viel Zeit für dieses gemeinsame Vorhaben. Inge Franzen zum Beispiel, die die Kulissen malt. Heinz Görgen, der den Vorsitz der Passionsvereinigung übernommen hat, oder Dirk Kessler, der Bürgermeister von Wintrich, der Regie führt. Auch ganz persönliche Konsequenzen gibt es. Denn – die Kollegen in Oberammergau kennen das Problem – irgendwann kommt für viele der beteiligten Männer das Kommando: Haare und Bart wachsen lassen! Auch für Peter Könen, der Jesus darstellen wird, kein ganz einfaches Unterfangen. Er ist Polizist und wird mit Vollbart und langen Haaren eine Weile nicht ganz dem gewohnten Erscheinungsbild unserer Ordnungshüter entsprechen. Die Wintricher nehmen Mühe und Aufwand gerne auf sich, denn schon 1997 haben sie festgestellt: Die gemeinsame Vorbereitungszeit hat unsere Gemeinschaft noch viel enger zusammenwachsen lassen.

RÖMISCHES KELTERFEST

Auf die Trauben, fertig, los

Treten und schaufeln: Kelterfest in Piesport.

„Platsch!" – unter lautem Gejohle der Zuschauer landet der Mann in der Toga im matschigen Traubenberg. Die Szene erinnert an einen Historienfilm, spielt aber im neuzeitlichen Piesport an der Mosel. Seit bei Flurbereinigungsmaßnahmen 1985 die Überreste der größten römischen Doppel-Baumkelteranlage nördlich der Alpen gefunden wurden, wird immer am 2. Wochenende im Oktober Kelterfest gefeiert.

Höhepunkt ist die original römische Kelterung – ein ganz und gar spritziges Vergnügen. Eine Hand voll Männer und eine Frau in hellen Togen lassen pralle Trauben unter den nackten Füßen zerplatzen. Nicht nur zahlreiche Zuschauer in Zivil schauen dem Spektakel begeistert zu, auch Imperator Caesar „höchstpersönlich" gibt sich die Ehre. Mit ihm sind Weingott Succellus, die amtierende Weinkönigin und ein prächtiger Tross aus farbenfrohen Legionären, Mundschenken und allerlei Fußvolk durch das Dorf zur Kelter gezogen. Die geschichtsträchtige Anlage römischer Baukunst und mit ausgefeilter Technik stammt aus dem 4./5. Jahrhundert. Hier wurden 1987 die ersten römerzeitlichen Traubenkerne des Moseltals gefunden und damit der bislang fehlende Beweis für römischen Weinbau an der Mosel erbracht. Die mehr als zehn Räume und sieben Becken in Piesport sind als Fundament und Estrichreste original erhalten, die Mauern wurden teils mit Schieferbruchstein rekonstruiert und Kalkestrich und Ziegelsplitt verputzt. Die Holzkonstruktion, mit der die Maische gepresst wird, ist ebenfalls rekonstruiert und voll funktionsfähig. Das wird den Gästen beim Kelterfest eindrucksvoll vorgeführt. Während die Togaträger – fest ineinander verhakt, um nicht zu stürzen – fleißig treten, läuft die Brühe durch eine Rinne ein paar Meter tiefer ins Auffangbecken. Dort landet der Saft der zerquetschten Trauben, die von hilfreichen „Römern" eimerweise in die Pressen befördert werden.

Während im Weinberg nach alter Sitte gekeltert wird, geht es in der „Via Vinorum", in der „Straße des Weines", unten im Dorf feucht-fröhlich zu. Stände und Zelte mit römischen Spezialitäten und deftigen Köstlichkeiten reihen sich aneinander. Zum Mulsum (Honigwein) wird leckeres Crustulum (tellergroßes Römergebäck) gereicht, und wer lukullisch eher der Gegenwart zugetan ist, wird mit Fleischspießchen oder Winzersteak gut bedient. Und nächstes Jahr wird der Saft, der eben noch durch die original römische Kelter lief, als edler Tropfen die Gaumen verwöhnen ... Auch außerhalb der Festzeit können Besucher die Kelter erkunden und bei einer Tour längs der Mosel auch gleich die zweitgrößte Kelter besichtigen: Bei Erden, östlich von Piesport, kam in den 90er Jahren am Fuße des steilen Südhanges „Im Dellert" ebenfalls eine römische Kelter aus dem 3. Jahrhundert ans Tageslicht. Mit ihr Spuren von zwei Holzfässern.

INFORMATIONEN

AUSKUNFT

Verkehrsbüro Piesport
St. Martinstraße 27, 54498 Piesport
☎ 06507/2027 ℻ 2026. Besichtigung
der Kelteranlage nach Vereinbarung.
Verkehrsbüro Erden, Hauptstraße 72
54492 Erden, ☎ 06532/2549 ℻ 1585
@ www.rsc-erden.de. Besichtigung der
Kelteranlage nach Vereinbarung.

ANFAHRT

Piesport: Von Koblenz A 48 Richtung
Trier, Abfahrt Salmtal/Piesport,
Richtung Klausen, in Piesport vor der
Brücke rechts in die „Via Vinorum",
geradeaus, am Ende der Bebauung
rechts hoch in die Weinberge. Erden:
Von Koblenz A 48 Richtung Trier,
Abfahrt Wittlich, Richtung Wengerohr/
Zeltingen, nach Zeltinger Brücke links
Richtung Erden, in Erden Richtung
Lösnich, über die Brücke Richtung
Ürzig, Kelter nach etwa 200 Metern
auf der rechten Seite im Weinberg.

TOUR-TIPP

Weinmuseum Bernkastel,
☎ 06531/4141. Öffnungszeiten:
1. November bis 15. April 14 bis 17 Uhr,
16. April bis 31. Oktober 10 bis 17 Uhr.
In der Vinothek können 160 Weine und
Sekte von Koblenz bis Schengen
getestet werden.

EINKEHR-TIPP

Weinstube Hotel Restaurant
St. Eberhard, Auf der Kaub 38
54498 Piesport, ☎ 06507/2324
℻ 9929076 @ st.eberhard@gmx.de
Öffnungszeiten: 10 bis 1 Uhr,
Ruhetag Dienstag.

SCHRÖTERZUNFT IN TRABEN-TRARBACH

Fass marsch!

Zünftig: Schröter unterwegs.

INFORMATIONEN

AUSKUNFT
Zunft der Stadtschröter Traben-
Trarbach, Am Bahnhof 14 a
56841 Traben-Trarbach
@ www.Vinorellum.de
Tourist-Information: Bahnstraße
22, 56841 Traben-Trarbach
© 06541/8398-0, @ 8398-39
@ www.traben-trarbach.de

ANFAHRT
Autobahn A 48, Abfahrt Wittlich, nach
Ürzig, B 53 moselabwärts
bis Traben-Trarbach.
Oder Autobahn A 61, Abfahrt
Rheinböllen,
B 50 zur B 327 Richtung Trier, Abfahrt
Traben-Trarbach

TOUR-TIPP
Ein Bummel durch die mit wunder-
schönen Schieferhauben geschmückte
Jugendstil-Stadt Traben-Trarbach und
ihre nähere Umgebung;
Mittelmoselmuseum: Bürgerliches
Barockhaus aus dem 18. Jahrhundert
mit einer reichen Ausstattung bür-
gerlicher Wohnkultur des 18. und 19.
Jahrhunderts.

EINKEHR-TIPP
Romantik Jugendstilhotel „Bellevue"
.Am Moselufer, 56841 Traben-Trarbach
© 06541/703400 @ 703400
@ www.bellevue-hotel.de
Gebaut nach Plänen des bekannten
Berliner Jugendstilarchitekten
Professor Bruno Möhring.
Weinstube „Alte Zunftscheune"
Neue Rathausstraße, 56841 Traben-
Trarbach, © und @ 06541/9737
@ www.zunftscheune.de
Ruhetag Montag.

„Vor abends sechs Uhr keinen Wein – und nach sechs kein Wasser!", lautet ein Schröterspruch, der jedoch zumindest einmal im Jahr von den Stadtschrötern in Traben-Trarbach gebrochen wird: Jeweils am letzten Wochenende im Juli, wenn sie zu ihrem traditionellen Zunftweinfest – dem einzigen seiner Art in Deutschland – einladen, fließt der edle Rebensaft schon am frühen Samstagnachmittag. Wenn die Schröter zum Auftakt des Festes den geschmückten Zunftbaum auf ihren Schultern zum Festplatz am Trabener Moselufer tragen und ihn auf das Kommando der Stadtweinkönigin in schweißtreibender Handarbeit aufrichten, haben sie sich zweifellos eine entsprechende Stärkung am Weinbrunnen verdient. Der 1960 gegrün-dete Verein erinnert mit seinem alljährlichen Fest an ein Handwerk, das in der Moselstadt auf eine jahrhundertelange Tradition zurückblicken kann. Waren in der alten Weinstadt Traben-Trarbach doch einst fünf Schrötereien erforderlich, um die gefüllten Weinfässer von Keller zu Keller, zu Schiff oder auf den Wagen und wieder in den Keller zu transportieren. Als die Grafen von Sponheim, die seit dem 11. Jahrhundert an Mosel, Nahe und im Hunsrück regierten, um 1350 hoch über Trarbach die Grevenburg errichteten, ließen sie bald darauf in der Stadt selbst eine Zehntkellerei bauen, für die die Stadtschröter tätig waren. Überall dort, wo Winzer und Weinhändler ihre Steuern in Form von Zehntweinen zu entrichten hatten, aber auch, wenn die Landesherren selbst Weinkäufe tätigten, kamen die Schröter zum Einsatz. Allein auf der Grevenburg, deren Weinkeller 60 Fuderfässern Platz bot, wurden – etwaige – Burgfeste nicht mitgerechnet – wöchentlich 1000 Liter des heimischen Rebensaftes getrunken, die zuvor den steilen Berghang hinaufgeschafft werden mussten. Manchmal galt es für die Schröter bei ihren Weintransporten aber auch weitere Entfernungen zurückzulegen: Als sich im 18. Jahrhundert eine einheimische Weinhändlerfamilie in der preußischen Hauptstadt niederließ, wurden regelmäßig Weine bis nach Berlin geliefert. Wochen und Monate waren die Schröter dann mit den bis zu 24 Zentner schweren Fässern unterwegs. Von diesen und anderen Begebenheiten weiß die Geschichte der Schröterzunft zu berichten, in ihrer Zunftlade bewahren die Stadtschröter noch heute uralte Ordnungen und Protokolle auf, in denen unter anderem über Jahrhunderte hinweg die Namen der Meister verzeichnet sind, die stets am Jakobstag, am 25. Juli, ihre Ämter übernahmen oder in ihnen bestätigt wurden. Auch ein originaler Zunftbecher aus dem Jahre 1670, auf dessen Boden ein Meister der damaligen Zeit eingestochen ist, befindet sich im Besitz der Schröterzunft. Dessen Darstellung diente als Vorlage bei der Anschaffung der heutigen Zunftkleidung des Vereines. Neben dem gemeinschaftlichen Festumzug, an dem sich außer den Stadtschrötern weitere Vereine der Doppelstadt beteiligen, ist die alljährliche Krönung einer neuen Stadtweinkönigin der zweite festliche Höhepunkt eines jeden „Jakobstages" in Traben-Trarbach. Seit 1970 legen die neuen Weinmajestäten jeweils am Festsonntag gegenüber dem Zunftmeister und der übrigen Bürgerschaft öffentlich ihren Krönungseid ab; während ihrer Amtszeit ist die Stadtweinkönigin satzungsgemäß das einzige weibliche Mitglied der Zunft. Das Schröterhandwerk erfordert noch heute – allein schon zum „Schroten des Zunftbaumes" beim alljährlichen Festumzug – ausschließlich starke Männer ...

„Erstklassische" Begegnungen

Die Mosel klassisch.

Ein Klassiker für Kulturreisen ist das Moseltal seit Jahrtausenden. Viele Besucher haben ihre Spuren hinterlassen, an denen sich die heutigen Touristen erfreuen: Von den Römern, die den Weinbau kultivierten, zeugen imposante Bauwerke, die Kultur der Franken findet sich in der Sprache der Moselaner wieder. Das Mittelalter prägte viele Stadtkerne und erzählt seine Geschichte durch viele Burgen und Ruinen. Der Geist des einst mächtigen Kirchenadels lebt noch in prächtigen Kirchen, Klöstern und Schlössern. Zum größten klassischen Musikfestival in Rheinland-Pfalz haben sich in 16 Jahren die Moselfestwochen als Teil des Rheinland-pfälzischen Kultursommers gemausert. Und das Besondere daran sind nicht nur die hochkarätigen Künstler, sondern auch die ungewöhnlichen Veranstaltungsorte: historische Gemäuer, Klöster, Kirchen, Winzerhöfe, Kellergewölbe oder Moselschiffe. So erleben moderne Touristen die lebendige Verbindung zwischen dem jahrtausendealten kulturellen Erbe und den besten aktuellen musikalischen Genüssen. International gefeierte Künstler, aber auch talentierte Nachwuchsmusiker gestalten zwischen Mai und Oktober die Moselfestwochen mit vokalen und instrumentalen Aufführungen erster Klasse, gemeinsam organisiert von Stadt und Verbandsgemeinde Bernkastel-Kues, Mosellandtouristik, den Landkreisen Cochem-Zell, Bernkastel-Wittlich, Trier-Saarburg, der Stadt Trier und dem Mosel-Saar-Ruwer-Wein.

Moselfestwochenbesucher haben die Wahl zwischen rund 60 klassischen Konzerten, Opernaufführungen oder Jazztakten innerhalb der drei Segmente Frühjahr, Sommer und Herbst. Namhafte Staats-, Rundfunk- und Kammerorchester, die besten Chöre und Solisten präsentieren ihre Kunst zum Beispiel in Trier, Bernkastel-Kues, im Kloster Machern (▶SEITE 100) oder im Freilichtmuseum Roscheider Hof (▶ SEITE 89). Eine Spezialität sind die Orgeltage (▶ SEITE 121) im Kreis Cochem-Zell, wo die besten Organisten die schönsten Orgelklänge aus hervorragenden, historischen Instrumenten zaubern.

In jedem Jahr bieten die Moselfestwochen Sonderprogramme zu einem bestimmten Thema. So gab es im Bach-Jahr einige ganz besondere Darbietungen des wohl eigenwilligsten und berühmtesten deutschen Komponisten. Moseltouristen können von einer Idee der Veranstalter der Moselfestwochen profitieren, die mit Pauschalangeboten Kultur, Landschaft und Wein vernetzen.

INFORMATIONEN

AUSKUNFT

*Das Gesamtprogramm und Karten für
die Veranstaltungen sowie
Pauschalangebote: Mosellandtouristik
Im Kurpark, 54470 Bernkastel-Kues
☎ 06531/2091 ☏ 06531/2093
✉ mosellandtouristik@t-online.de*

ANFAHRT

*Einer der Veranstaltungsorte ist das
Kloster Machern, das so zu erreichen
ist: Über die A 48 Abfahrt Wittlich,
über die B 50 Richtung Bernkastel-Kues
nach Zeltingen, von dort B 53 Richtung
Koblenz.*

TOUR-TIPP

*Ab Bernkastel-Kues Abendfahrt auf
einem Moselschiff mit Musik und Tanz,
Besuch des Weinkultur-Zentrums
mit Weinprobe.*

EINKEHR-TIPP

*Schlemmer Wochenende im Hotel
Moselpark, Bernkastel-Kues
☎ 06531/5080 ✉ www.moselpark.de
Kein Ruhetag.*

Wo der Burggeist zur Schatzsuche aufruft

Neu an der Mosel: Halloween.

Deutschland spielt verrückt, seit das „Halloween-Fieber" umgeht. An jedem 31. Oktober lockt auch die Ehrenburg hoch über Boppard an der Mosel zu einem Spektakel in mehreren Akten. Das Halloween-Event mit Spuk und Spaß lockt scheinbar Hunderte – zumeist kleine – Bettlaken-Geister und weißgesichtige Mini-Gespenster auf die mittelalterliche Burg und verspricht unter anderem „seltsames Zeremoniell" sowie „Musik aus tausendundeiner Gruft". Kaum sind die kleinen Gäste am Eingang von der Hexe mit der grünen Warzennase begrüßt worden, geht es auch schon mitten rein ins geheimnisvolle Burgleben. Geistergeschichten locken ans prasselnden Kaminfeuer im Märchenkabinett. Eintauchen in die Zauberwelt und selbst dazu gehören: Wem das entsprechende Aussehen fehlt, der kann sich bei der „rechten Blocksbergverscheußlichung" „Pickel, Pusteln und Pestbeulen aus erster Hand" aufmalen lassen oder mal eben zum Zombie mutieren. So gerüstet, geht's beispielsweise mit einem Gespensterturnier weiter. Hier zeigen die Kleinen unter fachkundiger Leitung von Pankratz dem Peiniger, Willbur dem Widerlichen und anderen Gestalten, welche „magischen" Kräfte in ihnen stecken. Sie messen sich mit Gruppen, die solch gruselig schöne Namen wie „Grausige Gröler" oder „Hurtige Heuler" tragen. Da wird sich in Disziplinen wie Mäuseschleudern oder Drachenkegeln geübt, da muss eine Fellmaus mit vollem Schwung in einen Korb geworfen werden. Auch die Eltern müssen sich nicht langweilen, während ihre Nachwuchs-Zauberer sich bei schaurigen Spielen amüsieren. Ein Burgrundgang bietet Informationen um das mittelalterliche Gemäuer und, wer's lieber gemütlich mag, kann sich in der Burgschenke mit einem deftigen Rittermahl verwöhnen lassen. Eine Burgerkundung gibt es ebenfalls für die jüngeren Besucher, allerdings mit „schwierigen Prüfungen" auf der Suche noch dem verlorenen Schlüssel zur Schatztruhe. Zum Abschluss eines aufregenden Tages ist auf jeden Fall ein Eintrag ins ledergebundene Gästebuch der Burg fällig: Dabei gilt es, zwischen so fantasievollen Namen wie Willi Wadenstrumpf oder Kunibert Kürbiskern zu wählen. Ein Tag, den die Nachwuchsgeister sicher so schnell nicht vergessen werden.

KURZ ERKLÄRT

Woher kommt Halloween?

DAS HALLOWEEN-FEST AM 31. OKTOBER ENTSTAND IN GROSSBRITANNIEN ZUR ZEIT DER KELTEN. DAS WORT BEZEICHNET DEN ABEND VOR ALLERHEILIGEN. DIE ÄLTESTEN HALLOWEEN-FEIERN WURDEN VON DRUIDEN VERANSTALTET, DIE DAS „FESTIVAL OF SAMHAIN", DAS FEST DES FÜRSTEN DES TOTENREICHS, BEGINGEN. EINWANDERER BRACHTEN DAS FEST IN DIE VEREINIGTEN STAATEN, SEIT EINIGEN JAHREN FINDET MAN AUCH IN DEUTSCHLAND IMMER HÄUFIGER HALLOWEEN-VERANSTALTUNGEN: TYPISCH SIND GRUSELIGE VERKLEIDUNGEN; DAS SYMBOL DES FESTES IST DER AUSGEHÖHLTE KÜRBIS.

Hühner und Hasen

„Ber hät en Oarsch?", „Ber hät en Schbetz?" Wenn Sprüche wie diese über den Platz am Winninger Weinbrunnen schallen, dann handelt es sich nicht etwa um Äußerungen der weniger feinen Art nach durchzechter Nacht, sondern dann ist Ostersonntag, und im romantischen Fachwerkkern des malerischen Schieferdörfchens treffen sich Jung und Alt zum Eierkibben. Der Brauch etablierte sich vor etwa 160 Jahren in der Moselgemeinde – und zieht Jahr für Jahr immer mehr Einheimische und Gäste an. Das „Kibben" (Winninger Platt: kebbe = schlagen) funktioniert so: Zwei Gegner, jeder mit einem hartgekochten und bunt bemalten Ei bewaffnet, schlagen zuerst die Eier mit der Spitze („Schbetz") aneinander, dann am stumpfen Ende („Oarsch"). Wer die gegnerische „Eibombe" an beiden Enden eindellt, darf sie als Siegprämie behalten. Geht das Duell hingegen unentschieden (bei jedem bleibt ein Ende heil) aus, sucht sich jeder einen anderen Gegner, den dasselbe Schicksal ereilt hat – frei nach dem Motto: „Ber hät ein Oarsch, ber hät en Schbetz?" Während an den Ständen rund 6000 bunte Ostereier auf begnadete Kibber warten, fließt am Weinhexbrunnen der eigens zum Fest angesetzte Eierwein in Strömen. Über die beste Technik beim Kibben streiten sich übrigens selbst die „Experten". Nur in einem sind sie sich einig: „Je spitzer das Ei, desto siegreicher!" Auch im „Hoppeldrom" im benachbarten Kobern-Gondorf herrscht zu Ostern Hochspannung. Zahlreiche Zuschauer wollen sich das legendäre Osterhasenrennen, das der Kaninchenzuchtverein RN 34 im zur Rennbahn umfunktionierten Rittersaal veranstaltet, nicht entgehen lassen. Während sich das Publikum um die 5000 Millimeter lange Kunstrasen-Bahn scharrt, mümmeln Susi Sausewind, Fritz Blitz, Mister Hoppel und Meister Lampe noch träge in ihren Boxen. Doch wehe, wenn sie losgelassen ... Im Trainingslauf treten jeweils zwei (Oster-)Hasen gegeneinander an. Hat sich das Wett-Publikum einen Eindruck verschafft, wie flott die Kandidaten sind, kann für drei Mark auf den Favoriten gewettet werden. Und dann geben die flauschigen Lieblinge Fersengeld, angefeuert vom euphorischen Publikum. Aus der Taufe gehoben wurde das rasante Rennen 1982. Um zum Start der neuen Tourismussaison mit einer Attraktion aufwarten zu können, wurde auf dem Marktplatz das „größte Osternest der Welt" mit 3000 Eiern aufgestellt. Verbunden mit dem Riesennest war das Osterhasenrennen. Im Gegensatz zum österlichen Nest der Superlative, das aus organisatorischen Gründen nur bis 1995 für Staunen sorgte, laufen die flotten Häschen immer noch – alle Jahre wieder am Ostersonntag.

Eierkibben in Winningen.

INFORMATIONEN

AUSKUNFT

WINNINGEN: *Gemeindeverwaltung Winningen, August-Horch-Str. 3 56333 Winningen*
☎ 02606/2214 📠 347
@ www.winningen.com
Kobern-Gondorf: *Tourist- und Kultur Kobern-Gondorf, Kirchstraße 1 56330 Kobern-Gondorf*
☎ 02607/19433 📠 4045
@ www.kobern-gondorf.de

ANFAHRT

Winningen: *Von Koblenz auf der B 416 Richtung Cochem, 1. Ausfahrt Winningen, am Moselufer parken.*
Kobern-Gondorf: *Von Koblenz über die B 416 Richtung Cochem, an Güls und Winningen vorbei, erste Ausfahrt nach Kobern-Gondorf, links auf Marktplatz, Rittersaal liegt an Ecke Peterstraße/Marktplatz.*

TOUR-TIPP

Auf dem Weinlehrpfad 1,4 Kilometer durch die schieferdurchzogene Winninger Weinlage. Mehr als 30 Tafeln informieren den Besucher über Interessantes und Wissenswertes aus dem Weinbau.

EINKEHR-TIPP

Winzerwirtschaft Barz, Osterstraße 5 56333 Winningen
☎ 02606/1751 📠 886
@ www.winzerwirtschaft-barz.de
Öffnungszeiten: Montag ab 18, Dienstag, Mittwoch, Freitag, Samstag ab 16, Sonntag ab 14 Uhr. Ruhetag Donnerstag.
Restaurant-Pension „Zum Weinfass" Bahnhofstraße 2 56330 Kobern Gondorf
☎ 02607/6762 📠 4745
@ www.kobern-gondorf.de unter „Essen und Trinken". Ruhetag Dienstag.*

...und die Eule singt dazu

Klassische Klänge, berühmte Arien und bekannte Melodien schweben in den Sommernächten über der Festung Ehrenbreitstein bei Koblenz. Tausende sind alljährlich voller Begeisterung dabei, wenn vor alten Festungsmauern geliebt und gelitten, geküsst oder gemordet, auf den Thron gesetzt und verbrannt wird. Seit 1997 haben sich die „Koblenzer Festungsspiele", eine Co-Produktion des Stadttheaters Koblenz und der Koblenz-Touristik, als wahrer Touristenmagnet gezeigt und sich nicht zuletzt durch ihren erlesenen Spielplan, exzellente Darsteller und Musiker einen Namen gemacht. Ob „Carmen", „Lucia di Lammermoor" „Turandot" oder „Nabucco" – schon Wochen vor der Aufführung sind die Karten vergeben, und lange Schlangen stehen Abend für Abend in Smoking oder sommerlichem Abendkleid vor den Toren der schieferge-deckten Festung und hoffen noch auf Einlass. Das Geheimnis des Erfolgs lässt sich nicht so einfach beschreiben. Was wären die klassischen Aufführungen ohne die hervorragende „Rheinische Philharmonie"? Ohne die internationalen Gaststars wie Graciela Araya von der Wiener Staatsoper oder Giovanna Casolla, die bereits in Peking, der Met in New York oder der Mailänder Scala auftrat? Namhafte Regisseure wie beispielsweise Hans Hollmann, der „Nabucco" inszenierte, tragen das ihrige zum vollendeten Kunstgenuss bei. Und nicht zu vergessen die beeindruckende Natur-Kulisse der Festung, die sich, entsprechend ins Licht gerückt, hervorragend zur Inszenierung von klassischen Stücken eignet: Die alten Mauern verwandeln sich dank modernster Beleuchtungstechnik in brennende Tempel oder prächtige Paläste, in einen Marktplatz oder ein Schlachtfeld, in dem sich das singende Volk versammelt oder die Soldaten tummeln.

Das Publikum genießt´s auf der Tribüne sitzend, und manch einer lässt seinen Blick umherschweifen, wenn der Sonnenuntergang wieder einmal mit den Beleuchtern um die schönere Illumination wetteifert und sich die aufkommende Dunkelheit der Nacht langsam auf die Festung senkt. Wer schon einmal eine Vorstellung hoch über Koblenz besucht hat, weiß, dass dies nicht die einzigen Naturereignisse sind, die er sozusagen als Bonbons kostenfrei mitgeliefert bekommt. So wartet er regelrecht auf die köstlichen Sondereinlagen, die so manchen Opernbesucher schon einmal auf eine harte Toleranzprobe gestellt haben. Denn wenn in den Musikpausen ein deutliches Schnarchen hörbar wird, die Blicke des Orchesters schmunzelnd nach oben schweifen, versteht der Uneingeweihte nicht, warum der Kunstbanause, der bei den schönsten Arien so sehr ins Träumen gerät, dass er laut vor sich hinsägt, nicht einfach vom Nachbarn unsanft geweckt wird! Spätestens nach der Pause aber wartet auch er auf das geheimnisvolle Schnarchen. Ist es tatsächlich noch da, oder hat der Lärm sie gestört? Und er lehnt sich entspannt zurück, wenn er das monotone Begleitgeräusch wieder vernimmt und genießt die Aufführung vor der gigantischen Kulisse. Denn bei dem geheimnisvollen Schnarcher handelt es sich um eine Schleiereule, die mit ihrem „Gesang" den Operngenuss erst vervollkommt. Wer sich dieses Schauspiel auf der wunderschönen alten Festung nicht entgehen lassen möchte, sollte sich rechtzeitig Eintrittskarten reservieren.

Romantisch: Festspiele in Koblenz.

INFORMATIONEN

AUSKUNFT

Koblenz-Touristik
☏ *0261/303880. Hier können auch Termine und Karten erfragt werden.*

ANFAHRT

A 48, Ausfahrt Koblenz, auf der B 9 über die Pfaffendorfer Brücke bis in den Stadtteil Ehrenbreitstein fahren, der Beschilderung zur Festung folgen.

TOUR-TIPP

Besichtigung der Festung Ehrenbreitstein; eine historische Anlage, in der bis zu 1200 Soldaten und 80 Kanonen Platz fanden. In den Räumen der Festung befindet sich auch das Landesmuseum (▶ BAND 1, SEITE 94).

EINKEHR-TIPP

Ferraris Restaurant (▶ SEITE 139) auf der Festung. Ein Pauschalarrangement zu den Festungsspielen, das auch ein Essen beinhaltet, kann bei der Koblenz-Touristik gebucht werden (mindestens drei Monate im Voraus buchen, ☏ 0261/3038815). Kein Ruhetag.

„RHEIN IN FLAMMEN" UND ANDERE FEUERWERKE

Wenn der Himmel explodiert

Buntes Spektakel: Feuerwerk über Koblenz.

Einmal im Jahr, jeweils am zweiten Samstag im August, explodiert der Himmel über Koblenz, mutiert die Rhein-Mosel-Stadt zum brodelnden Hexenkessel. Dann steht der „Rhein in Flammen", und der Funke springt über auf Hunderttausende von Besuchern. Menschenmassen trudeln schon über Tag ein, machen es sich auf mitgebrachten Klappsesselchen, mit Kind und Kegel im Gepäck, am Flussufer bequem, den Blick aufs Wasser gerichtet wie auf einen überdimensionalen Fernsehbildschirm. Hunderte von Reisebussen aus ganz Europa rollen heran, ganze Camper-Städtchen entstehen aus dem Nichts. Partystimmung macht sich breit, an allen Ecken und Enden der Stadt. In Vorgärten und Innenhöfen wird privat gegrillt und gefeiert, Musik liegt in der Luft. Draußen auf der Straße nimmt eine öffentliche Mega-Party ihren Gang. In Volksfeststimmung pilgern Besucherscharen von Veranstaltung zu Veranstaltung, vom Popkonzert zum Schlagerfestival. Sinkt die Sonne, steigt die Stimmung: Bengalisches Feuer taucht die Flussufer auf der 20 Kilometer langen Strecke zwischen Koblenz und Spay in gespenstisch rotes Licht. Fackeln flackern, blinkende Teufelshörner und Leuchtketten, mit denen sich die Menschen geschmückt haben, funkeln in der Dunkelheit.

Dann der explosive Höhepunkt: Der größte Schiffskorso Europas rückt an. 80 bunt beleuchtete Passagierschiffe bahnen sich ihren Weg durch den Strom. Sie alle wollen eines erleben: das einmalige Schauspiel am Himmel. Acht Feuerwerke werden abgefeuert, das größte um 23 Uhr von der trutzigen Festung Ehrenbreitstein, gleich gegenüber dem deutschen Eck gelegen. Unter bewundernden „Aaaah's" und „Ooooh's" der Zuschauer prasseln ineinander verschachtelte Ringe und Meteore in die Luft, aus „Trauerweiden" sprühen grüne Feuerbälle, rote und violette „Chrysanthemen" regnen auf die Stadt nieder. Am Ende kommt es dicke: Knaller mehr und mehr, es funkelt, glitzert, strahlt, der Himmel ist in ein einziges Farbenmeer getaucht. Schließlich der finale Schuss. Alle 80 Schiffe beginnen zu tuten und brausen mit tief dröhnenden Motoren unter Volldampf durch den schäumenden Strom zurück – ein Feuerwerk der Superlative, das seinesgleichen sucht. Doch ist Koblenz beileibe nicht der einzige Schauplatz, der sehenswerten Himmelszauber zu bieten hat. In vielen Städten von „A" wie Alf bis „Z" wie Zell gehören Feuerwerke zum festen Bestandteil des Terminkalenders, oft verbunden mit den Weinfesten. So beendet Winningen sein zehn Tage währendes, ältestes Winzerfest in Deutschland mit Feuerzauber. Auch beim Weinfest in Cochem, beim Moselwein-Festival „Traben-Trarbach à la carte", beim Bullayer „Herbst- und Weinfest" und dem „Weinfest der Mittelmosel" in Bernkastel-Kues zum Beispiel steht die Mosel regelmäßig in Flammen, in Trier gleich mehrmals im Jahr. Hier knallt's Ende Mai, Anfang Juni beim „Europavolksfest" ebenso wie im Juli beim „Trierer Moselfest" im Stadtteil Zurlauben oder im August beim „Trierer Weinfest" im Stadtteil Olewig.

INFORMATIONEN

AUSKUNFT

Auskünfte über die Termine der Weinfeste und Feuerwerke an der Mosel gibt es bei der Mosellandtouristik Im Kurpark (Kurgastzentrum) 54470 Bernkastel-Kues
☎ 06531/2091 📠 2093
@ www.mosellandtouristik.de

ANFAHRT

Nach Koblenz zum „Rhein in Flammen" über die Bundesstraßen B 42 und B 9 Richtung Innenstadt, am besten Park- und-Ride-Möglichkeiten nutzen.

TOUR-TIPP

Wer „Rhein in Flammen" in Koblenz einmal anders, nämlich nicht mittendrin, sondern von der Peripherie aus erleben möchte, kann nach Weitersburg fahren. Bei schönem Wetter bieten Sternenhimmel, Feuerwerk in der Ferne und ein bunt glitzerndes Rheinband in der Tiefe ein zauberhaftes Ensemble. Wer eines der Feuerwerke in Trier oder der Umgebung von Trier erleben möchte, sollte sich vorher unbedingt auf die Spuren der Römer begeben – Amphitheater, Kaiser- und Barbaratherme warten auf Besucher.

EINKEHR-TIPP

In Koblenz locken zahlreiche Rheinufer-Restaurants, in Trier bietet der Stadtteil Zurlauben, ein tolles Ambiente. Aber auch Gourmet-Restaurants wie „Die Pfeffermühle"
☎ 0651/26133 sind hier zu finden. Ruhetag Sonntag und Montag mittag.

Weinköniginnen beim Festzug.

Rund um „Bacchus"

Feiern mit Königinnen, Prinzessinnen und Weingöttern – die Mosel macht es möglich. Über 300 Weinfeste entlang des Flusses im Frühling, im Sommer und im Herbst laden zum Besuch an der Mosel ein, zum Genuss von köstlichen Weinen und regionalen Spezialitäten bei Musik, Tanz und Unterhaltung. Seien es nun die großen Weinfeste, die Weinkirmes, das Straßenweinfest oder andere Feste. Immer geht es volkstümlich zu. Und die Winzer kredenzen zu diesen Anlässen gerne ihre besten Tropfen. Sie sind ein Erlebnis und gehören zu einem Besuch an der Mosel unbedingt dazu. Verbunden mit einem Weinfest ist oft auch die Krönung der Weinkönigin, die gemeinsam mit ihren Weinprinzessinnen ihre Heimatgemeinde und den Wein ihrer Heimat repräsentiert und für ihn wirbt. Doch nicht nur das: Viele Orte an der Mosel haben auch ihren Bacchus, den Gott des Weines, dem die Winzer huldigen. Sie alle, Weinkönigin, Prinzessinnen und Bacchus, stehen im Mittelpunkt der festlichen und fröhlichen Umzüge durch die Moselgemeinden und ihrer Weinfeste. Das Abholen der Weinmajestäten vom Weingut, die historischen Trachten, farbig geschmückte Wagen, zahlreiche Musikkapellen, der Umzug durch den Ort, der Einmarsch in das festlich geschmückte Festzelt, die feierliche Begrüßung und Eröffnung, das Genießen des Weins – all das macht diese Festzüge zu einem Erlebnis. Ein ähnliches Erlebnis für den Besucher sind die großen Feuerwerke, mit denen das Weinfest wieder beschlossen wird und die die Mosel am Abend in ein wunderschönes, atemberaubendes Licht tauchen und den Himmel erhellen. In **Olewig**, dem Trierer Weinstadtteil, gibt es im August eines der größten und schönsten Weinfeste entlang der Mosel. Alljährlich im September lädt **Bernkastel-Kues** zum größten Weinfest an der ganzen Mosel, und **Winningen** feiert in der letzten August- und der ersten Septemberwoche. Es ist das älteste Weinfest an der Mosel. Bereits im 19. Jahrhundert wird es schon von Reisenden beschrieben mit dem Umzug der Burschen und Mädchen, dem Tanz, dem Festessen und dem bunten Treiben rund um den „Weinhexbrunnen". Im 17. Jahrhundert sollen in Winningen 21 Frauen auf dem Hexenhügel verbrannt (▸ *SEITE 46*) worden sein. Doch nicht daher stammt der Name des berühmten Winninger Weines, sondern der Legende nach von einer Frau die allzu gerne diesem edlen Tropfen zusprach, worauf ihr Mann ihr den Allerwertesten versohlte und sie von da an „Weinhex" nannte. Und wie schon vor über hundert Jahren wird auch heute noch rund um den Weinhexbrunnen das Weinfest gefeiert.

Weinfeste, sie finden das ganze Jahr über an jeder Moselkrümmung und in jedem Winzerdorf statt. Im Februar beginnt die Saison mit der Weinkirmes in **Lehmen**, im November endet sie mit dem Fest des Federweißen in **Winningen** und in **Cochem**. Und sie sollten ein fester Bestandteil für einen Besuch an der Mosel sein.

Ein Begriff für Qualität

SCHON DIE EISZEITJÄGER WUSSTEN DEN SCHIEFER AUS DEN TIEFEN DER EIFEL ZU SCHÄTZEN: VOR RUND 15 500 JAHREN LEGTEN SIE IHRE FUSSBÖDEN DAMIT AUS. DIE RÖMER NUTZTEN SCHIEFER SCHON GANZ BEWUSST ALS EINEN BEVORZUGTEN BAUSTOFF UND SUCHTEN IHN GEZIELT IM RAUM MAYEN. IM MITTELALTER ENTWICKELTEN SICH DIE LEICHT SPALTBAREN PLATTEN ZUM BEGEHRTEN BEDACHUNGSMATERIAL. NOCH HEUTE SIND VIELE MOSELDÖRFER UND STÄDTE – WIE IM ÜBRIGEN DEUTSCHLAND UND IM AUSLAND AUCH – MIT MOSELSCHIEFER EINGEDECKT. WAS ABER DIE WENIGSTEN WISSEN: MOSELSCHIEFER KOMMT NICHT UNMITTELBAR VON DER MOSEL. DAMIT IST MOSELSCHIEFER KEIN HERKUNFTSBEGRIFF FÜR SCHIEFER, SONDERN TATSÄCHLICH ALS QUALITÄTSBEGRIFF ENTSTANDEN UND BEKANNT. ER KOMMT ZWAR AUCH IM RHEINISCHEN SCHIEFERGEBIRGE VOR, WIRD ABER WEGEN SEINER BESONDEREN CHARAKTERISTIK ZUR ABGRENZUNG AUSDRÜCKLICH NICHT ALS RHEINISCHER SCHIEFER BEZEICHNET. ZULETZT EINIGTEN SICH DER REICHSDACHDECKER-VERBAND UND DIE DEUTSCHE SCHIEFERINDUSTRIE 1932 DARAUF, DASS NUR VORKOMMEN IN FELL/THOMM, MÜLLENBACH, MAYEN UND UMGEBUNG ALS MOSELSCHIEFER BEZEICHNET WERDEN DÜRFEN. DIE ABGRENZUNGEN WURDEN IN DER SPÄTEREN LITERATUR IMMER WIEDER BESTÄTIGT. MOSELSCHIEFER WIRD HEUTE NUR NOCH VON DEN RATHSCHECK MOSELSCHIEFER-BERGWERKEN IN MAYEN (BERGWERKE KATZENBERG UND MARGARETA) GEWONNEN UND GEFERTIGT, NACHDEM IN DEN VERGANGENEN JAHRZEHNTEN AUCH SCHIEFER AUS IMPORTEN VERSTÄRKT AUF DEN DEUTSCHEN MARKT KAMEN. RATHSCHECK

VERTREIBT IN DER GANZEN WELT DEN AUS HEIMISCHER PRODUKTION STAMMENDEN MOSELSCHIEFER SOWIE EBENFALLS WELTWEIT BEI PARTNERN ZUGEKAUFTE SCHIEFERSORTEN UNTER DER MARKE INTERSIN. IM PROGRAMM SIND AUCH FARBIGE SCHIEFER MIT DEN GRUNDTÖNEN ROT, BRAUN UND GRÜN UNTER DER MARKE COLORSKLENT. SIE STAMMEN AUS ANDEREN KONTINENTEN. FÜR DIE MAYENER MOSELSCHIEFER-PRODUKTION, VORZUGSWEISE FÜR DIE ALTDEUTSCHE DECKUNG, IST DIE BEGRIFFSENTSTEHUNG ÜBER DOKUMENTE BIS ZURÜCK INS JAHR 1850 RECHERCHIERT WORDEN. DER MAYENER SCHIEFER WAR FRÜHZEITIG ALS BESONDERS HOCHWERTIG BEKANNT. ER WURDE SCHON IN FRÜHEN JAHREN, ALS DIE VIELEN PRODUKTIONSSTÄTTEN DEUTSCHLANDS SCHON AUS TRANSPORTGRÜNDEN NUR VERKAUFSGEBIETE IM UMKREIS VON RUND 40 KM HATTEN, BEISPIELSWEISE NACH NORDBAYERN, ZUM LINKEN NIEDERRHEIN UND IN DIE NIEDERLANDE TRANSPORTIERT. DIE SCHIEFERPLATTEN WURDEN VON MAYEN UND UMGEBUNG MIT FUHRWERKEN ZUR VERSCHIFFUNG AN DIE FLÜSSE MOSEL UND RHEIN GEBRACHT. EINER DER HAUPTUMSCHLAGPLÄTZE WAR KLOTTEN AN DER MOSEL. SO WAR DER SCHIEFER AUS MAYEN FÜR DIE EMPFÄNGER DER „SCHIEFER VON DER MOSEL", WOMIT EIGENTLICH NUR DER TRANSPORTWEG RICHTIG BEZEICHNET WURDE. ABER: SO HAT ER SICH DANN WEGEN SEINER BESONDEREN QUALITÄTS-CHARAKTERISTIK ALS MOSELSCHIEFER IM MARKT EINGEPRÄGT (► SEITE 64).

NOCH MEHR TIPPS
FÜR TOUREN FINDEN
SIE IN DEN
WEITEREN
BÜCHERN UND
KARTEN AUS
DER REIHE
»EIN SCHÖNER TAG«

BAND 1   EIFEL

Ein schöner Tag

Die 111 besten Tipps für Touren
zwischen Ahr, Rhein und Mosel

AUF DEN
SPUREN DES
SCHIEFERS

EDITION RATHSCHECK

Eifel

ISBN Buch: 3-934342-08-6
ISBN Karte: 3-934342-02-7

BAND 2   RHEINTAL

Ein schöner Tag

Die 111 besten Tipps für Touren
links und rechts des Mittelrheins

AUF DEN
SPUREN DES
SCHIEFERS

EDITION RATHSCHECK

Rheintal

ISBN Buch: 3-934342-09-4
ISBN Karte: 3-934342-03-5

Ein schöner Tag

Die 111 besten Tipps für Touren zwischen Sieg, Rhein und Lahn

Westerwald

ISBN Buch: 3-934342-00-0
ISBN Karte: 3-934342-04-3

Ein schöner Tag

Die 111 besten Tipps für Touren zwischen Nahe, Saar und Mosel

Hunsrück

ISBN Buch: 3-934342-06-X
ISBN Karte: 3-934342-07-8

Erschienen in der
Edition Rathscheck
by **idee**-media
In Vorbereitung: Taunus,
Saarland,Rheingau